建筑施工企业管理人员岗位资格培训教材

安装造价员岗位实务知识

建筑施工企业管理人员岗位资格培训教材编委会 组织编写
孟昭荣 徐第 主编

中国建筑工业出版社

图书在版编目（CIP）数据

安装造价员岗位实务知识/建筑施工企业管理人员岗位资格培训教材编委会组织编写. —北京：中国建筑工业出版社，2007

建筑施工企业管理人员岗位资格培训教材

ISBN 978-7-112-08841-6

Ⅰ. 安… Ⅱ. 建… Ⅲ. 建筑安装工程-建筑造价管理-技术培训-教材 Ⅳ. TU723.3

中国版本图书馆 CIP 数据核字（2007）第 078935 号

本书是建筑施工企业管理人员岗位资格培训教材之一，详细地介绍了安装造价员应该掌握的基础知识和专业知识。全书包括暖通工程识图，定额、预算与费用组成，岗位实务工作项目，暖通工程定额使用，电气安装工程定额使用等内容。本书内容全面、系统，充分考虑到了培训教学和读者自学参考的需要。

本书可作为建筑施工企业安装造价员岗位资格的培训教材，也可供安装工程造价人员和其他专业人员学习参考。

* * *

责任编辑：刘 江 范业庶
责任设计：赵明霞
责任校对：关 健 兰曼利

建筑施工企业管理人员岗位资格培训教材
安装造价员岗位实务知识
建筑施工企业管理人员岗位资格培训教材编委会 组织编写
孟昭荣 徐 第 主编
*
中国建筑工业出版社出版、发行（北京西郊百万庄）
各地新华书店、建筑书店经销
北京密云红光制版公司制版
廊坊市海涛印刷有限公司印刷
*
开本：787×1092 毫米 1/16 印张：11¼ 字数：271 千字
2007 年 7 月第一版 2015 年 9 月第六次印刷
定价：**22.00** 元
ISBN 978-7-112-08841-6
（15505）

本社网址：http://www.cabp.com.cn
网上书店：http://www.china-building.com.cn

《建筑施工企业管理人员岗位资格培训教材》

编 写 委 员 会

《安装造价员岗位实务知识》

编 写 人 员 名 单

主　编：孟昭荣　徐　第

主要编写人员：(按姓氏笔画排序)

石立军　孙俊英　何　京

周颖杰　孟昭荣　岳建光

徐　第　傅正信

出 版 说 明

建筑施工企业管理人员（各专业施工员、质量员、造价员，以及材料员、测量员、试验员、资料员、安全员）是施工企业项目一线的技术管理骨干。他们的基础知识水平和业务能力的大小，直接影响到工程项目的施工质量和企业的经济效益；他们的工作质量的好坏，直接影响到建设项目的成败。随着建筑业企业管理的规范化，管理人员持证上岗已成为必然，其岗位培训工作也成为各施工企业十分关心和重视的工作之一。但管理人员活跃在施工现场，工作任务重，学习时间少，难以占用大量时间进行集中培训；而另一方面，目前已有的一些培训教材，不仅内容因多年没有修订而较为陈旧，而且科目较多，不利于短期培训。有鉴于此，我们通过了解近年来施工企业岗位培训工作的实际情况，结合目前管理人员素质状况和实际工作需要，以少而精的原则，组织出版了这套“建筑施工企业管理人员岗位资格培训教材”，本套丛书共分15册，分别为：

✧《建筑施工企业管理人员相关法规知识》

✧《土建专业岗位人员基础知识》

✧《材料员岗位实务知识》

✧《测量员岗位实务知识》

✧《试验员岗位实务知识》

✧《资料员岗位实务知识》

✧《安全员岗位实务知识》

✧《土建质量员岗位实务知识》

✧《土建施工员（工长）岗位实务知识》

✧《土建造价员岗位实务知识》

✧《电气质量员岗位实务知识》

✧《电气施工员（工长）岗位实务知识》

✧《安装造价员岗位实务知识》

✧《暖通施工员（工长）岗位实务知识》

✧《暖通质量员岗位实务知识》

其中，《建筑施工企业管理人员相关法规知识》为各岗位培训的综合科目，《土建专业岗位人员基础知识》为土建专业施工员、质量员、造价员培训的综合科目，其他13册则是根据13个岗位编写的。参加每个岗位的培训，只需使用2~3册教材即可（土建专业施工员、质量员、造价员岗位培训使用3册，其他岗位培训使用2册），各书均按照企业实际培训课时要求编写，极大地方便了培训教学与学习。

本套丛书以现行国家规范、标准为依据，内容强调实用性、科学性和先进性，可作为施工企业管理人员的岗位资格培训教材，也可作为其平时的学习参考用书。希望本套丛书能够帮助广大施工企业管理人员顺利完成岗位资格培训，提高岗位业务能力，从容应对各自岗位的管理工作。也真诚地希望各位读者对书中不足之处提出批评指正，以便我们进一步完善和改进。

中国建筑工业出版社
2006年12月

前　言

本书为建筑施工企业管理人员岗位资格培训系列教材之一，结合当前安装造价员培训的实际需要，根据全国以及北京市建设工程预算定额等有关内容，按照力求实用性、操作性及岗位实际运用性的原则进行编写。

本书主要介绍了最基本的识图知识、定额条款及有关施工预算的编制。在编写时，我们力求做到理论联系实际，注重了定额条款内容的阐述，也注重预算编制的实际操作及应用，以便通过培训达到既掌握岗位知识又掌握岗位操作的能力。

本书编写时参阅了大量相关培训教材及有关定额，在此对这些编者，表示万分感谢。

本书由孟昭荣、徐第主编，主要编写人员为（按姓氏笔画排序）：石立军、孙俊英、何京、周颖杰、孟昭荣、岳建光、徐第、傅正信。

本书虽经修改，但由于时间仓促及编者专业水平、实践经验及经济意识有限，书中的错误及不当之处，敬请各位读者批评指正。

目 录

第一章　暖通工程识图

第一节　投影基本概念

一、投影的概念

什么是投影呢？众所周知在光线的照射下空间物体就会在墙壁或地面上出现影子，这种现象就叫投影。把投影这种自然现象用几何方法加以总结和提高就形成了投影法。

二、投影法的分类

投影可分为中心投影和平行投影两类。

1. 中心投影法

所有投影线都从一点发出，这种投影法叫做中心投影法，如图 1-1 所示。

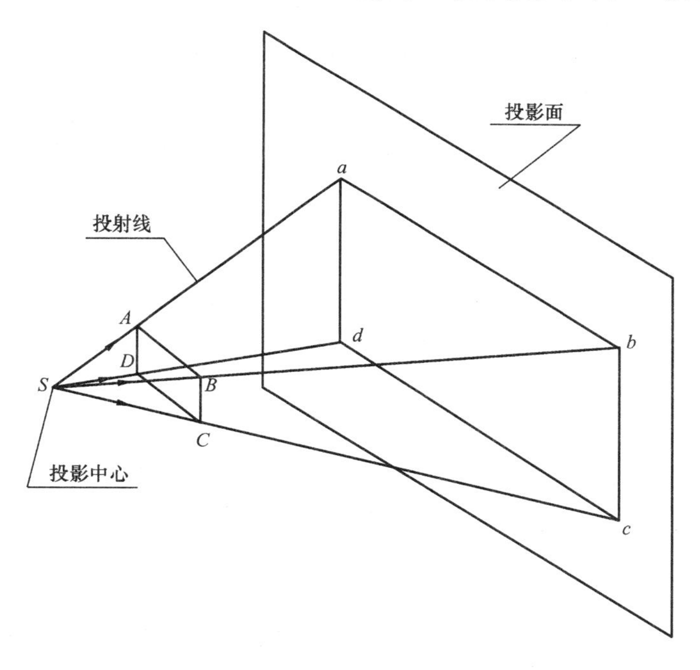

图 1-1　中心投影法

2. 平行投影法

将投影中心移至无穷远，那么所有的投影线都平行，如图 1-2 所示，这种所有投影线都相互平行的投影法叫做平行投影法。

根据投影线是否垂直于投影面，平行投影法又分为斜投影法和正投影法两种。

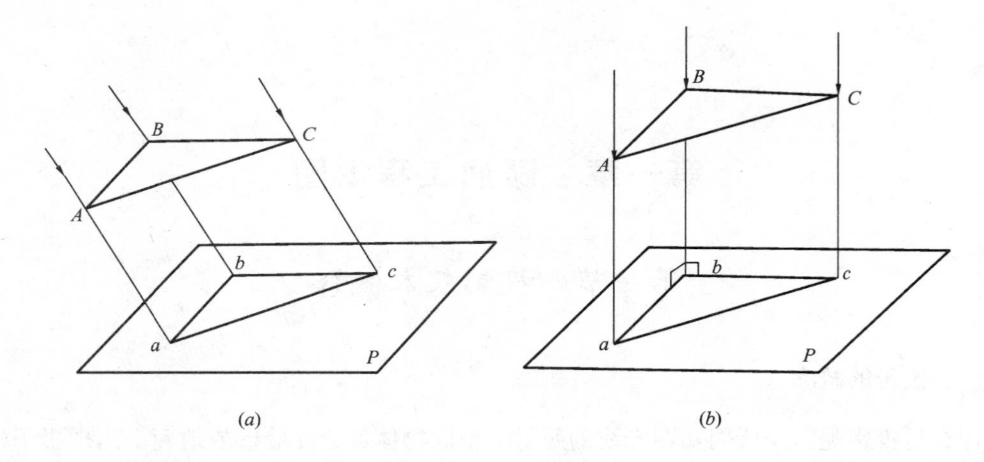

图 1-2　平行投影法

(1) 斜投影法：投影线倾斜于投影面所用投影的方法，如图 1-2（*a*）所示。用斜投影法所得的投影称为斜投影。

(2) 正投影法：投影线垂直于投影面所用投影的方法，如图 1-2（*b*）所示。用正投影法所得的投影称为正投影。

正投影法能够准确的表达物体形状和大小，而且作图也比较简便，容易度量，因此在工程制图中得到广泛应用。

点的正投影：点的投影还是点。

线的正投影：若线是垂直于投影面的则投影是一点，若线不是垂直于投影面的则投影还是一条直线，如图 1-3 所示。

面的正投影：若被投影面是垂直于投影面的则所得正投影是一条直线，如图 1-4 所示，若被投影面不是垂直于投影面的则所得正投影还是一个面。

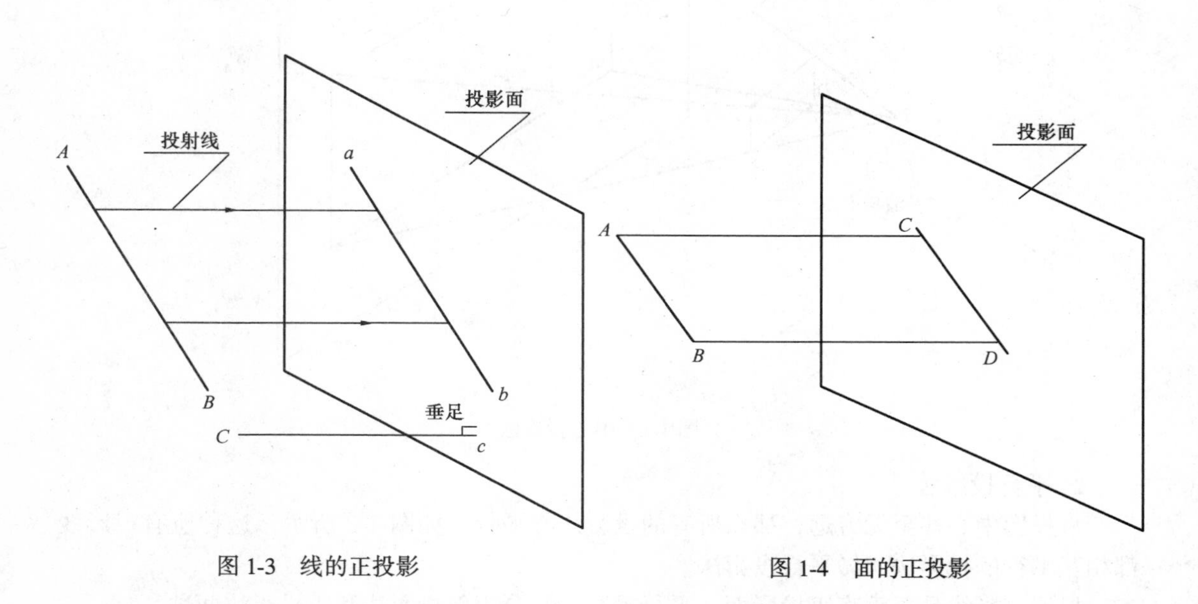

图 1-3　线的正投影　　　图 1-4　面的正投影

第二节　三视图及投影规律

什么是视图？在实际绘图中，假想把视线当作平行投射线，用正投影法画出物体的正投影图，就是物体的视图。

一、三视图的形成

仅有一个投影面是不能准确完整的表达物体的形状的，需要在水平面、正面、侧面三个方向进行投影才能完整表达物体形状。实际绘图中也是将物体向三个方向投影，得到三视图。

二、三投影面体系的建立

为表达物体形状，常采用互相垂直的三个投影面，建立三投影面体系，如图 1-5 所示，其名称如下：

正立投影面简称正面，用 *V* 表示；

水平投影面简称水平面，用 *H* 表示；

侧立投影面简称侧面，用 *W* 表示。

OX 轴——正面与水平面的交线，它代表长度方向；

OY 轴——水平方向与侧面的交线，它代表宽度方向；

OZ 轴——正面与侧面的交线，它代表高度方向。

原点 *O*——*OX*、*OY*、*OZ* 三轴的交点。

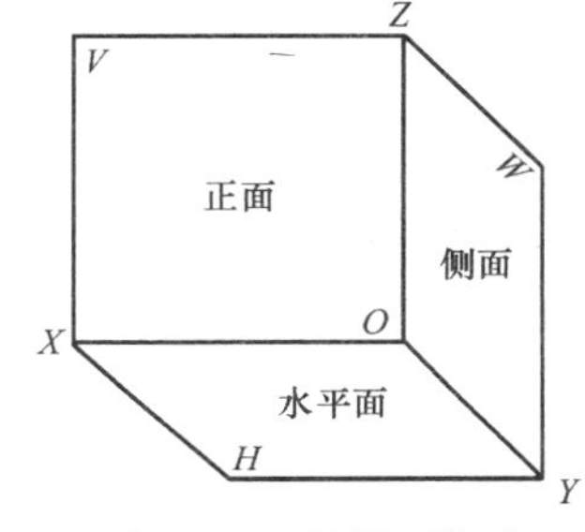

图 1-5　三投影面体系

三、物体在三投影面体系中的投影

为了获得三视图，把物体放置在所建立的三投影面体系中，使物体的各主要平面分别平行于各投影面，投影时使物体处于观察者与投影面之间，按正投影法分别向各投影面投影，如图 1-6 所示，名称为：

主视图——物体由前向正投影面投影所得的图形；

俯视图——物体由上向水平投影面投影所得的图形；

左视图——物体由左向右侧投影面投影所得的图形。

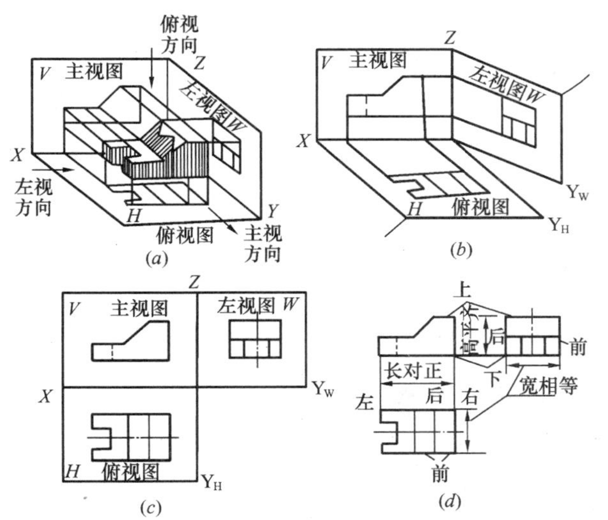

图 1-6　三视图形成过程

四、三投影面的展开

为了把三个视图画在一张图纸上，必须把相互垂直的三个投影面展开成一个平面，如图 1-6（*b*）所示。先将空间的物体移走，正面 *V* 保持不动，将水平面 *H* 沿 *OX* 轴向下旋转

90°，将侧面 W 沿 OZ 轴向右转 90°。这样就在同一平面上得到了三视图，如图 1-6（c）所示。为简化作图，在三视图中，不画投影面的边框，视图间的距离也是由实际情况而定的，视图名称也不标出，如图 1-6（d）所示。

五、三视图的投影规律

1. 视图与物体的方位关系

所谓方位关系是指观察者面对正面 V 来观察物体为准，看物体的上、下、左、右、前、后六个方位在三视图中的对应关系，如图 1-6（d）所示。

2. 投影规律

如图 1-6（d）所示，主视图反映物体的长和高，俯视图反映物体的长和宽，左视图反映立体的宽和高。表明了每个视图反映了物体两个方向的尺寸，因此总结出三视图的投影规律，即

主、俯视图长对应；

主、左视图高平齐；

俯、左视图宽相等。

简称“长对正、高平齐、宽相等”。

不仅整个物体的三视图符合上述投影规律，而且物体上的每一组成部分的三个投影也符合上述投影规律。

第三节 管道视图基本画法

管道工程图是管道工程语言，是设计人员用它来表达设计意图和交流管道工程技术的重要工具。因此，工程图的表示方法必须按国家标准进行。由于管道工程种类繁多，在此仅按《给水排水制图标准》GBJ 106—87、《采暖通风与空气调节制图标准》GBJ 114—88规定，介绍暖通工程图的表示方法。

一、暖通工程中常用管道线型表示方法

暖通工程中常用管道线型表示方法见表 1-1。

常用管道线型 **表 1-1**

名称	线型	线宽	用途
粗实线	————	b	暖通施工图中表示：采暖供水、供汽干管、立管；风管及部件轮廓线，系统图中的管线；设备、部件编号的索引标志线，非标准部件的外轮廓线
中实线	————	$0.5b$	暖通施工图中表示散热器及散热器连接支管线；采暖通风空调设备的轮廓线；风管法兰线
细实线	————	$0.35b$	暖通平剖面图中土建轮廓线。 尺寸线、尺寸界线、局部放大部分的范围线、引出线、标高符号线、较小图形的中心线、材料图例线
粗虚线	— — —	b	暖通图中表示采暖回水管、凝结水管；平剖面图中非金属风道的内表面轮廓线
中虚线	— — — —	$0.5b$	风管被遮挡部分的轮廓线

续表

名 称	线 型	线宽	用 途
细虚线	－－－－－－－－－	0.35b	暖通图中原有风管轮廓线；采暖地沟；工艺设备被遮挡部分的轮廓线
细点划线	—·—·—·—·—	0.35b	中心线；定位轴线
折断线	——╱╲——	0.35b	不需画全的断开界线
波浪线	～～	0.35b	不需画全的断开界线

二、管道的视图基本画法

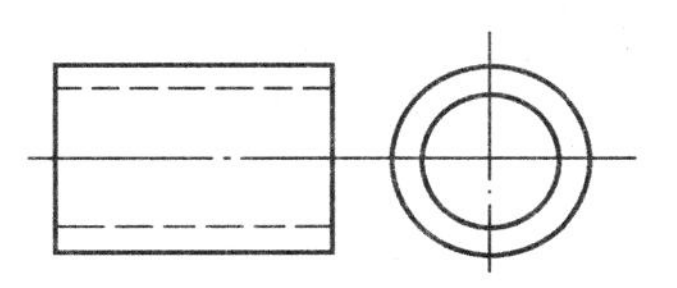

图 1-7　短管的三视图

（1）在采暖系统和空调系统平面图、系统图中，采暖、空调水管通常用单实线表示；在大样图、节点图中用双线表示。

（2）在通风和空调系统平面图、大样图中，风管通常用双实线表示，即双线是风管外轮廓线，也有用三线表示的，外轮廓线为实线和点画线表示的管中心线；在系统图中用单线表示风管。

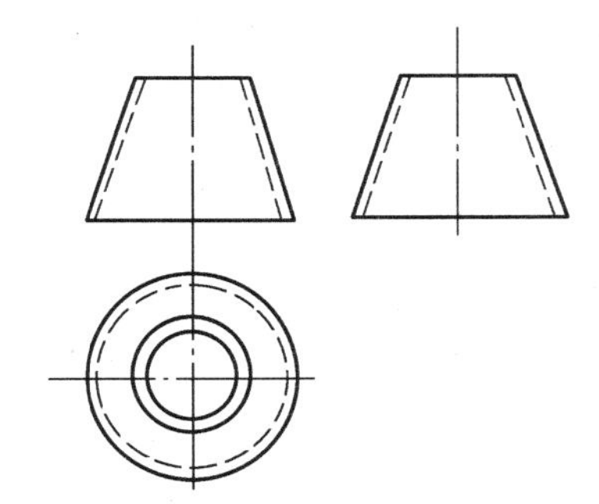

图 1-8　同心变径管的三视图

三、管件的基本画法

普通水管短管的三视图画法如图 1-7，短管的两个端面是两个同心的圆，内外表面都是圆滑的曲面，内壁看不见的轮廓线用虚线表示，如果当虚线正好和实线重合时，将它画成实线。H 面投影与 V 面投影相同，可以省略。

同心变径管的三视图画法如图 1-8，同心变径管是内外表面光滑的空心圆锥台，两个端面是大小不等的同心圆。

平焊法兰的三视图画法如图 1-9。

水管弯头的三视图画法如图 1-10。

水管三通常见两种，同径三通和异径三通，三视图画法如图 1-11。

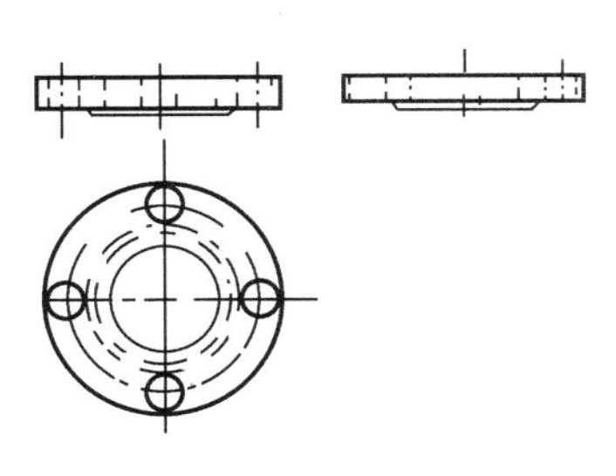

图 1-9　平焊法兰的三视图

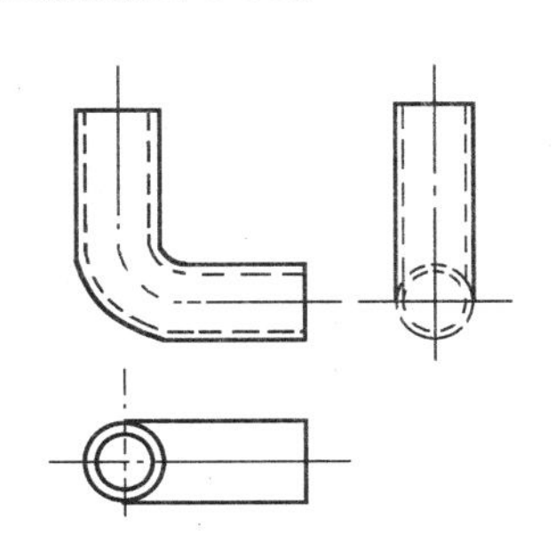

图 1-10　水管弯头的三视图

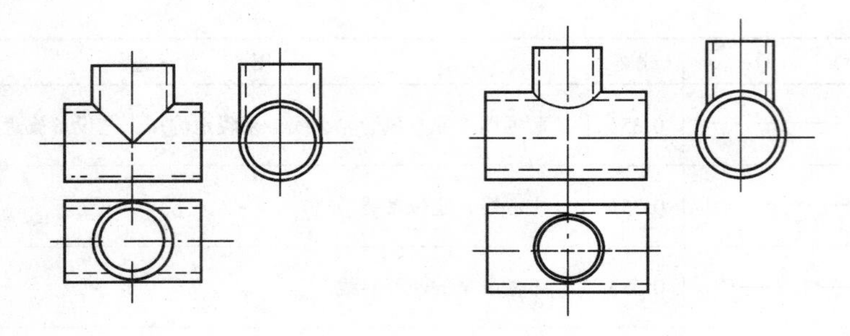

图 1-11　同径三通和异径三通的三视图

水管弯头——在平面图中无特殊说明的情况下管线拐弯的地方就是弯头、如┐ └┘，上返弯为——⊙，下返弯为——○。

风管弯头——同水管一样平面图中管线拐弯的地方就是弯头、如、，上返弯为、，下返弯为、。

水管三通、四通——在平面图中管线连接处就是三通、四通如、，也有在交点处加点的画法如；风管三通、四通在平面图中表示为、。

变径管——水管只用一条直线绘制，因此不能体现出变径管，在标注时标出管径的变化；风管变径直接在平面图中表示出来如。

四、管道的交叉、重叠、积聚的画法

水管的交叉画法是在上面的管道通过，下面的管道被遮挡部分画断开线如、；风管的交叉也是如此，上面的管路通过，下面的管路画断开线，如。

当水管位置重叠或积聚时的表示方法如图 1-12。图 1-12（*a*）是三根水管重叠的平面表示；图 1-12（*b*）是两根水管重叠的平面表示；图 1-12（*c*）是多根水管重叠的平面表示；图 1-12（*d*）是弯管与直管重叠时的表示。

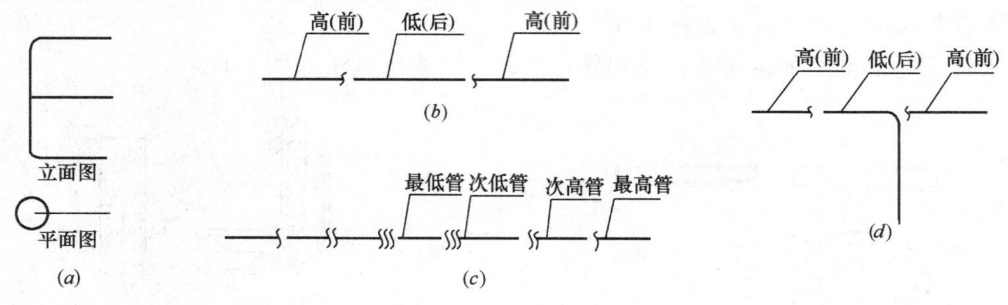

图 1-12　水管位置重叠或积聚时的表示方法

风管位置重叠时若上面风管宽小于下面风管，则两风管都画出来，若上面风管宽不小于下面风管，则画上面的大风管用实线画出，下面的小风管用虚线画出。

五、常见采暖及通风空调水管道阀门画法

常见各种采暖及通风空调水管道阀门画法见表 1-2、表 1-3。

采暖及空调水管道中常用阀门　　表 1-2

名　称	图　例	名　称	图　例
截止阀	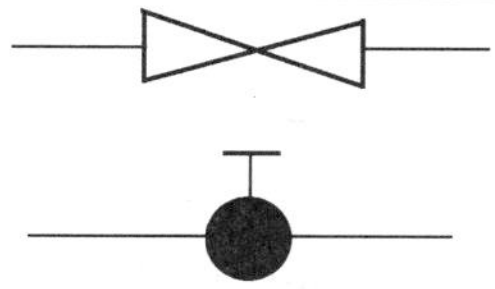	散热器放风门	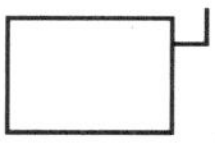
蝶　阀		手动排气阀	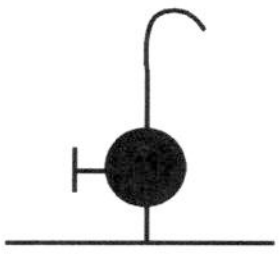
电动蝶阀	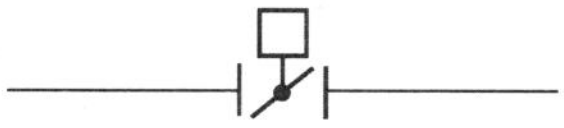	自动排气阀	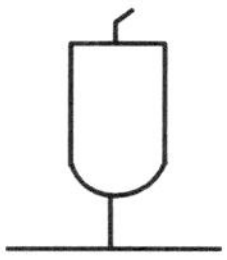
平衡阀		疏水器三通阀	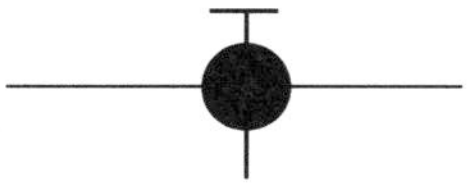
闸　阀		球　阀	
止回阀		电磁阀	
安全阀		角阀	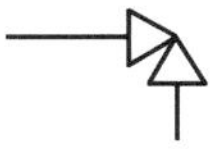
膨胀阀		三通阀	
减压阀	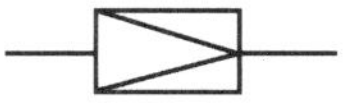	四通阀	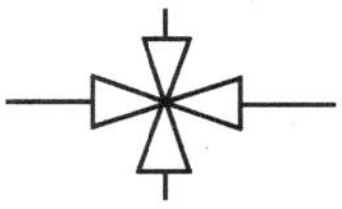

通风空调风管道中常用阀门　　表 1-3

名　　称	图　　　例	名　　称	图　　　例
多叶调节阀	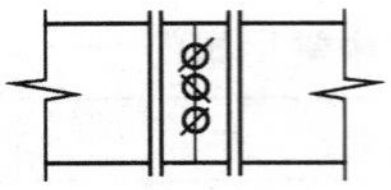	防火排烟阀	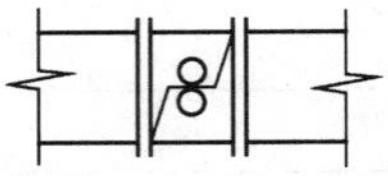
电动多叶调节阀	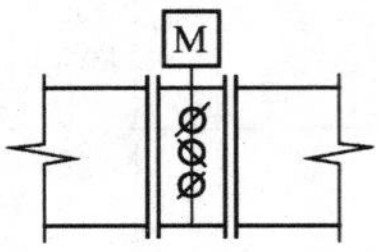 M	余压阀	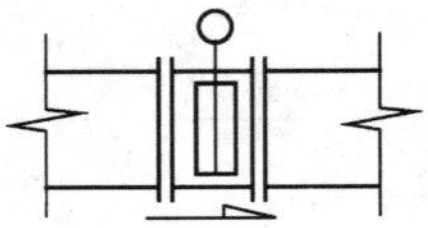
电动蝶阀	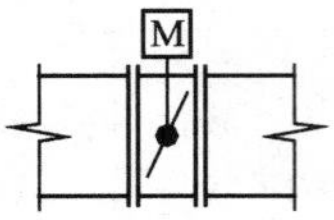 M	排烟阀	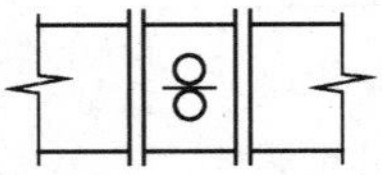
蝶阀	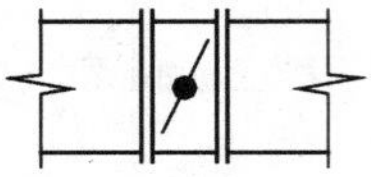	电动排烟阀	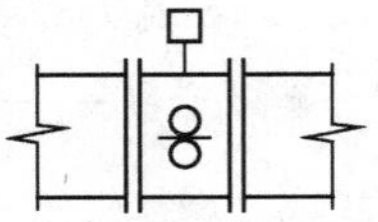
70℃防火阀	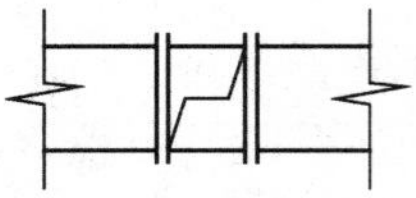	风管防回流阀	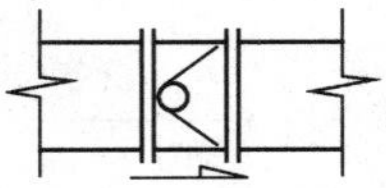
150℃防火阀	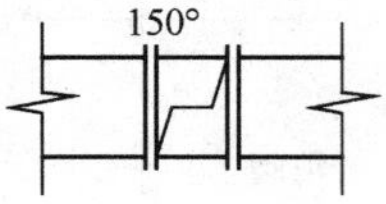 150°	280℃防火阀	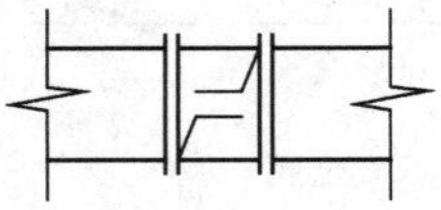
70℃电动防火阀	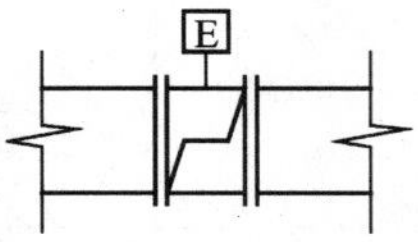 E		

六、常用图例一览表

常用图例一览表见表 1-4、表 1-5。

常用采暖、空调水系统图例 **表 1-4**

序号	名称	图例	说明
1	管道		用于一张图内只有一种管道
		 A F	用汉语拼音、英文单词字头表示管道类别
			用图例表示管道类别
2	采暖供水（汽）管		
3	采暖回（凝结）水管	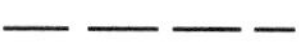	
4	保温管		常用文字说明替代
5	方形补偿器		
6	套筒补偿器	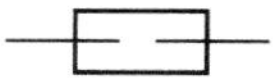	
7	波纹管补偿器	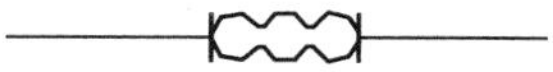	
8	弧形补偿器		
9	波形补偿器	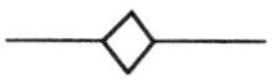	
10	丝堵		
11	滑动支架	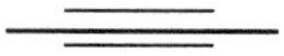	
12	固定支架		单管
13	流向		用箭头表示
14	截流孔板	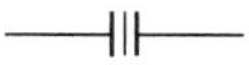	
15	泄水丝堵	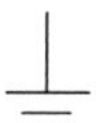	
16	散热器		左图：平面 右图：立面

续表

序号	名　　称	图　　例	说　　明
17	集气罐	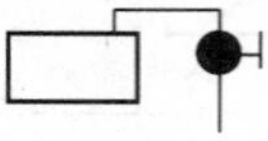	
18	管道泵		
19	过滤器	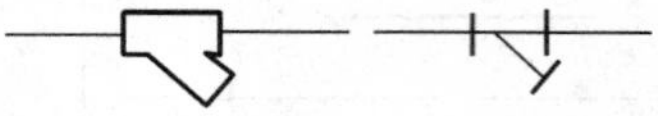	
20	除污器	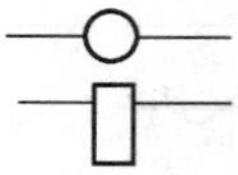	上图：平面 下图：立面
21	暖风机		
22	恒速水泵		
23	变速水泵		
24	管道软接头		
25	板式热交换器	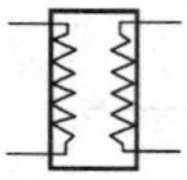	
26	地板嵌入式散热器		
27	压 力 表	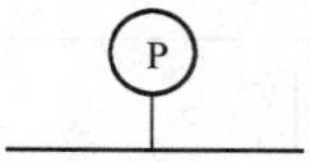 P	
28	温 度 计	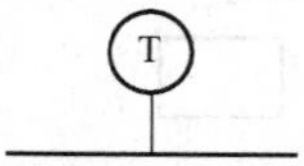 T	

常用通风空调系统图例 **表 1-5**

序号	名称	图例	说明
1	风管	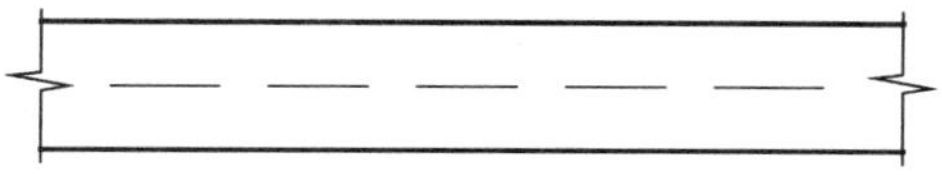	
2	弯头	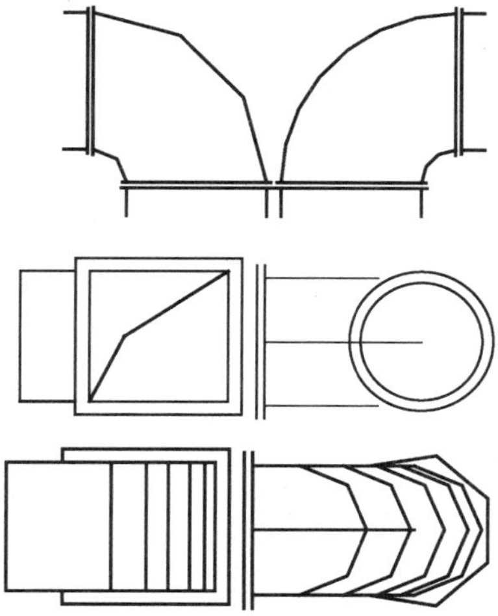	左弯、右弯 方、圆风管上弯 方、圆风管下弯
3	带导流片弯头	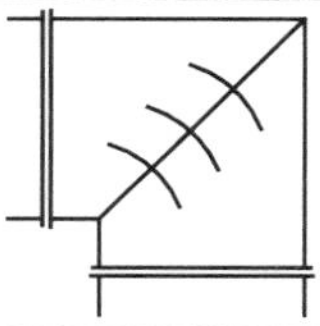	
4	消声弯头	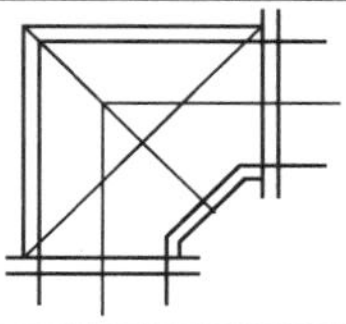	
5	柔性接头	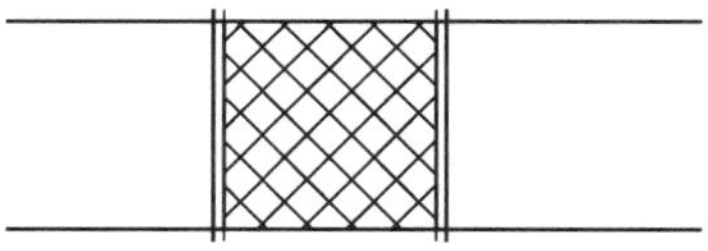	
6	消声器	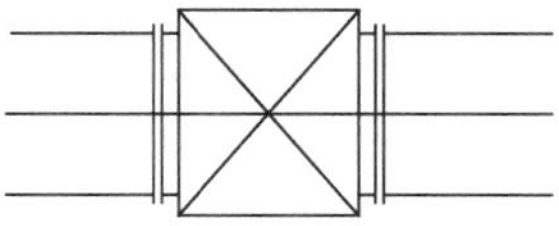	
7	消声静压箱	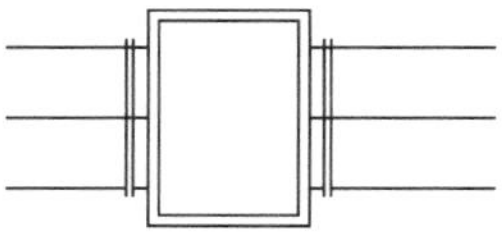	

续表

序　号	名　　称	图　　　例	说　　明
8	新风入口	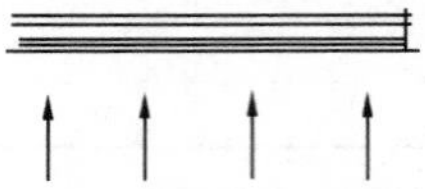	
9	排风出口	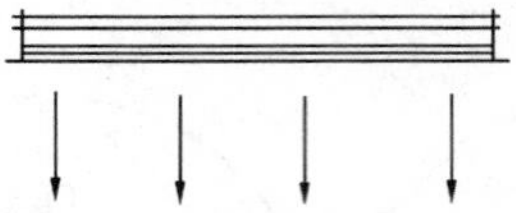	
10	轴流风机	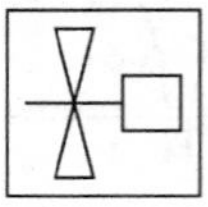	
11	离心风机	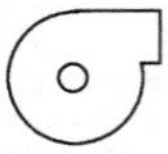	
12	卧式暗装风机盘管	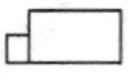	
13	变风量末端调节器		
14	百叶排风口	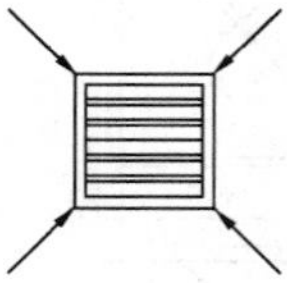	
15	空调回风口	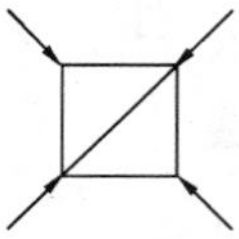	
16	方形散流器	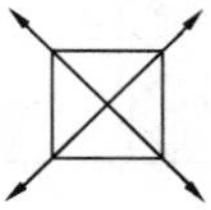	
17	条缝风口		
18	板式过滤器		

续表

序 号	名 称	图 例	说 明
19	袋式过滤器		
20	活性炭过滤器		
21	加湿器		
22	加热盘管		
23	冷却盘管		

第四节 图纸的分类方式

一、按专业分工分类

建造一幢房屋从设计到施工，要由许多专业、许多工种共同配合来完成。按专业分工的不同，施工图可分为：

(1) 建筑施工图（简称建筑图）主要用来表示房屋的规划位置、外部造型。内部布置、内外装修、细部构造、固定设施及施工要求等。它包括施工图首页、总平面图、平面图、立面图、剖面图和详图。

(2) 结构施工图（简称结构图）主要表示房屋承重结构的布置、构件类型、数量、大小及做法等。它包括结构布置图和构件详图。

(3) 设备施工图（简称设备图纸）主要表示各种设备、管道和线路的布置、走向以及安装施工要求等。设备施工图又分为给水排水施工图（水施）、采暖施工图（暖施）、通风与空调施工图（通施）、电气施工图（电施）等。设备施工图一般包括平面布置图、系统图和详图等。

建筑标高是指建筑物的设计标高，表示的是建筑最终完成后的地面、顶板等的高度。结构标高是指结构完成后的标高，不包括装饰面的高度。管线标高是相对于建筑标高标注的，有标注相对高度的，也有标注绝对高度的。

我们这里主要学习供暖工程和通风空调工程的图纸，简称暖通工程，下面就以暖通图纸为主进行学习。

二、按图纸作用分类

各种暖通工程施工图均可分为基本图纸和详图两大部分。基本图纸包括图纸目录、设计施工说明、设备材料表、工艺流程图、平面图、轴测图、立（剖）面图；详图包括大样图、节点图和标准图等。

1. 图纸目录

为便于查阅和保管，设计人员将一个项目工程的施工图纸按一定的名称和顺序归纳整理编排成图纸目录。一般是先列出新设计的图纸，后列出选用的标准图。通过图纸目录，可知该项目整套专业图的图别、图名、图号及其数量等。

2. 设计施工说明

设计人员在图样上无法表明而又必须要建设单位和施工单位知道的一些技术和质量的要求，一般均以文字的形式加以说明。其内容一般有工程设计的主要技术数据、施工验收要求以及特殊注意事项。

3. 设备、材料表

设计人员将该工程所需的各种设备和各类管道、阀门、管件以及防腐、绝热材料的名称、规格、型号、数量而列出的明细表。以上三点是施工图纸不可缺少的组成部分，既是图样的纲领和索引，又是图样的补充与说明。了解这些内容，有助于进一步看懂管道工程图。

4. 工艺流程图

工艺流程图是表示整个管道系统和整个工艺变化过程的原理图。它是设备布置和管道布置等设计的依据，也是施工安装和操作运行时的依据。通过它，可以全面了解建筑物的名称、设备编号、整个系统的仪表控制点（温度、压力、流量及分析的测点），可以确切了解管道材质、规格、编号、输送的介质与流向以及主要控制阀门等。

5. 平面图

管道平面图是管道工程图中最基本的一种图样，它主要表示设备、管道在建筑物内的平面位置，表示管线的排列和走向、坡度和坡向、管径、标高以及各管段的长度尺寸和相对位置等具体数据。

6. 轴测图

轴测图是一种立体图，它是管道工程图中的重要图样之一。它反映设备管道的空间布置，管线的空间走向。由于它有立体感，有助于读者想像管线的空间布置状况，能代替管道立（剖）面图。

7. 立（剖）面图

立（剖）面图也是管道工程图中的常见图样。它主要反映设备管道在建筑物内在垂直高度方向上的布置，反映在垂直方向上管线的排布和走向以及管线的编号、管经、标高等具体数据。

8. 节点图

节点图就是对以上几种图样无法表示清楚的节点部位的放大图。它能清楚的反映某一局部管道或组合件的详细结构和尺寸。节点是用代号表示它所在工程图样中的部位，如“节点 A ”，在相应的施工图中就能找到用“A”所表示的部位。

9. 大样图

大样图表示一组（套）设备或一组管件组合安装的一种详图。它反映了组合体各部位的详细构造与尺寸。由于它用双线图表示，真实感强，有助于进一步识懂管道工程图。

10. 标准图

标准图是一种具有通用性的图样。它是为使设计和施工标准化、统一化，一般由国家或有关部委颁发的标准图样。标准图样详细反映了成组管道、部件或设备的具体构造尺寸和安装技术要求。标准图一般不能用作单独施工图纸，而是作为某些施工图中的一个组成部分。

第五节　图　纸　识　读

一、其他专业施工图

1. 建筑工程图

表示该工程内部和外部结构形状的图纸。建筑工程图也分为平面图、立面图、剖面图等。

(1) 平面图是表示建筑面积、房间大小、隔断、楼梯、门窗等位置和尺寸，墙厚度等。

(2) 立面图是表示建筑物的外部形状，房屋长、宽、高等尺寸以及房顶的形式，门窗洞口的位置等。

(3) 剖面图则表示建筑物内部高度的情况，如房间高度，楼房分层、门窗高度等。

暖通施工图与建筑图有着密切的关系。风管的标高、定位坡向距离等尺寸都是以建筑图为基准。前期的预埋件，风管水管的穿墙、穿楼板的预留孔洞都是要在建筑图上表示的。

2. 结构工程图

表示该建筑结构形式的图纸。风管水管安装过程中，要在结构上生根的地方，都要参看结构图纸的做法，避免破坏结构强度。

3. 电气安装施工图

电气安装施工图包括平面图、系统图、接线原理图、施工说明等。电气安装施工图表明了供电方式，设备接线，电气管路、桥架敷设方式、位置等，配电箱、开关位置等。电气安装施工图与暖通图纸也存在密切关系，在冷冻机房、空调机房、水泵间等机房都要给设备供电。常存在管线交叉的问题，需相互配合解决。

二、如何看暖通、空调施工图

(1) 首先要根据施工图纸目录查清图纸是否齐全（包括平面图、剖面图、大样图、节点图、系统图及设计施工说明等)。

(2) 水系统识图基本方法有:

识读时,先粗看。弄清该工程的图纸数量,弄清供热入口、供水总立管、供水干管、立管、回水干管、散热器的布置位置,弄清该采暖管道系统属何种布置形式。然后按热介质流向,供热入口——供水总立管——供水干管——各立管——回水干管——热入口的顺序深入地进行识读。识读时,先读平面图,后将系统图结合平面图对照识读,以弄清各部分的布置尺寸、构造尺寸及其相互关系。

(3) 风系统识图基本方法有:

对系统而言,可按空气流向进行。送风系统为:进风口——进风管道——通风机主干风管——分支风管——送风口;排风系统为:排气(尘)罩类——吸气管道—排风机——立风管——风帽;全空气空调系统为:新风口——新风管道——空气处理设备——送风机——送风干管——送风支管——送风口空调房间——回风口——回风机——回风管道(同时读排风管道、排风口)——一、二次回风管——空气处理设备。对图纸而言一般为平面图、剖面图、系统图、详图。

(4) 识读剖面图与系统图时,应与平面图对照进行。识读平面图以了解设备、管道的平面布置位置及定位尺寸;识读剖面图以了解设备、管道在高度方向的布置情况、标高尺寸以及管道在高度方向的走向;识读系统图以了解整个系统在空间上的概貌和走向;识读详图以了解设备、部件的具体构造、制作安装尺寸与要求等。

空调图纸识读过程如下:

首先识读平面图。空调建筑有空调房间(商场)平面图和空调机房平面图,识读时,将平、剖面图对照分析,可沿空气流向进行。

三、通风空调工程图的图示方法

通过下述工程图的识读,可以掌握工程图的图示内容与图示方法。

1. 图示内容

1) 平面图

平面图有各层各系统平面图、空调机房平面图、制冷机房平面图等。

(1) 系统平面图　它主要表明通风空调设备和系统风道的平面布置。其内容一般有:以双线绘出的风道、异径管、三通、四通、弯管、检查孔、测定孔、调节阀、防火阀、送风口、排风口的位置,空气处理设备轮廓尺寸、各种设备定位尺寸、设备基础的主要尺寸;注明系统编号,注明送、回风口的空气流动方向;注明风道及风口尺寸;注明弯头的曲率半径及值。应注明引用图、标准图索引号;注明各设备、部件的名称、型号、规格;对恒温恒湿房间,应注明各房间的基准温度和精度要求。

(2) 空调机房平面图　空调机房平面图一般应反映下列内容:表明按标准图或产品样本要求所采用的空调器组合段代号,左式、右式、喷雾级别和排数、喷嘴孔径、加热器和表冷器的类别、型号、台数,并注出这些设备的定位尺寸;以双线表明一、二次回风管道、新风管道以及其定位尺寸;以单线表明给水排水管道、冷热媒管道以及其定位尺寸;注明消声设备和柔性短管。

2) 剖面图

(1) 通风空调系统剖面图　空调系统剖面图一般应表明下列内容：注明对应于平面图的风道、设备、零部件（其编号应与平面图一致）的位置尺寸和有关工艺设备的位置尺寸；注明风道直径（或截面尺寸）和风管标高；注明送、排风口的形式、尺寸、标高和空气流向；标注设备中心标高，标注风管穿出屋面的高度和风帽标高（风管穿出屋面超过1.5m时，还应表明立风管的拉索固定高度尺寸）。

(2) 通风空调机房剖面图　机房剖面图应表明的内容一般有：对应于平面图的通风机、电动机、过滤器、加热器、表冷器或喷水室、消声器、百叶送回风口及各种阀门、部件的竖向定位尺寸；注明设备中心标高和基础表面标高；注明风管、冷热管道、给排水管道的标高。

3) 系统图

主要表明风道在空间的曲折、交叉和走向以及部件的相对位置。风管系统图反映下列内容：注明主要设备、部件的编号（编号应与通风空调系统平面图一致）；注明风管口径（或截面尺寸）、标高、坡度、坡向等；注明风口、调节阀、检查孔、测定孔、风帽及各异形部件的位置尺寸；注明各设备的名称及型号规格；注明风帽的型号规格。

4) 原理图

原理图有空调原理图和制冷原理图（在专业课中介绍）。

5) 详图

通风空调工程图所需详图较多。如空调器、过滤器、除尘器、通风机等设备的安装各种阀门、检查孔、测定孔、消声器等设备部件的加工制作详图；风管与设备保温详图等。图大多有标准图可供选用。

2. 图示方法

1) 平、剖面图、详图；各种大样图

(1) 通风空调平面图中的建筑应与相应建筑平面图一致，且通风空调平面图应按本层顶棚以下俯视绘制。绘制通风空调平、剖面图的建筑，只绘与通风空调系统有关的建筑轮廓线（包括有关的门、窗、梁、柱、平台等建筑构配件的轮廓线），标出定位轴线编号、间距以及房间名称。

(2) 通风空调平面图应分层分系统绘制，必要时也可分段绘制。每层建筑平面较大，空调系统较大时，通风空调平面图可分段绘制，但分段部位仍应与相应建筑平面一致，并应绘制分段示意图。

(3) 比例、线型、图例　通风空调平、剖面图常用1:50、1:100的比例绘制。通风空调平、剖面图中的风管及其部件宜用双粗实线绘制；风管法兰、通风空调设备的轮廓线应用单中实线绘制；建筑轮廓线、尺寸线、尺寸界线、引出线等均用单细实线绘制，非金属风道（砖、混凝土风道）的内表面轮廓线应用粗虚线绘出。

(4) 标注：

定位尺寸标注；平、剖面图中应注出设备、管道中心线与建筑定位轴线间的间距尺寸。风管规格标注：风管规格用管径或断面尺寸表示。风管管径或断面尺寸宜标注于风管上或风管法兰处延长的细实线上方。圆形风管规格用其外径表示，如$\phi60$，矩形风管规格用断面尺寸“×××××××”表示，前面数字为该视图投影面尺寸。

标高标注：圆形风管，标注管中心标高，矩形风管，标注管底标高；有时标注出风管距该层地面尺寸以确定高度。

编号标注：平、剖面图中，各设备、部件等，均应标注编号。

规格、技术性能及数量等同样应加以注明，平、剖面图中也应标注预留孔洞编号，以便组织施工，据此编号在相应的预留孔洞尺寸表上查出预留孔洞的尺寸、位置、数量。

2）系统图

（1）通风空调系统图的布置方向应与通风空调平面图一致。当系统图分段绘制时，也应与平、剖面图分段一致。

（2）通风空调系统图的风管、冷热媒管，宜按比例以单粗实线绘制。

（3）当管线在系统图中投影重叠时，为清楚表示被遮挡部分的尺寸、走向、结构，可将前面或上面的管线断开绘制，但断开的接头处必须用细虚线连接或用文字注明。

（4）系统图的标注方法同平、剖面图。其编号应与平、剖面图一致。

3）标注尺寸

标注建筑定位轴线间距、外墙长宽总尺寸、墙厚、地面标高、主要通风空调设备的轮廓尺寸、通风空调设备和管道的定位尺寸等。

四、供暖工程图

（一）供暖工程图的组成与内容

供暖工程图是由平面图、系统图及详图等三个主要部分组成。

1. 平面图

平面图应视水平主管敷设位置的不同有阁楼平面图、各层平面图和地沟平面图。平面图主要表明建筑物各层供暖管道和设备的平面布置。一般应反映下列内容：

（1）房间的名称、编号、散热器的类型、位置与数量（片数）及安装方式；

（2）引入口位置、系统编号、立管编号；

（3）供回水总管、供水干管、立管、支管的位置、走向、管径；

（4）补偿器型号、位置、固定支架的位置；

（5）室内地沟（包括过门管沟）的位置、走向、尺寸；

（6）热水供暖时，应表明膨胀水箱、集气罐等设备的位置及其连接管，且注明型号规格；

（7）蒸汽供暖时，表明管线间及管线末端疏水装置的位置及型号规格；

（8）表明平面图比例，常用1:100、1:200、1:50等。

2. 系统轴测图

系统图表明整个供暖系统的组成及设备、管道、附件等的空间布置关系，表明立管编号、各管段的直径、标高、坡度、散热器的型号与数量（片数）、膨胀水箱和集气罐及阀件的位置与型号规格等。

3. 详图

供暖详图包括标准图与非标准图。标准图包括供暖系统及散热器安装、疏水器减压阀调压板安装、膨胀水箱的制作与安装、集气罐制作与安装、热交换器安装等。非标准图的节点与做法，要另出详图。

除上述平面图、系统图、详图外，施工图的组成内容还包括图纸目录、设计施工说明、主要设备材料表。

（二）识图基本方法

识读供暖施工图应按热媒在管内所走的路程顺序进行，以便掌握全局；识读其系统图时，应将系统图与平面图结合对照进行，以便弄清整个供暖系统的空间布置关系。

1. 平面图的识读

供暖平面图是供暖施工图的主体图纸，它主要表明供暖管道、散热设备及附件在建筑平面图上的位置及它们之间的相互关系。识读时，应掌握的主要内容及注意事项如下：

（1）弄清热媒入口在建筑平面上的位置、管道直径、热媒来源、流向、参数及其做法等。

热媒入口也称引入口，它可设于建筑物中间或两端。引入口数一般为一个，当建筑物很大时，可设两个及两个以上。大引入口宜设在建筑物底层的专用房间内，小引入口可设在入口地沟内或地下室内。当有入口地沟时，应查明地沟的断面尺寸和沟底的标高与坡度等。

热媒入口装置一般由减压阀、混水器、疏水器、分水器、分汽缸、除污器及控制阀门等组成。如果平面图上注明有热媒入口的标准图号，识读时则按给定的标准图号查阅标准图；如果热媒入口有节点图，识读时则按平面图所注节点图的编号查找热媒入口大样图进行识读。

（2）弄清建筑物内散热设备（散热器、辐射板、暖风机）的平面布置、种类、数量（片数）以及散热器的安装方式（即明装、半暗装、暗装）。

散热器一般布置在房间外窗内侧的窗台下（也有少数沿内墙布置的），其目的是使室内空气温度分布均匀。楼梯间的散热器应尽量布置在底层，或按一定比例分配在下部各层。

要弄清散热器的安装方式，一般均应结合识读图纸说明进行。一般情况下，散热器以明装较多。当房间装修和卫生要求较高或因热媒温度高容易烫伤人时（如宾馆、幼儿园、托儿所等），才采用暗装。换言之，若图纸未说明，则散热器为明装。

要弄清散热器种类，则应识读图例符号和图纸说明。一般情况下，圆翼型散热器常用于工业企业中大面积的少尘车间；长翼型散热器一般用于工业企业的辅助建筑；柱型散热器多用于低层住宅建筑和公共建筑；闭式和板式散热器多用于高层建筑的热水供暖；钢柱散热器多用于一般住宅和民用建筑；光管散热器适用于多尘工业车间或高温高压热媒的供暖系统；暖风机和辐射板适用于高大工业厂房和某些大空间的公共建筑。

（3）弄清供水干管的布置方式、干管上阀件附件的布置位置及型号以及干管的直径。

识读时须查明干管敷设在最高层、中间层、还是最底层。供水（汽）干管敷设在顶层顶棚下（或内），则说明是上供式系统；供水（汽）干管敷设在中间层、底层，则分别说明是中供式、下供式系统；在一层平面图上绘有回水干管或凝结水干管（虚线），则说明是下回式系统。如果干管最高处设有集气箱，则说明为热水供暖系统；若散热器出口处和底层干管上出现有疏水器，则说明干管（虚线）为凝结水管，从而表明该系统为蒸汽供暖系统。

识读时应弄清补偿器与固定支架的平面位置及其种类、型式。凡热胀冷缩较大的管道，在平面图上均用图例符号注明了固定支架的位置，要求严格时还注明有固定支架的位置尺寸。供暖系统中的补偿器常用方形补偿器和自然补偿器。方形补偿器的形式和位置、平面图上均应表明，但自然补偿器在平面图中均不特别说明，它完全是利用固定支架的位置来确定的。

(4) 按立管编号弄清立管的平面位置及其数量。

供暖立管一般是布置在外墙角，也可沿两窗之间的外墙内侧布置，楼梯间或其他有冻结危险的场所一般均是单独设置的立管。双管系统的供水或供汽立管一般置于面向的右侧。

(5) 对蒸汽供暖系统，应在平面图上查出疏水装置的平面位置及其规格尺寸。

一般情况下，散热器出口处、凝结水干管始端、水平干管抬头登高的最低点、管道转弯的最低点等要设疏水器。在平面图上，一般要标注疏水器的公称直径。但注意：疏水器的公称直径与其所连管道的公称直径不同，一般小1~2级。

(6) 对热水供暖系统，应在平面图上查明膨胀水箱、集气罐等设备的平面位置、规格尺寸。

热水供暖系统的集气罐一般装于供水干管的末端或供水立管的顶端。注意图例符号、装于立管顶端的为立式集气罐、装于供水干管末端的则为卧式集气罐。卧式比立式应用较多。立式与卧式集气罐的型号有1、2、3、4号，它们的直径分别为100mm、150mm、200mm、250mm，高度（长度）分别为300mm、300mm、320mm、430mm。若平面图中只给出其型号，则可知集气罐的尺寸。

2. 系统图的识读

供暖系统图是表示从热媒入口到热媒出口的供暖管道、散热设备、主要阀件、附件的空间位置及相互关系的图形。识读时应掌握的主要内容及注意事项如下：

(1) 查明热媒入口装置的组成和热媒入口处热媒来源、流向、坡向、标高、管径以及热媒入口采用的标准图号或节点图编号。

(2) 弄清各管段的管径、坡度、坡向，水平管道和设备的标高，各立管的编号。

一般情况下，系统图中各管段两端均注有管径，即变径管两侧要注明管径。供水干管坡度一般为0.003，坡向总立管，散热器供回水支管的坡度往往在系统图中未标出，一般是沿水流方向下降的坡度。坡度大小按下列规定进行：当支管长度不大于500mm时，坡度值为5mm；长度大于500mm时，坡度值为10mm。

立管的编号在系统图和平面图中是一致的。

(3) 弄清散热器型号规格及数量。按图纸所示的散热器标注方式识图，可知散热器的规格及数量。根据散热器的类型，可查参数得散热器的传热面积。当立地安装的散热器为柱形时，可知每组散热器有足和无足的片数（柱型散热器所需带足片：14片以下为2片，15~24片为3片）。

(4) 弄清阀件、附件、设备在空间中的位置。凡系统图已注明规格尺寸的，均须与平面图、设备材料表等进行核对。

3. 详图的识读

对供暖施工图，一般只绘平画图、系统图和通用标准图中所缺的局部节点图。平面图和系统图对局部位置只能示意性地给出。如供水干管与立管的连接，实际是通过乙字弯或弯头连接的。散热器与支管的连接也是通过乙字弯或两个90°弯头来连接的。要知这些局部构造尺寸，必须查看详图。散热器支管坡度均为1%，坡向：供水支管坡向散热器，回水支管坡向回水立管。图中虚线表示带有跨越管的做法。

第六节　图纸标注及识读

一、图纸幅面和格式

1. 图纸幅面

图纸宽度与长度组成的图面称为图纸幅面。图纸幅面尺寸表见表 1-6。图纸幅面尺寸关系如图 1-13 所示。

图纸幅面尺寸表（单位：mm）　　**表 1-6**

幅面代号	A0	A1	A2	A3	A4
$B \times L$	841 × 1189	594 × 841	420 × 594	297 × 420	210 × 297
a	25				
c	10			5	
e	20		10		

图纸幅面尺寸分为基本幅面和加长幅面。绘图时优先采用基本幅面，必要时可以延长边加长，具体加长量见《技术制图图纸幅面和格式》GB/T 14689—1993 中的规定。

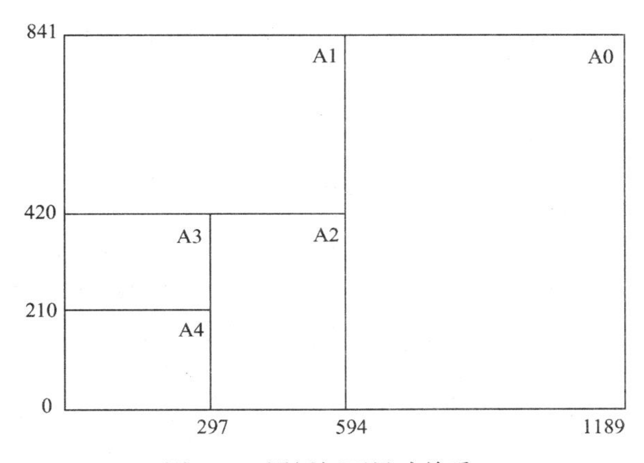

图 1-13　图纸幅面尺寸关系

2. 图纸格式

无论图样是否装订，均应用粗实线画出图框线，其图框格式如图 1-14 所示，周边尺寸按表 1-6 中规定。装订时，一般采用 A4 幅面竖装或 A3 幅面横装。不需要装订的图样，其格式如图 1-15 所示。

3. 标题栏的格式及尺寸

每张图纸在其图框的右下角必须画出标题栏，其位置一般如图 1-16 所示。标题栏中的文字方向为看图方向。

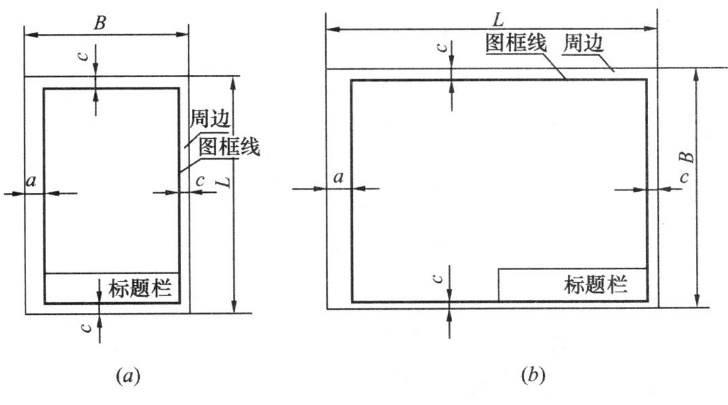

图 1-14　图纸格式（装订）

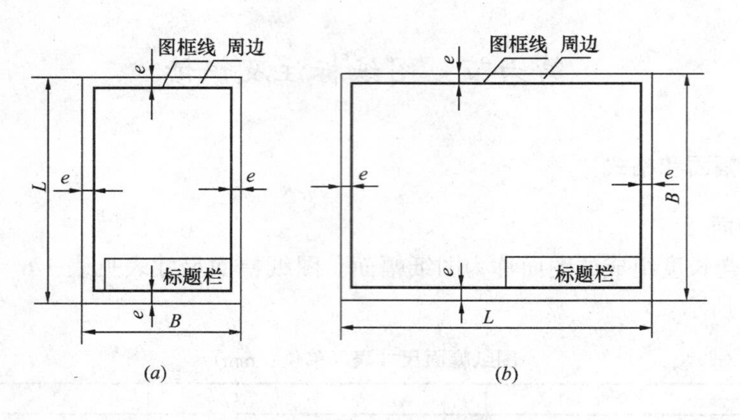

图 1-15　图纸格式（不装订）

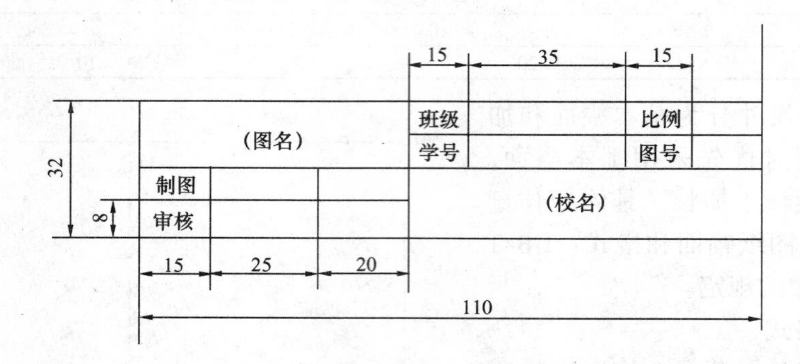

图 1-16　标题栏的格式和尺寸（单位：mm）

标题栏外是粗实线，内格是细实线。文字除图名、校名用 10 号字，其余皆用 5 号字。

4. 比例（GB/T 14690—93）（表 1-7）

比例（GB/T 14690—93） **表 1-7**

原值比例	1:1
放大比例	5:1　2:1　5×10^3:1　2×10^3:1
缩小比例	1:2　1:5　1:10　1:2×10^3　1:5×10^3　1:1×10^3

5. 字体（GB/T 14691—93）

图样中书写的字体必须做到：字体工整、笔画清楚、间隔均匀、排列整齐。汉字应写成长仿宋字体，并应采用国家正式公布推行的简化字。

字体的高度（用 A 表示）代表字体的号数，其公称尺寸系列为 1.8mm、2.5mm、3.5mm、5mm、7mm、10mm、14mm、20mm 八种。如需要书写更大的字，其字体高度应按 1.4 的比率递增。

汉字的高度不应小于 3.5mm，其字宽一般为 $h/1.4$。字母和数字分为 A 型和 B 型。A 型字体的笔画宽度（d）为字高（h）的 1/1.4。B 型字体的笔画宽度（d）为字高（h）的 1/10，在同一图样上，只允许选用一种形式的字体。字母和数字可写成斜体和直体。斜体字向右倾斜，与水平基准线成 75°，用作指数、分数、极限偏差、注脚等的数字及字母，一般应采用小一号的字体。

二、图形的尺寸标注

图样只能表达机件的形状，而机件的大小还必须通过标注尺寸才能确定。图样上的尺寸标注必须符合《机械制图尺寸注法》GB 4458.4—1984 的基本规则和有关规定。

1. 基本规则

（1）机件的真实大小应以图样上所注的尺寸数值为依据，与图形的大小及绘图的准确程度无关。

（2）图样中的尺寸以毫米为单位时，不需要标注计量单位的代号或名称，如采用其他单位时，则必须注明计量单位的代号或名称。

（3）图样中所标注的尺寸，为该图样所示机件的最后完工尺寸，否则应另加说明。

（4）机件的每一尺寸，一般只标注一次，并应标注在反映该结构最明显的视图上。

2. 尺寸的组成

如图 1-17 所示，一个完整的尺寸标注由尺寸界线、尺寸线及终端、尺寸数字三部分组成。

1）尺寸界线

尺寸界线表示尺寸的度量范围，用细实线绘制，由图形的轮廓线、轴线或对称中心线引出。也可以利用轮廓线、轴线或对称中心线作尺寸界线，如图 1-17 所示。尺寸界线一般应与尺寸线垂直，并超出尺寸线约 2～3mm。

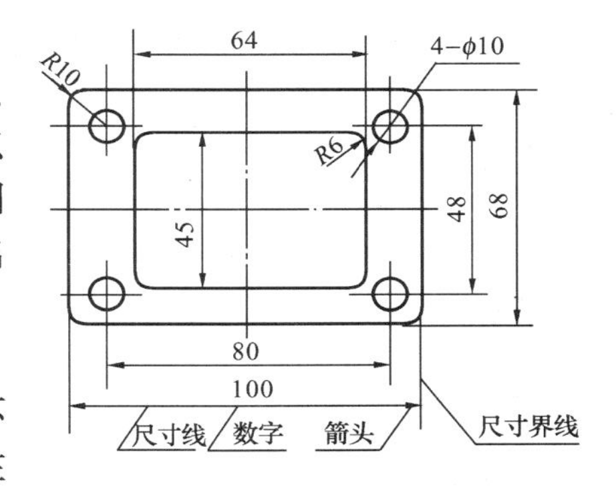

图 1-17　尺寸的组成及标注示例（单位：mm）

2）尺寸线及尺寸终端

尺寸线表示所注尺寸的度量方向和长度。它不能用其他图线代替，也不得与其他图线重合或画在其延长线上。标注线段尺寸时，尺寸线必须与所标注的线段平行，当有数条尺寸线相互平行时，大尺寸要放在小尺寸外面，两尺寸线之间的距离一般为 6～8mm，如图 1-17 所示。

箭头：多用于大样图，也可用于其他各种类型的图样。箭头的尖端应指到尺寸界线。同一张图样中的所有箭头的大小应基本相同。

斜线：主要用于房屋建筑图和金属结构图等，但标注圆的直径、圆弧半径和角度的尺寸线时，其终端应该用箭头。

同一张图样中，除圆、圆弧、角度外，应采用一种尺寸终端形式。

3）尺寸数字

尺寸数字表示尺寸的大小。

线性尺寸的数字的填写方向应与尺寸线平行，一般应填写在尺寸线的上方，也允许注写在尺寸线的中断处，如图 1-18（*a*）所示。但尺寸数字不允许被任何图线穿过。当无法避免时，必须将图线断开，如图 1-18（*b*）所示。

尺寸数字的书写方向应以标题栏内的文字书写方向为准，水平方向的尺寸数字。字头朝上；垂直方向的尺寸数字，字头朝左，如图 1-18（*c*）所示；倾斜方向的尺寸数字，应使字头有朝上的趋势，如图 1-18（*d*）所示的方向注写，并应尽量避免在图示 30°范围内标注尺寸，当无法避免时，可按图 1-18（*e*）标注。

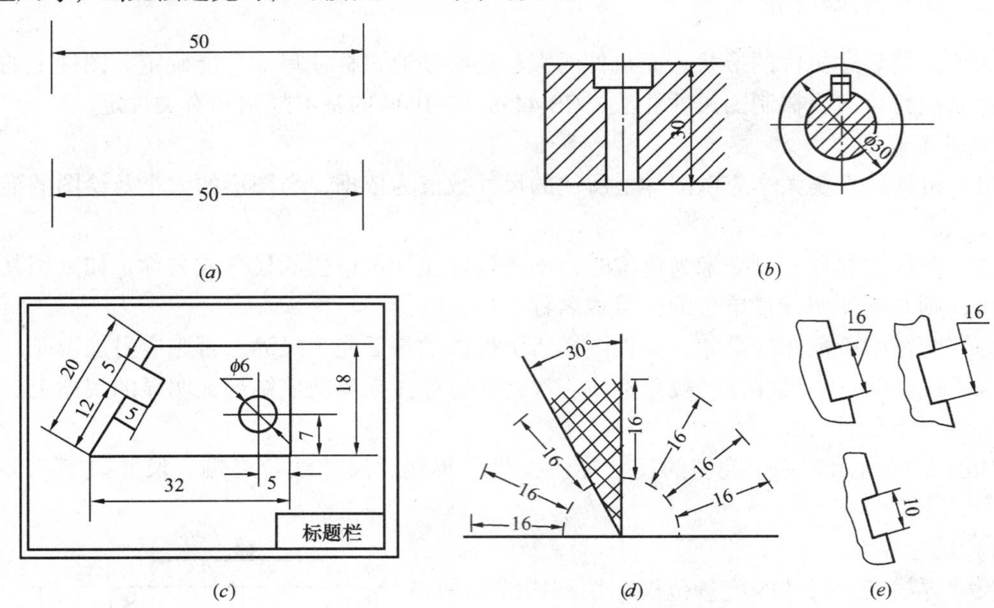

图 1-18　标注尺寸数字的方向及规定（单位：mm）

3. 采暖管道标注事项

平面图中的水平干管的管径应逐段标注。低压流体传送用焊接钢管应用公称直径“*DN*”表示，如 *DN*25；无缝钢管应标注外径×壁厚，如 $\phi108\times4$。

采暖入口，水平干管的起点或终点，管道抬头的前后，管道穿过基础、梁或预制砌块及壁板等处的管道相对标高，均须注明。

系统图中，应标出与平面图相对应的立管编号，注于立管的顶端。

管径标注位置如图 1-19 所示。水平管道的管径应注于管道上方；斜管道的管径应注于管道的斜上方；竖管道的管径应注于管道的左侧；管道的变径处；当无法按上述位置标注管径时，可用引出线将该段管径引至适当位置标注；同一种管径的管道较多时，可不在图上标注，但应在附注中说明。

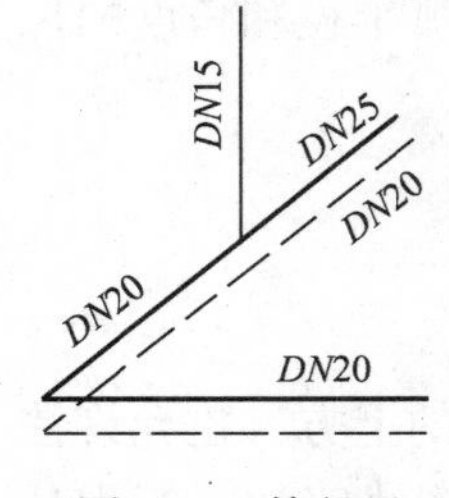

图 1-19　管径尺寸标注位置

4. 通风管道标注事项

当通风空调系统分系统绘制时，通常用系统名称的汉语拼音字头或英语单词字头加阿拉伯数字将各系统分别进行编号。如 S—1、S—2、P—1、PC—1、K—1、K—2 分别表示送风系统 1、送风系统 2、排风系统 1、排尘系统 1、空调系统 1、空调系统 2。它与室内给水排水工程图和采暖工程图中的立管编号、系统编号意义相似。

定位尺寸标注；平、剖面图中应注出设备、管道中心线与建筑定位轴线间的间距尺寸。

风管规格标注：风管规格用管径或断面尺寸表示。风管管径或断面尺寸宜标注于风管上或风管法兰处延长的细实线上方。圆形风管规格用其外径表示，如 ϕ360mm。矩形风管规格用断面尺寸“╳╳╳×╳╳╳”表示，前面数字为该视图投影面尺寸，如风管规格标注为 1800mm×400mm，说明该风管水平方向宽为 1800mm，高为 400mm。

标高标注：圆形风管，标注管中心标高；矩形风管，标注管底标高；有时标注出风管距该层地面尺寸以确定高度。

编号标注：平、剖面图中，各设备、部件等，均应标注编号。根据编号可在相应设备材料表中查得相应设备材料的名称、型号规格、技术性能及数量等，同样平、剖面图中也应标注预留孔洞编号，以便组织施工。

三、定位轴线及编号

在建筑平面图中应画出定位轴线，用来确定房屋的墙、柱等承重构件的位置。定位轴线应用细点划线绘制，并予编号，编号的圆圈用细实线绘制，直径为 8mm，圆心在定位轴线的延长线上或延长线的折线上。对于较简单或对称的房屋，平面图的轴线编号，一般标注在图形下方与左方，当不对称时，其余两方也需标注。横向编号用阿拉伯数字，从左至右依次编写，竖向编号应用大写拉丁字母（I、O、Z 除外），从下至上依次编写。

在标注非承重的分隔墙或次要承重构件的定位轴线时，可用附加轴线，编号用分数表示，分母表示前一轴线的编号，分子表示附加轴线编号，分子用阿拉伯数字顺序编写。

四、管道断开标注

采暖或空调水管道在本图中断而转至其他图或由其他图上引来至本图时，应按图 1-20 所示方法绘制。

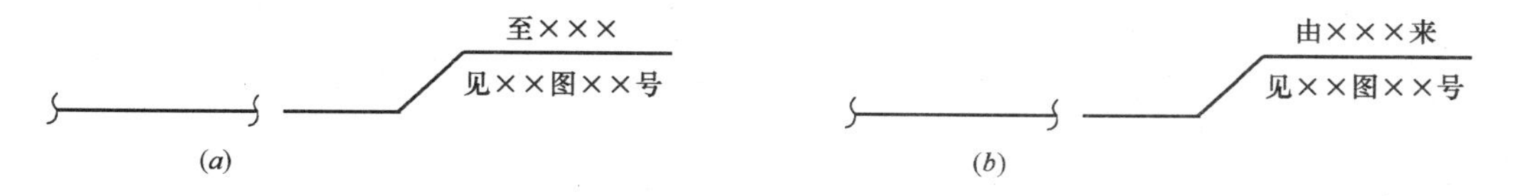

图 1-20　管道中断与引来的表示方法
（*a*）管道中断画法；（*b*）管道引来画法

第二章　定额、预算与费用组成

第一节　建筑安装工程定额

定额的内容十分广泛，建筑安装工程定额只是其中的一个类别，它是一定时期内建筑安装工程社会生产力水平的反映，是编制预算和确定工程造价的标准。因此，要做好安装造价员，必须具备一定的定额知识。

一、定额的概念

定额是指在一定时期的生产、技术、管理水平条件下，完成单位合格产品所必须消耗的人工、材料、机械台班、设备及其资金的数量标准。它反映了完成某项合格产品与各种生产消耗之间的特定数量关系。同时，定额反映了一定时期内的社会生产力水平。

定额具有法令性、时间性、科学性、通用性、相对稳定性等特性。

二、建筑安装工程定额的分类

建筑安装工程定额是一个综合概念，是建筑安装工程中生产消耗性定额的总称。它包括的定额种类很多，有各式各样的分类方法，每种分类方法都有其特定内涵。建筑安装工程定额分类详如图 2-1。

（一）按用途分类

1. 施工定额

施工定额是施工企业组织生产和强化管理，在企业内部使用的一种定额，属于企业生产定额的性质，对外不具备法规性质。它是以组成分项工程的施工过程、专业工种为基准，完成单位合格工程量所需消耗的人工、材料、机械台班的数量标准。

施工定额的内容一般是按生产要素分别编制的，由施工劳动定额、施工材料消耗定额和施工机械台班消耗定额三个相对独立的内容组成。其编制方法有两种：一是实物法，即施工定额由劳动消耗定额、材料消耗定额和机械台班消耗定额三部分消耗量组成；二是实物单价法，即由劳动消耗定额、材料消耗定额和机械台班消耗定额的消耗数量，分别乘以相应单价并汇总得出单位总价，称为施工定额单价表。

1）施工定额的作用

认真执行施工定额，对促进建筑企业的发展有着重要的意义。其主要作用体现在以下几个方面：

（1）施工定额是施工企业编制施工组织设计和作业计划的依据。

（2）施工定额是衡量企业劳动生产率的主要标准。

（3）施工定额是编制施工预算的依据。

（4）施工定额是企业成本核算和施工投标的基础。

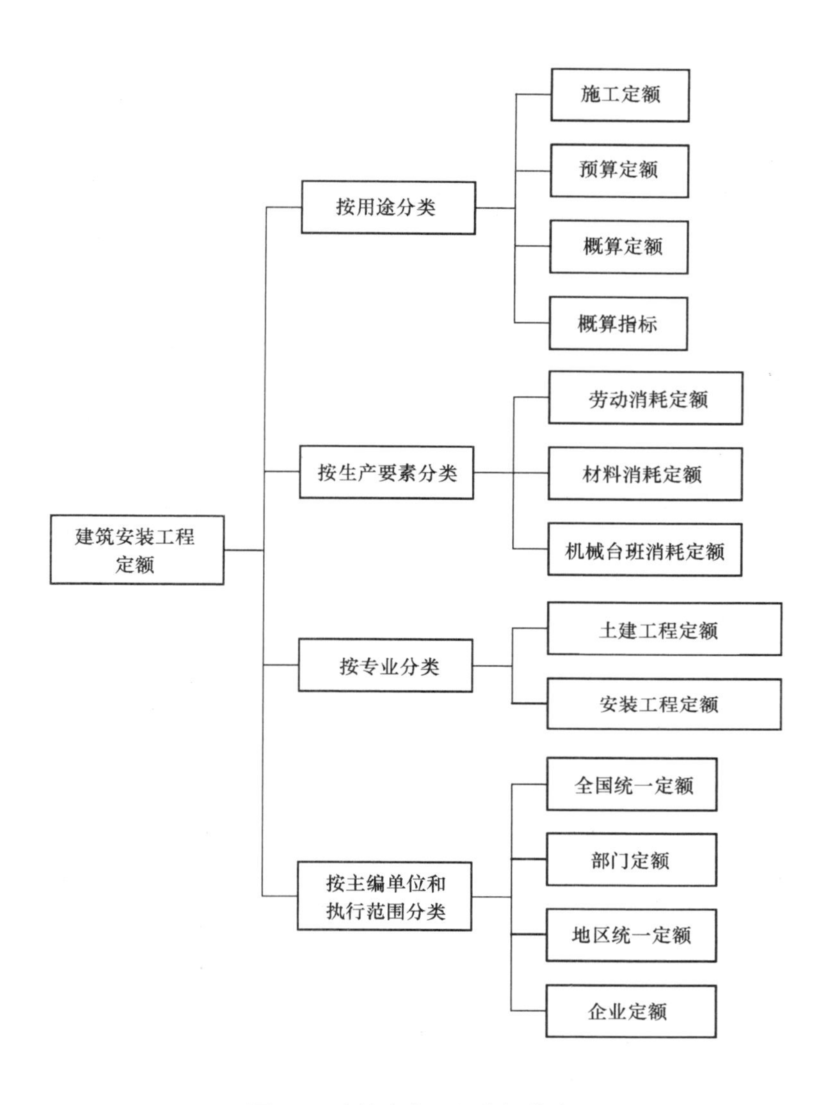

图 2-1　建筑安装工程定额分类

2）施工定额的内容及应用

（1）施工定额的主要内容

①总说明和分册章、节说明　总说明是说明定额的编制依据、适用范围、工程质量要求，各项定额的有关规定及说明，以及编制施工预算的若干说明。

分册章、节说明，主要是说明本册、章、节定额的工作内容、施工方法、有关规定及说明、工程量计算规则等内容。

②定额项目表　定额项目表是由完成本定额子目的工作内容、定额表、附注组成。

③附录及加工表　附录一般放在定额分册说明之后，包括有名词解释、图示及有关参考资料。例如材料消耗计算附表、砂浆、混凝土配合比表等。

加工表是指在执行某定额时，在相应的定额基础上需要增加工日的数量表。

（2）施工定额的应用

要正确使用施工定额，首先要熟悉定额编制总说明、册、章、节说明及附注等有关文字说明部分，以了解定额项目的工作内容、有关规定及说明、工程量计算规则、施工操作方法等。施工定额一般可以直接套用，但有时需要换算后才可套用。

2. 预算定额

预算定额是指在正常施工条件下，确定完成一定计量单位分项工程的人工、材料和机械台班消耗量的数值标准。除此之外，预算定额还规定了完成定额所包括的工程内容，例如完成砌砖工程砖墙预算定额规定的工程内容有筛砂、调运砂浆、运砖、砌砖等。

预算定额与施工定额不同，施工定额只适用于施工企业内部作为经营管理的工具，而预算定额是用来确定建筑安装产品计划价格并作为对外结算的依据。从编制程序来看，施工定额是预算定额编制的基础，预算定额是下面要提到的概算定额和概算指标的编制基础，可以说，预算定额在计价定额中也是基础定额。

预算定额的具体内容在本节第三条“预算定额的解读”中将有详细阐述。

3. 概算定额

1）概算定额的概念与特点

概算定额是指以单位分部工程为基准，完成单位分部工程或扩大构件的综合项目，所需人工、材料、机械台班等的消耗量标准，亦称扩大结构定额。它是在预算定额的基础上，以分部工程或扩大构件为计价项目，按组成的各分项工程含量，运用现行预算定额综合扩大核定其指标。由于口径统一，不留活口，计价项目较少，所以概算定额的工程量计算及套价比较简单，但其仅为编制设计概算的依据，法律效力不强。

2）概算定额的内容

概算定额的主要内容包括总说明，册、章说明，定额项目表和附录、附件等。

(1) 总说明主要介绍编制依据、主要作用、适用范围、有关规定等内容。

(2) 册、章说明主要是对各册、章的定额运用、界限划分、工程量计算规则、调整换算规定等内容进行说明。

(3) 定额项目表是以表格形式表示项目划分、包含内容、定额编号、计量单位、概算基价及工料指标等内容。

(4) 附录、附件为材料配比、预算价格等资料。

3）概算定额的应用

使用概算定额前，首先要学习概算定额的总说明，册、章说明，以及附录、附件，熟悉定额的有关规定，能正确地使用概算定额。其概算定额的使用方法同预算定额一样，这里不再重复。

4. 概算指标

1）概算指标的概念

概算指标是按一定计量单位规定的，比概算定额更加综合扩大的单位工程或单项工程等的人工、材料、机械台班的消耗量标准和造价指标。概算指标通常以平方米、立方米、座、台、组等为计量单位，因而估算工程造价较为简单。

2）概算指标的编制依据

(1) 标准设计和典型工程图纸；

(2) 现行概算定额；

（3）现行规范标准；

（4）已完工程与预（结）算资料；

（5）典型工程设计概算书。

3）概算指标的内容

概算指标的内容包括总说明、经济指标、结构特征等。

（二）按生产要素分类

1. 劳动消耗定额

劳动消耗定额简称劳动定额或人工定额，是指在正常的施工技术和组织条件下，完成单位合格产品所必需的劳动消耗量标准。劳动定额的表现形式分为时间定额和产量定额两种。劳动定额反映了大多数企业和职工经过努力能够达到的平均先进水平。

（1）时间定额

时间定额是指在一定的施工技术和组织条件下，某工种、某种技术等级的工人班组，完成符合质量要求的单位产品所必需的工作时间。

时间定额以工日为单位，每个工日现行规定工作时间为 8 小时，计算方法如式 2-1、式 2-2：

$$\text{单位产品时间定额(工日)} = 1/\text{每工日产量} \tag{2-1}$$

或

$$\text{单位产品时间定额(工日)} = \text{小组成员工日数总和}/\text{台班产量(班组完成产品数量)} \tag{2-2}$$

时间定额的计量单位有工日/m^2、工日/m^3、工日/t、工日/块等。

（2）产量定额

产量定额是指在一定的施工技术和组织条件下，某工种、某种技术等级的班组或个人，在单位时间内（工日）完成符合质量要求的产品数量。

产量定额计量单位多种多样，如 m/工日、m^2/工日、m^3/工日、t/工日、块/工日等。

计算方法如式 2-3、式 2-4：

$$\text{每工日产量定额} = 1/\text{单位产品时间定额(工日)} \tag{2-3}$$

或

$$\text{台班产量定额} = \text{小组成员工日数总和}/\text{单位产品时间定额(工日)} \tag{2-4}$$

时间定额与产量定额互为倒数，即

$$\text{时间定额} \times \text{产量定额} = 1 \tag{2-5}$$

2. 材料消耗定额

是指在节约和合理使用材料的条件下，生产符合质量标准的单位产品所必须消耗的一定规格的建筑材料、半成品、构（配）件等的数量标准。

材料消耗定额包括材料的净用量和不可避免的材料损耗量。

材料的损耗用材料的损耗率来表示，就是材料损耗量与材料净用量的比例，如式 2-6：

$$\text{材料损耗率} = (\text{材料损耗量}/\text{材料净用量}) \times 100\% \tag{2-6}$$

材料消耗量可用式 2-7、式 2-8 表示：

$$\text{材料消耗量} = \text{材料净用量} + \text{材料损耗量} \tag{2-7}$$

或

$$材料消耗量 = 材料净用量 \times (1 + 材料损耗率) \tag{2-8}$$

3. 机械台班消耗定额

简称机械台班定额，是在正常的施工条件和合理使用机械的条件下，规定利用某种机械完成单位合格产品所必须消耗的人—机工作时间，或规定在单位时间内，人—机必须完成的合格产品数量标准。

机械台班定额的表现形式分为机械时间定额和机械产量定额两种。

（1）机械时间定额：就是某种机械完成单位合格产品所消耗的时间。

（2）机械产量定额：就是某种机械在单位时间内完成合格产品的数量。

机械时间定额与机械产量定额互为倒数关系，如式2-9

$$机械时间定额 \times 机械产量定额 = 1 \tag{2-9}$$

（三）按专业分类

1. 土建工程定额

土建工程包括一般建筑工程和各种构筑物工程。

2. 安装工程定额

安装工程包括机械设备安装工程、电气设备安装工程和管道安装工程等。

（四）按主编单位和执行范围分类

可分为全国统一定额、部门定额、地方统一定额及企业定额等。

三、预算定额的解读

（一）预算定额的意义和作用

预算定额是在施工图设计和工程施工阶段，编制施工图预算和竣工结算时使用的定额，是确定各分项工程人工、材料、机械台班消耗量的标准，从而直接影响到建设单位和施工单位之间的工程经济来往数额。此外，预算定额除了具备工程建设定额的一般特性外，还具有其特有的计价性和法规性，因此在工程建设中发挥着及其重要的作用。

预算定额的作用，具体表现在以下几个方面：

(1) 预算定额是编制单位估价表的依据；

(2) 预算定额是编制施工图预算、竣工结算、确定工程施工造价的依据；

(3) 预算定额是拨付工程款和进行工程竣工结算的依据；

(4) 预算定额是编制施工组织设计，进行工料分析，实行经济核算的依据；

(5) 预算定额是编制概算定额和概算指标的基础资料。

（二）预算定额的组成和内容

预算定额主要由总说明、分册说明、工程量计算规则、定额项目表和附录、附件等部分组成。

1. 总说明

总说明主要介绍定额的编制依据、编制原则、适用范围及定额的作用等。同时说明编制定额时已考虑和没有考虑的因素、使用方法及有关规定等。

2. 分册说明

分册说明主要介绍定额项目内容、子目的数量、定额的换算方法及各分项工程的工程量计算规则等。

3. 工程量计算规则

定额套价是以各分项工程的项目划分及其工程量为基础的，而定额指标及其量的确定，是以工程量的计量单位和计算范围为依据的。因此，每部定额都有自身专用的工程量计算规则，也就是对各计价项目工程量的计量单位、计算范围、计算方法等所作的具体规定与法则。

4. 定额项目表

定额项目表是预算定额的主要构成部分，内容包括项目名称、工程内容、计量单位、项目表等。其中项目表包括定额编号、细目与步距、子目组成、各种消耗指标、基价构成及有关附注等内容。定额项目表是预算定额的主要组成部分，表内反映了完成一定计量单位的分项工程，所消耗的各种人工、材料、机械台班数额及其单价的标准数值。

5. 附录、附件

附录和附件列在预算定额的最后或放在有关定额部分内，是指制定定额的相关资料和含量、单价取定等，包括砂浆、混凝土配合比表，各种材料、机械台班单价表等有关资料，供定额换算、编制施工作业计划等使用。

（三）预算定额的应用

使用预算定额以前，首先要认真学习定额的有关说明、规定，熟悉定额；在预算定额的使用中，一般分为定额的套用、定额的换算和编制补充定额三种情况。

1. 预算定额的直接套用

当分项工程的设计要求与预算定额条件完全相符时，可以直接套用定额。这是编制施工图预算的大多数情况。

2. 预算定额的换算

当设计要求与定额项目的工程内容、材料规格、施工方法等条件不完全相符，不能直接套用定额时，可根据定额总说明、册说明等有关规定，在定额规定范围内加以调整换算后再套用。

3. 预算定额的补充

当工程项目在定额中缺项，又不属于调整换算范围之内，无定额可套用时，可编制补充定额，经批准备案，一次性使用。

第二节　建筑安装工程预算

建筑安装工程预算是工程建设预算的重要组成部分之一。它是根据不同设计阶段的具体内容，国家规定的定额、指标和各项费用取费标准，预先计算和确定基本建设中建筑安装工程部分所需要的全部投资额的文件。它包括概算和预算两个范畴，又分土建和安装两个系列，涉及因素多，影响范围广。

一、预算编制的基本原理

建筑安装工程预算编制的基本原理可以理解为：“分项核算、综合定价”。“分项核算”是指按照不同预算的精度要求，把建筑安装工程内容逐步拆分为若干个核价项目，将相同条件的项目合并，计算其工程量。“综合计价”是指按照工程项目的工程量对照单位消耗的各种综合指标，逐项计算和核定其货币价值及其资源消耗量，并按综合因素和有关规定，统一调整和补充预算费用。

建筑安装工程预算的编制，主要有单位估价法和实物造价法两种基本方法。

1. 单位估价法

单位估价法是以定额为标准，利用工程项目的实物量逐项套价计算工程造价的方法。其主要步骤为：按设计图划分计价项目，分项计算工程量，按相应定额逐项计算金额及各种消耗量，汇总后统一调整、计算预算费用，累计形成工程造价。

2. 实物造价法

实物造价法是指以实际消耗的各种资源数量为依据，运用现行的相应资源预算价格，逐项套价计算工程造价的方法。其主要步骤为：按设计图分项计算各项目的实物量，再按有关定额分别求出劳动量、材料和机械台班消耗量的总数，运用现行的资源预算价格，分别计算出人工费、材料费和机械台班费的总额，汇总后统一计算各种预算费用，累计形成工程造价。

二、预算的分类

1. 投资估算

投资估算，一般是指在项目建议书、可行性研究或计划任务书阶段，建设单位向国家或主管部门申请基本建设投资时，为了确定建设项目计划任务书的投资总额而编制的经济文件。它是国家或主管部门审批或确定基本建设投资计划的重要文件。投资估算主要根据估算指标、概算指标或类似工程预（决）算等资料进行编制。

2. 设计概算

设计概算，是指在初步设计或扩大初步设计阶段，由设计单位根据初步设计图纸、概算定额或概算指标，设备预算价格，各项费用的定额或取费标准，建设地区的自然、技术经济条件等资料，预先计算建设项目由筹建至竣工验收、交付使用全部建设费用的经济文件。

设计概算的作用，主要表现在以下几个方面：

(1) 设计概算是国家确定和控制建设项目总投资的依据；

(2) 设计概算是编制工程计划的依据；

(3) 设计概算是实行投资包干和招标承包制的依据；

(4) 设计概算是考核设计方案的经济合理性，选择最优设计方案的依据。

3. 施工图预算

施工图预算，是指在施工图设计阶段，设计全部完成并经过会审，单位工程开工之前，施工单位根据施工图纸，施工组织设计，预算定额，各项费用取费标准，建设地区的自然、技术经济条件等资料，预先计算和确定单项工程和单位工程全部建设费用的经济文件。

施工图预算是确定工程施工造价、编制标底报价、签订承包合同、实行经济核算、进行拨款结算、安排施工计划、核算工程成本的主要依据，也是工程施工阶段的法定经济文件。

4. 施工预算

施工预算，是指施工阶段，在施工图预算的控制下，施工单位根据施工图计算的分项工程量、施工定额、单位工程施工组织设计等资料，通过工料分析，计算和确定拟建工程所需的人工、材料、机械台班消耗量及其相应费用的技术经济文件，是施工企业内部编制和使用的成本分析预算。

施工预算是施工企业对单位工程实行计划管理，编制施工作业计划的依据；是施工企业内部签发施工任务单，实行班组经济核算，考核单位用工、限额领料的依据；是施工企业开展经济活动分析，进行“两算”对比（即同一单位工程的施工预算与施工图预算的对比）的依据。

5. 竣工结算

竣工结算是指工程完工并经建设单位及有关部门验收后，施工企业根据施工时现场实际情况记录、设计变更通知书、现场签证、预算定额、材料预算价格和各项费用取费标准等资料，在概算范围内和施工图预算的基础上编制的向建设单位办理结算工程价款、取得收入，用以补偿施工过程中的资金耗费，确定施工盈亏的经济文件。

竣工结算是施工企业向建设单位进行财务价款结算、收取工程款的凭据，也是施工企业进行成本控制和分析的依据。

三、施工预算和施工图预算的区别

施工预算和施工图预算虽仅一字之差，但区别较大。

1. 编制的依据不同

施工预算的编制以施工定额为主要依据，施工图预算的编制以预算定额为主要依据，而施工定额比预算定额划分得更详细、更具体，并对其中所包括的内容，如质量要求、施工方法以及所需劳动工日、材料品种、规格型号等均有较详细的规定或要求。

2. 适用的范围不同

施工预算是施工企业内部管理用的一种文件，与建设单位无直接关系；而施工图预算既适用于建设单位，又适用于施工单位。

3. 发挥的作用不同

施工预算是施工企业组织生产、编制施工计划、准备现场材料、签发任务书、考核工效、进行经济核算的依据，也是施工企业改善经营管理、降低生产成本和推行内部经营承包责任制的重要手段；而施工图预算则是投标报价的主要依据。

四、预算文件的组成

1. 单位工程概（预）算书

单位工程概（预）算书是确定某一个单项工程中的一般土建工程、卫生工程、工业管道工程、特殊构筑物工程、电气照明工程、机械设备及安装工程、电气设备及安装工程等各单位工程建设费用的文件。

单位工程概算或预算是根据设计图纸和概算指标、概算定额、预算定额、其他直接费和间接费定额及国家有关规定等资料编制的。

2. 其他工程和费用概（预）算书

其他工程和费用概（预）算书是确定建筑工程与设备及其安装工程之外的、与整个建设工程有关的、应在基本建设投资中支付的、并列入建设项目总概算或单项工程综合概预算中的其他工程和费用的文件。它是根据设计文件和国家、省、自治区主管部门规定的取费定额或标准，以及相应的计算方法进行编制的。

其他工程和费用，在初步设计阶段编制总概算时，均需编制概算书；在施工图设计阶段，大部分费用项目仍需编制预算书，少部分由建筑安装企业施工的项目，如原有地上、地下障碍物的拆迁等项目，也需要编制预算书。

3. 单项工程综合概（预）算书

单项工程综合概（预）算书是确定某一独立建筑物或构筑物全部建设费用的文件。它是由该单项工程内的各单位工程概（预）算书汇编而成。当一个建设项目中，只有一个单项工程时，则与该工程项目有关的其他工程和费用的概（预）算书也应列入该单项工程综合概（预）算书中。此时，单项工程综合概（预）算书，实际上就是一个建设项目的总概（预）算书。

4. 建设项目总概算书

建设项目总概算书是确定一个建设项目从筹建到竣工验收全过程的全部建设费用的总文件。这是由该建设项目的各生产车间、独立建筑物或构筑物的综合概算书，以及其他工程和费用概算书综合汇总而成的。它包括建成一项建设项目所需要的全部投资。

第三节　建筑安装工程费用组成及计价程序

在工程建设中，建筑安装工程概（预）算所确定的每一个单项工程或其中单位工程的投资额，实质上是相应工程的计划价格。这种计划价格在实际工作中作为建筑安装工程价值的货币表现，也可称为建筑安装工程费用或建筑安装工程造价。

一、建筑安装工程费用组成

根据建设部、财政部《关于印发 < 建筑安装工程费用项目组成 > 的通知》（建标[2003] 206 号），建筑安装工程费由直接费、间接费、利润和税金组成。建筑安装工程费用项目组成如图 2-2。

（一）直接费

由直接工程费和措施费组成。

1. 直接工程费

直接工程费是指施工过程中耗费的构成工程实体的各项费用，包括人工费、材料费、施工机械使用费。

1）人工费

人工费是指直接从事建筑安装工程施工的生产工人开支的各项费用，内容包括：

①基本工资：是指发放给生产工人的基本工资。

②工资性补贴：是指按规定标准发放的物价补贴，煤、燃气补贴，交通补贴，住房补贴，流动施工津贴等。

③生产工人辅助工资：是指生产工人年有效施工天数以外非作业天数的工资，包括职工学习、培训期间的工资，调动工作、探亲、休假期间的工资，因气候影响的停工工资，

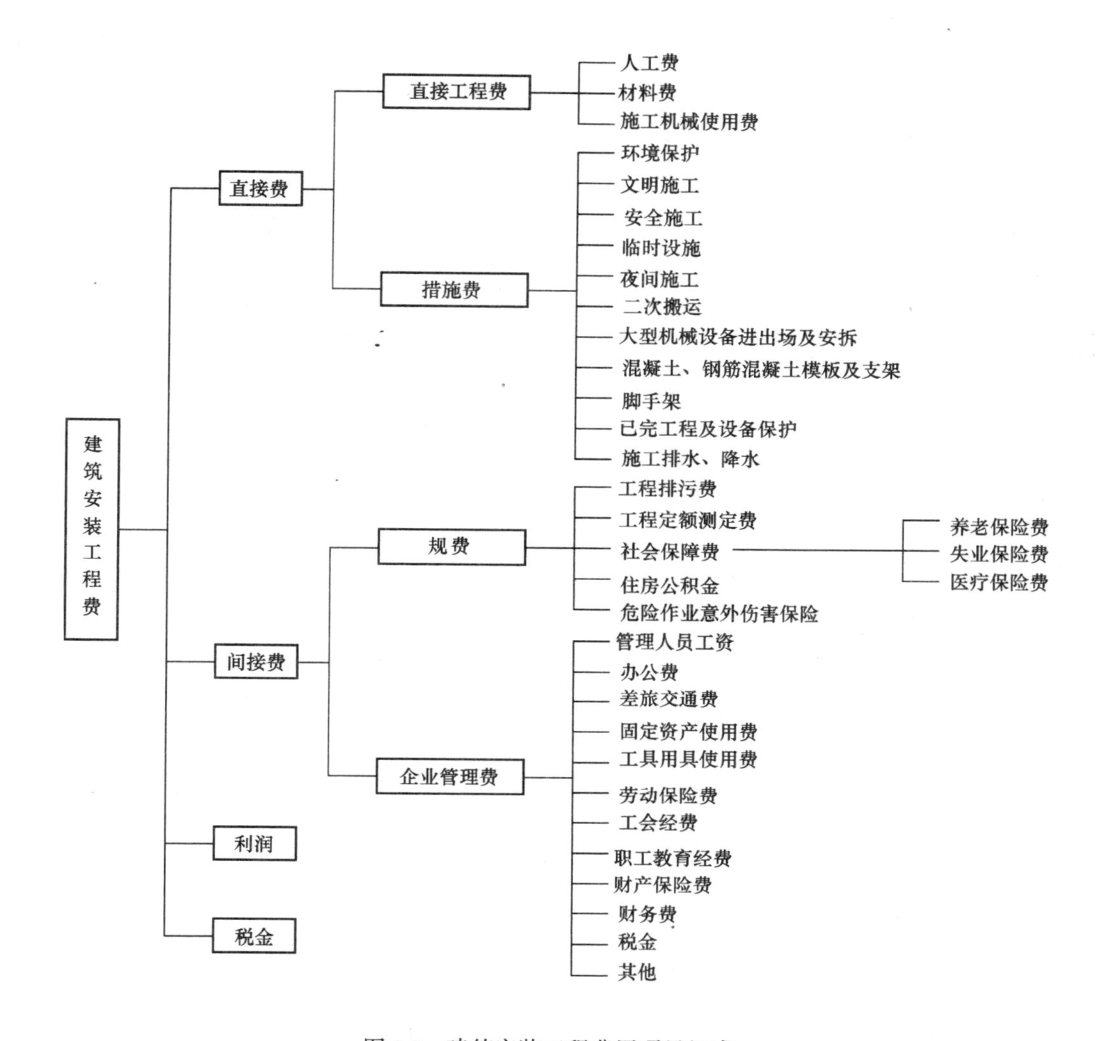

图 2-2　建筑安装工程费用项目组成

女工哺乳时间的工资，病假在六个月以内的工资及产、婚、丧假期的工资。

④职工福利费：是指按规定标准计提的职工福利费。

⑤生产工人劳动保护费：是指按规定标准发放的劳动保护用品的购置费及修理费，徒工服装补贴，防暑降温费，在有碍身体健康环境中施工的保健费用等。

2）材料费

材料费是指施工过程中耗费的构成工程实体的原材料、辅助材料、构配件、零件、半成品的费用。内容包括：

①材料原价（或供应价格）。

②材料运杂费：是指材料自来源地运至工地仓库或指定堆放地点所发生的全部费用。

③运输损耗费：是指材料在运输装卸过程中不可避免的损耗。

④采购及保管费：是指为组织采购、供应和保管材料过程中所需要的各项费用。包括：采购费、仓储费、工地保管费、仓储损耗。

⑤检验试验费：是指对建筑材料、构件和建筑安装物进行一般鉴定、检查所发生的费

用，包括自设试验室进行试验所耗用的材料和化学药品等费用。不包括新结构、新材料的试验费和建设单位对具有出厂合格证明的材料进行检验，对构件做破坏性试验及其他特殊要求检验试验的费用。

3）施工机械使用费

施工机械使用费是指施工机械作业所发生的机械使用费以及机械安拆费和场外运费。

施工机械台班单价应由下列七项费用组成：

①折旧费：指施工机械在规定的使用年限内，陆续收回其原值及购置资金的时间价值。

②大修理费：指施工机械按规定的大修理间隔台班进行必要的大修理，以恢复其正常功能所需的费用。

③经常修理费：指施工机械除大修理以外的各级保养和临时故障排除所需的费用。包括为保障机械正常运转所需替换设备与随机配备工具附具的摊销和维护费用，机械运转中日常保养所需润滑与擦拭的材料费用及机械停滞期间的维护和保养费用等。

④安拆费及场外运费：安拆费指施工机械在现场进行安装与拆卸所需的人工、材料、机械和试运转费用以及机械辅助设施的折旧、搭设、拆除等费用；场外运费指施工机械整体或分体自停放地点运至施工现场或由一施工地点运至另一施工地点的运输、装卸、辅助材料及架线等费用。

⑤人工费：指机上司机（司炉）和其他操作人员的工作日人工费及上述人员在施工机械规定的年工作台班以外的人工费。

⑥燃料动力费：指施工机械在运转作业中所消耗的固体燃料（煤、木柴）、液体燃料（汽油、柴油）及水、电等。

⑦养路费及车船使用税：指施工机械按照国家规定和有关部门规定应缴纳的养路费、车船使用税、保险费及年检费等。

2. 措施费

措施费是指为完成工程项目施工，发生于该工程施工前和施工过程中非工程实体项目的费用。

包括内容：

（1）环境保护费：是指施工现场为达到环保部门要求所需要的各项费用。

（2）文明施工费：是指施工现场文明施工所需要的各项费用。

（3）安全施工费：是指施工现场安全施工所需要的各项费用。

（4）临时设施费：是指施工企业为进行建筑工程施工所必须搭设的生活和生产用的临时建筑物、构筑物和其他临时设施费用等。

临时设施包括：临时宿舍、文化福利及公用事业房屋与构筑物，仓库、办公室、加工厂以及规定范围内道路、水、电、管线等临时设施和小型临时设施。

临时设施费用包括：临时设施的搭设、维修、拆除费或摊销费。

（5）夜间施工费：是指因夜间施工所发生的夜班补助费、夜间施工降效、夜间施工照明设备摊销及照明用电等费用。

（6）二次搬运费：是指因施工场地狭小等特殊情况而发生的二次搬运费用。

（7）大型机械设备进出场及安拆费：是指机械整体或分体自停放场地运至施工现场或

由一个施工地点运至另一个施工地点，所发生的机械进出场运输及转移费用及机械在施工现场进行安装、拆卸所需的人工费、材料费、机械费、试运转费和安装所需的辅助设施的费用。

（8）混凝土、钢筋混凝土模板及支架费：是指混凝土施工过程中需要的各种钢模板、木模板、支架等的支、拆、运输费用及模板、支架的摊销（或租赁）费用。

（9）脚手架费：是指施工需要的各种脚手架搭、拆、运输费用及脚手架的摊销（或租赁）费用。

（10）已完工程及设备保护费：是指竣工验收前，对已完工程及设备进行保护所需费用。

（11）施工排水、降水费：是指为确保工程在正常条件下施工，采取各种排水、降水措施所发生的各种费用。

（二）间接费

由规费、企业管理费组成。

1. 规费

规费是指政府和有关权力部门规定必须缴纳的费用（简称规费）。包括：

（1）工程排污费：是指施工现场按规定缴纳的工程排污费。

（2）工程定额测定费：是指按规定支付工程造价（定额）管理部门的定额测定费。

（3）社会保障费：

①养老保险费：是指企业按规定标准为职工缴纳的基本养老保险费。

②失业保险费：是指企业按照国家规定标准为职工缴纳的失业保险费。

③医疗保险费：是指企业按照规定标准为职工缴纳的基本医疗保险费。

（4）住房公积金：是指企业按规定标准为职工缴纳的住房公积金。

（5）危险作业意外伤害保险：是指按照建筑法规定，企业为从事危险作业的建筑安装施工人员支付的意外伤害保险费。

2. 企业管理费

企业管理费是指建筑安装企业组织施工生产和经营管理所需费用。

内容包括：

（1）管理人员工资：是指管理人员的基本工资、工资性补贴、职工福利费、劳动保护费等。

（2）办公费：是指企业管理办公用的文具、纸张、账表、印刷、邮电、书报、会议、水电、烧水和集体取暖（包括现场临时宿舍取暖）用煤等费用。

（3）差旅交通费：是指职工因公出差、调动工作的差旅费、住勤补助费，市内交通费和误餐补助费，职工探亲路费，劳动力招募费，职工离退休、退职一次性路费，工伤人员就医路费，工地转移费以及管理部门使用的交通工具的油料、燃料、养路费及牌照费。

（4）固定资产使用费：是指管理和试验部门及附属生产单位使用的属于固定资产的房屋、设备仪器等的折旧、大修、维修或租赁费。

（5）工具用具使用费：是指管理使用的不属于固定资产的生产工具、器具、家具、交通工具和检验、试验、测绘、消防用具等的购置、维修和摊销费。

（6）劳动保险费：是指由企业支付离退休职工的异地安家补助费、职工退职金、六个月以上的病假人员工资、职工死亡丧葬补助费、抚恤费、按规定支付给离休干部的各项经费。

(7) 工会经费：是指企业按职工工资总额计提的工会经费。

(8) 职工教育经费：是指企业为职工学习先进技术和提高文化水平，按职工工资总额计提的费用。

(9) 财产保险费：是指施工管理用财产、车辆保险。

(10) 财务费：是指企业为筹集资金而发生的各种费用。

(11) 税金：是指企业按规定缴纳的房产税、车船使用税、土地使用税、印花税等。

(12) 其他：包括技术转让费、技术开发费、业务招待费、绿化费、广告费、公证费、法律顾问费、审计费、咨询费等。

(三) 利润

是指施工企业完成所承包工程获得的盈利。

(四) 税金

是指国家税法规定的应计入建筑安装工程造价内的营业税、城市维护建设税及教育费附加等。

二、建筑安装工程费用参考计算方法

(一) 直接费

1. 直接工程费

$$\text{直接工程费} = \text{人工费} + \text{材料费} + \text{施工机械使用费} \tag{2-10}$$

1) 人工费

$$\text{人工费} = \Sigma(\text{工日消耗量} \times \text{日工资单价}) \tag{2-11}$$

$$\text{日工资单价}(G) = \sum_{i=1}^{5} G_i \tag{2-12}$$

(1) 基本工资 (G_1)

$$\text{基本工资}(G_1) = \frac{\text{生产工人平均月工资}}{\text{年平均每月法定工作日}} \tag{2-13}$$

(2) 工资性补贴 (G_2)

$$\text{工资性补贴}(G_2) = \frac{\Sigma\,\text{年发放标准}}{\text{全年日历日} - \text{法定假日}} + \frac{\Sigma\,\text{月发放标准}}{\text{年平均每月法定工作日}} + \text{每工作日发放标准} \tag{2-14}$$

(3) 生产工人辅助工资 (G_3)

$$\text{生产工人辅助工资}(G_3) = \frac{\text{全年无效工作日} \times (G_1 + G_2)}{\text{全年日历日} - \text{法定假日}} \tag{2-15}$$

(4) 职工福利费 (G_4)

$$职工福利费(G_4)=(G_1+G_2+G_3)\times福利费计提比例(\%) \quad (2\text{-}16)$$

（5）生产工人劳动保护费（G_5）

$$生产工人劳动保护费(G_5)=\frac{生产工人年平均支出劳动保护费}{全年日历日-法定假日} \quad (2\text{-}17)$$

2）材料费

$$材料费=\Sigma(材料消耗量\times材料基价)+检验试验费 \quad (2\text{-}18)$$

（1）材料基价

$$材料基价=[(供应价格+运杂费)\times(1+运输损耗率(\%))]\times(1+采购保管费率(\%)) \quad (2\text{-}19)$$

（2）检验试验费

$$检验试验费=\Sigma(单位材料量检验试验费\times材料消耗量) \quad (2\text{-}20)$$

3）施工机械使用费

$$施工机械使用费=\Sigma(施工机械台班消耗量\times机械台班单价) \quad (2\text{-}21)$$

其中，机械台班单价按2-22式进行计算：

$$台班单价=台班折旧费+台班大修费+台班经常修理费+台班安拆费及场外运费+台班人工费+台班燃料动力费+台班养路费及车船使用税 \quad (2\text{-}22)$$

2. 措施费

本规则中只列通用措施费项目的计算方法，各专业工程的专用措施费项目的计算方法由各地区或国务院有关专业主管部门的工程造价管理机构自行制定。

1）环境保护

$$环境保护费=直接工程费\times环境保护费费率(\%) \quad (2\text{-}23)$$

$$环境保护费费率(\%)=\frac{本项费用年度平均支出}{全年建安产值\times直接工程费占总造价比例(\%)} \quad (2\text{-}24)$$

2）文明施工

$$文明施工费=直接工程费\times文明施工费费率(\%) \quad (2\text{-}25)$$

$$文明施工费费率(\%)=\frac{本项费用年度平均支出}{全年建安产值\times直接工程费占总造价比例(\%)} \quad (2\text{-}26)$$

3）安全施工

$$安全施工费=直接工程费\times安全施工费费率(\%) \quad (2\text{-}27)$$

$$安全施工费费率(\%)=\frac{本项费用年度平均支出}{全年建安产值\times直接工程费占总造价比例(\%)} \quad (2\text{-}28)$$

4）临时设施费

临时设施费有以下三部分组成：

（1）周转使用临建（如活动房屋）；

（2）一次性使用临建（如简易建筑）；

（3）其他临时设施（如临时管线）。

$$临时设施费 = (周转使用临建费 + 一次性使用临建费) \times (1 + 其他临时设施所占比例(\%)) \quad (2\text{-}29)$$

其中：

$$周转使用临建费 = \Sigma\left[\frac{临建面积 \times 每平方米造价}{使用年限 \times 365 \times 利用率(\%)} \times 工期(天)\right] + 一次性拆除费 \quad (2\text{-}30)$$

$$一次性使用临建费 = \Sigma 临建面积 \times 每平方米造价 \times [1 - 残值率(\%)] + 一次性拆除费 \quad (2\text{-}31)$$

其他临时设施在临时设施费中所占比例，可由各地区造价管理部门依据典型施工企业的成本资料经分析后综合测定。

5）夜间施工增加费

$$夜间施工增加费 = \left(1 - \frac{合同工期}{定额工期}\right) \times \frac{直接工程费中的人工费合计}{平均日工资单价} \times 每工日夜间施工费开支 \quad (2\text{-}32)$$

6）二次搬运费

$$二次搬运费 = 直接工程费 \times 二次搬运费费率(\%) \quad (2\text{-}33)$$

$$二次搬运费费率(\%) = \frac{年平均二次搬运费开支额}{全年建安产值 \times 直接工程费占总造价的比例(\%)} \quad (2\text{-}34)$$

7）大型机械进出场及安拆费

$$大型机械进出场及安拆费 = \frac{一次进出场及安拆费 \times 年平均安拆次数}{年工作台班} \quad (2\text{-}35)$$

8）混凝土、钢筋混凝土模板及支架

（1）模板及支架费 = 模板摊销量 × 模板价格 + 支、拆、运输费 (2-36)

摊销量 = 一次使用量 ×（1 + 施工损耗）×［1 +（周转次数 − 1）× 补损率 / 周转次数 −（1 − 补损率)50% / 周转次数］ (2-37)

（2）租赁费 = 模板使用量 × 使用日期 × 租赁价格 + 支、拆、运输费 (2-38)

9）脚手架搭拆费

（1）脚手架搭拆费 = 脚手架摊销量 × 脚手架价格 + 搭、拆、运输费 (2-39)

$$脚手架摊销量 = \frac{单位一次使用量 \times (1 - 残值率)}{耐用期 \div 一次使用期} \quad (2\text{-}40)$$

（2）租赁费 = 脚手架每日租金 × 搭设周期 + 搭、拆、运输费 (2-41)

10）已完工程及设备保护费

$$已完工程及设备保护费 = 成品保护所需机械费 + 材料费 + 人工费 \quad (2\text{-}42)$$

11）施工排水、降水费

$$排水降水费 = \Sigma 排水降水机械台班费 \times 排水降水周期 + 排水降水使用材料费、人工费 \quad (2\text{-}43)$$

（二）间接费

间接费的计算方法按取费基数的不同分为以下三种：

1. 以直接费为计算基础

$$间接费 = 直接费合计 \times 间接费费率(\%) \quad (2\text{-}44)$$

2. 以人工费和机械费合计为计算基础

$$间接费 = 人工费和机械费合计 \times 间接费费率(\%) \tag{2-45}$$

3. 以人工费为计算基础

$$间接费 = 人工费合计 \times 间接费费率(\%) \tag{2-46}$$

$$间接费费率(\%) = 规费费率(\%) + 企业管理费费率(\%) \tag{2-47}$$

1）规费费率

根据本地区典型工程发承包价的分析资料综合取定规费计算中所需数据：

(1) 每万元发承包价中人工费含量和机械费含量。

(2) 人工费占直接费的比例。

(3) 每万元发承包价中所含规费缴纳标准的各项基数。

规费费率的计算公式：

① 以直接费为计算基础：

$$规费费率(\%) = \frac{\Sigma 规费缴纳标准 \times 每万元发承包价计算基数}{每万元发承包价中的人工费含量} \times 人工费占直接费的比例(\%) \tag{2-48}$$

② 以人工费和机械费合计为计算基础：

$$规费费率(\%) = \frac{\Sigma 规费缴纳标准 \times 每万元发承包价计算基数}{每万元发承包价中的人工费含量和机械费含量} \times 100\% \tag{2-49}$$

③以人工费为计算基础：

$$规费费率(\%) = \frac{\Sigma 规费缴纳标准 \times 每万元发承包价计算基数}{每万元发承包价中的人工费含量} \times 100\% \tag{2-50}$$

2）企业管理费费率

企业管理费费率计算公式：

①以直接费为计算基础：

$$企业管理费费率(\%) = \frac{生产工人年平均管理费}{年有效施工天数 \times 人工单价} \times 人工费占直接费比例(\%) \tag{2-51}$$

②以人工费和机械费合计为计算基础：

$$企业管理费费率(\%) = \frac{生产工人年平均管理费}{年有效施工天数 \times (人工单价 + 每一工日机械使用费)} \times 100\% \tag{2-52}$$

③以人工费为计算基础：

$$企业管理费费率(\%) = \frac{生产工人年平均管理费}{年有效施工天数 \times 人工单价} \times 100\% \tag{2-53}$$

（三）利润

利润计算公式见“三、建筑安装工程计价程序”。

（四）税金

税金计算公式：

$$税金 = (税前造价 + 利润) \times 税率(\%) \tag{2-54}$$

税率：

(1) 纳税地点在市区的企业

$$税率(\%) = \frac{1}{1-3\%-(3\%\times7\%)-(3\%\times3\%)}-1 \tag{2-55}$$

(2) 纳税地点在县城、镇的企业

$$税率(\%) = \frac{1}{1-3\%-(3\%\times5\%)-(3\%\times3\%)}-1 \tag{2-56}$$

(3) 纳税地点不在市区、县城、镇的企业

$$税率(\%) = \frac{1}{1-3\%-(3\%\times1\%)-(3\%\times3\%)}-1 \tag{2-57}$$

三、建筑安装工程计价程序

根据《建筑工程施工发包与承包计价管理办法》（建设部令第107号）的规定，发包与承包价的计算方法分为工料单价法和综合单价法，程序为：

(一) 工料单价法计价程序

工料单价法是以分部分项工程量乘以单价后的合计为直接工程费，直接工程费以人工、材料、机械的消耗量及其相应价格确定。直接工程费汇总后另加间接费、利润、税金生成工程发承包价，其计算程序分为三种：

1. 以直接费为计算基础（表2-1）

以直接费为计算基础的工料单价法计价程序 **表2-1**

序 号	费用项目	计算方法	备 注
1	直接工程费	按预算表	
2	措施费	按规定标准计算	
3	小计	(1) + (2)	
4	间接费	(3) ×相应费率	
5	利润	[(3) + (4)] ×相应利润率	
6	合计	(3) + (4) + (5)	
7	含税造价	(6) × (1+相应税率)	

2. 以人工费和机械费为计算基础（表2-2）

以人工费和机械费为计算基础的工料单价法计价程序 **表2-2**

序 号	费用项目	计算方法	备 注
1	直接工程费	按预算表	
2	其中人工费和机械费	按预算表	
3	措施费	按规定标准计算	
4	其中人工费和机械费	按规定标准计算	
5	小计	(1) + (3)	
6	人工费和机械费小计	(2) + (4)	
7	间接费	(6) ×相应费率	
8	利润	(6) ×相应利润率	
9	合计	(5) + (7) + (8)	
10	含税造价	(9) × (1+相应税率)	

3. 以人工费为计算基础（表2-3）

以人工费为计算基础的工料单价法计价程序　　表2-3

序　号	费用项目	计算方法	备　注
1	直接工程费	按预算表	
2	直接工程费中人工费	按预算表	
3	措施费	按规定标准计算	
4	措施费中人工费	按规定标准计算	
5	小计	（1）+（3）	
6	人工费小计	（2）+（4）	
7	间接费	（6）×相应费率	
8	利润	（6）×相应利润率	
9	合计	（5）+（7）+（8）	
10	含税造价	（9）×（1+相应税率）	

（二）综合单价法计价程序

综合单价法是分部分项工程单价为全费用单价，全费用单价经综合计算后生成，其内容包括直接工程费、间接费、利润和税金（措施费也可按此方法生成全费用价格）。

各分项工程量乘以综合单价的合价汇总后，生成工程发承包价。

由于各分部分项工程中的人工、材料、机械含量的比例不同，各分项工程可根据其材料费占人工费、材料费、机械费合计的比例（以字母“C”代表该项比值）在以下三种计算程序中选择一种计算其综合单价。

（1）当 $C > C_0$（C_0 为本地区原费用定额测算所选典型工程材料费占人工费、材料费、和机械费合计的比例）时，可采用以人工费、材料费、机械费合计为基数计算该分项的间接费和利润（表2-4）。

以直接费为计算基础的综合单价法计价程序　　表2-4

序　号	费用项目	计算方法	备　注
1	分项直接工程费	人工费+材料费+机械费	
2	间接费	(1)×相应费率	
3	利润	[(1)+(2)]×相应利润率	
4	合计	(1)+(2)+(3)	
5	含税造价	(4)×(1+相应税率)	

（2）当 $C < C_0$ 值的下限时，可采用以人工费和机械费合计为基数计算该分项的间接费和利润（表2-5）。

以人工费和机械费为计算基础的综合单价法计价程序 　　　**表 2-5**

序　号	费用项目	计算方法	备　注
1	分项直接工程费	人工费＋材料费＋机械费	
2	其中人工费和机械费	人工费＋机械费	
3	间接费	(2) ×相应费率	
4	利润	(2) ×相应利润率	
5	合计	(1) ＋ (3) ＋ (4)	
6	含税造价	(5) × (1＋相应税率)	

(3) 如该分项的直接费仅为人工费，无材料费和机械费时，可采用以人工费为基数计算该分项的间接费和利润（表 2-6）。

以人工费为计算基础的综合单价法计价程序 　　　**表 2-6**

序　号	费用项目	计算方法	备　注
1	分项直接工程费	人工费＋材料费＋机械费	
2	直接工程费中人工费	人工费	
3	间接费	(2) ×相应费率	
4	利润	(2) ×相应利润率	
5	合计	(1) ＋ (3) ＋ (4)	
6	含税造价	(5) × (1＋相应税率)	

第三章　岗位实务工作项目

第一节　工程预算编制前期准备

一个造价员要想做好预算一要懂专业技术和施工程序、了解现场、熟悉施工文件、准确计算工程量。二要熟悉掌握定额，正确的运用定额。三要了解各种施工标准图集图册。四要实事求是，不可胡编乱造弄虚作假。五要认真负责、仔细耐心。

施工文件是工程的语言；是施工人员在现场施工的依据；是造价人员做工程预算与工程结算的依据。施工文件包括：设计图纸、图纸会审记录、设计变更、施工洽商、标准图集、技术规程，技术交底、各种专业会议纪要及各种有关政策性文件等。其中设计图纸又包括文字的施工设计说明及施工蓝图。

施工文件的内容、日期、版本等的正确与否对造价人员来说极为重要，因此收到图纸后首先要把图纸按收到时间、版本的顺序登记编号，以防和后续不同版本的图纸混淆，然后要核对目录与图纸的页数是否一致。

一、熟悉施工文件

施工文件主要是设计图纸，在熟悉图纸前要先识读施工设计说明。

1. 识读施工设计说明要点

(1) 整体工程概况、建筑物属类、工程所在地、结构的形式、地面标高、建筑檐高、层高、地上层数、地下层数、地层土质情况等。通过读解工程概况可了解工程建筑属类（公共建筑还是民用建筑）、工程具体的所在地（本市还是外省、四环内或四环外）、建筑檐高（因为2001预算定额，其定额工效是按建筑物檐高25m以下编制的，若超过25m的高层建筑物，需计取超高费，超高费计取费率见表3-1）等。这些基本状况因素是作为以后预算确定费率的根据。

超高费计取费率表　　　　**表3-1**

檐　高		45m以下	80m以下	80m以上
费率（%）		3	6	8
其　中	人　工	2	4	5
	机　械	1	2	3

注：以人工费作为基数。

(2) 设计依据、范围、及本专业各系统概况。

(3) 各种设备、部件的规格型号、技术要求及参数等。如空调机组、风机、水泵、卫生洁具、消声器、消火栓箱、阀件等的型号、规格、长度及其参数，这些都是以后预算套用定额选用子目的根据。

(4) 各系统所采用材料及材料的规格型号、技术要求及参数等。这些也是以后预算套用定额的根据。

(5) 各系统打压、冲洗、防腐、保温等要求。

(6) 如施工设计说明中附《设备、材料表》，其数量和规格可做为统计工程量的参考对照。因为说明中所附设备、材料表，其数量的计算和预算计算工程量的方法不同。

(7) 设计图纸所涵盖的范围，各系统所包括的内容和未包括的内容及施工所涉及的专业。

通过以上识读设计施工说明，可以对工程的概况有初步的了解，主要有以下几点：一是了解到设计的理念、思路及依据，这样在看图时有利于思路的扩展。二是知道了施工中应执行的规范和技术要求。三是对确定各种设备、部件、材料的规格、数量、单价有一定参考。四是对计算和确定工程量提供了依据。如在设计说明中有这样条款："管道坡度以图为准，但在热水管路系统最高点或上翻弯处设置 *DN*15 手动及自动排气阀，在最低点处或下翻弯处应配置 *DN*25 泄水管及阀门"，则根据这一条款在统计热水系统工程量时，图中凡是系统的最高点或上翻弯处就加一个 *DN*15 手动排气阀或一个 *DN*15 自动排气阀；系统的最低点处或下翻弯处就加一个 *DN*25 泄水管和一个 *DN*25 阀门，不管图中是否画出标示。若在看施工设计说明时忽略这一条款，往往就会丢掉了这些工程量。

2. 读识图纸的顺序

读识图纸的顺序是：平面图→系统图→剖面图→节点大样图。在读识时要认真掌握图纸中要点，要对平面、系统、剖面、节点大样等图反复读识，仔细核对系统中各种设备、管线、阀件等的功能用途、规格型号、走向路径、安装的位置、楼层标高等。

(1) 平面图中要注意：

①图中的比例、每层建筑标高、纵横轴线的标注规则及轴之间距离；各房间的编号或房间的使用功能；结构的楼板、梁、柱、地面等标注尺寸；建筑吊顶、地面标高等。

②专业系统设备、管线、阀件的规格、标高、坡度及平面布置；各种管线的走向路径以及管线与结构墙、柱、地面的距离；与建筑吊顶以及与其他相关专业管线的距离。

③专业管线投影关系，管线规格变化的位置、标高。

④机房的位置及设备的布置排列和设备的接口部位。

⑤附属配件、部件、特殊支架（管道的固定支架）等位置与数量。

(2) 剖面图中要注意：

①各种专业管线的立面排列布置走向、名称、规格与结构墙、柱及其他相关专业的距离、位置、标高；以及管线穿楼板或穿竖井情况。

②立管、分支管的位置标高、规格及附属配件、部件位置、规格、数量及管线规格变化的位置、标高等情况。

③管线和设备及附属配件、部件的接口部位、规格。

(3) 系统图中要注意：

①系统管线工艺流程及管线全况。

②系统和平面与剖面有无管道走向、管径、附属配件、部件、规格、数量等不符的问题。

3. 识读图纸注意问题

每当新工程预算开始时，图纸很多（尤其是大工程），因此在看图时要仔细认真、有序进行，识读图纸要注意以下问题。

（1）图纸的版本号、编号变化，有时会因某种原因设计图纸的编号不变，但版本号升级；也有版本号不变，但图纸编号变化，往往被疏忽。

（2）图纸比例，在图纸中平面、剖面、节点大样等图的比例一般是不同的，尤其是在一张图中，有时设计会在平面或剖面图上某一位置画一节点大样，其节点大样图的比例往往在大样图的附近表示；而在图右下方图签表示的比例是平面或剖面图的。

（3）图纸中纵、横轴线的间距有时是不一致，在按轴线距离计算时要注意。

（4）不同标高的标注，要注意图纸中所标注的地面标高，是建筑标高还是结构标高，因两个标高是有差异的。专业管线所标示的标高也不同，一般通风管道标示的是风管的底标高，水管道标示的是水管中心标高；其专业标高都是对地面的相对高度。

（5）同一系统中管线要交圈，管线都是有始有终。平、剖面图中同一根管其管径起止变化位置、标高应一致。多根管道的积聚、交叉、重叠时不应互相交叉、重叠、积聚，应根据小管让大管、有压让无压有序排列原则将各类管线分清理顺。

（6）在平面图上应注意通过本层立管。如高层分区供暖方式，地下泵房供高层的供、回水立管在低层时只是通过没有分支出管，在看图时不要把这些通过的立管忽略。

总之通过识读图纸后，在头脑中形成了初步立体空间概念，对本工程及专业系统有了进一步全方位了解和认识，但对其中模糊和不明确的问题还须进一步了解和认识。因熟悉图纸是编制预算的重要环节，在熟悉图纸过程中要对图纸中发现的问题认真反复查看，如确实是图纸问题应记在图纸会审记录上进行修改或待设计方出设计变更通知。对图纸与施工有矛盾的问题应提交给负责施工的有关人员，待设计施工双方研究修改出《设计变更通知》或《施工洽商》。《设计变更通知》和《施工洽商》同属于施工文件，但在问题的责任上有所不同：《设计变更通知》是建设单位或设计单位的原因造成，一般其经济赔偿是无可非议；而《施工洽商》造成的原由很多，有些《施工洽商》单纯是技术问题不存在经济赔偿，有些就不同了，存在拆改和在施工过程的经济赔偿问题。

二、了解施工现场及相关专业

在做预算过程中要经常到施工现场看看，并要和施工技术人员以及其他专业进行沟通了解设计图纸和施工现场情况是否一致，《施工洽商》、《设计变更》和施工现场情况是否一致，以及和其他专业等是否有矛盾。一般有以下问题：

1. 现场预留、预埋的管的套管、孔洞的位置、规格、标高等是否正确，是否和图纸、《施工洽商》、《设计变更》等一致；生根的预埋件、预埋铁是否安装，安装的位置如有不符之处须再出变更文件。

2. 管线生根固定部位是否符合结构强度要求，是否需做加强。如结构需要做技术处理应由结构专业人员办理或确认变更文件。

3. 专业管线布局的位置、标高是和建筑及相关专业是否有相互交叉矛盾的问题。如有出入须办理有关变更文件。

4. 确认好的施工样板和图纸的要求有无出入，如有出入须办理有关变更文件。

5. 现场层高脚手架搭设情况。

6. 外线工程挖管沟时要了解沿线土质情况。如挖出的土质和原施工文件不同，须办理有关变更文件。

经上述的了解与沟通情况，如和图纸或图纸说明有矛盾应提交给负责施工的有关人员，待设计、施工双方研究修改，出《设计变更通知》或《施工洽商》。这些修改和洽商将都是做预算计算工程量或在完工结算时的依据。如室外工程挖管沟其沿线土质不符合回填土的要求，需换土，则施工技术人员须办理换土变更洽商，换土变更洽商中就存在费用问题，因换土存在汽车台班和人工装卸车发生工时费、台班费用及土本身的价格的问题，这些情况需预算人员及时了解。

三、资料准备与收集

1. 准备标准施工图集和相关的样本。经常使用的标准施工图集有《建筑设备施工安装通用图集》91 SB1（暖气工程）、《建筑设备施工安装通用图集》91 SB2（卫生工程）、《建筑设备施工安装通用图集》91 SB3（给水工程）、《建筑设备施工安装通用图集》91 SB4（排水工程）、《建筑设备施工安装通用图集》91 SB5（锅炉房工程）、《建筑设备施工安装通用图集》91 SB6（通风与空调工程）、《建筑设备施工安装通用图集》91 SB7（制冷工程）、《建筑设备施工安装通用图集》91 SB8（燃气工程）、《建筑设备施工安装通用图集》91 SB9（热力站工程）、《给水排水标准图集》S1-S4。

2. 准备施工质量验收规范及相关规范。现行的验收规范有《通风与空调工程施工质量验收规范》GB 50243—2002、《通风管道技术规程》JGJ 141—2004、《建筑给水排水及采暖工程施工质量验收规范》GB 50242—2002、《自动喷水灭火系统施工及质量验收规范》GB 50261—2005、《建筑工程施工质量验收统一标准》GB 50300—2001、《工业自动化仪表工程施工及验收规范》GBJ 93—86、《制冷设备、空气分离设备安装工程施工及验收规范》GB 50274—98、《压缩机、风机、泵安装工程施工及验收规范》GB 50275—98、《建设工程监理规范》GB 50319—2000、《工程建设标准强制性条文》等。

3. 整理收集施工组织设计、施工方案、技术交底、图纸会审等有关内容。在预算编制的过程中将施工洽商、设计变更等技术文件及时收集和整理。

第二节　补充定额编制

一、补充定额编制简述

在编制预算套用定额时，往往会发现有些项目在定额子目中没有或是规格不符，在定额有关说明中又没有规定，这种情况需要补充。

二、如何编制补充定额

编制补充定额方便的办法是，找一个和这项目相关或靠近的定额，根据经验进行修改。否则得重新编制一个补充定额。编制补充定额要根据施工的程序、内容及施工使用的材料、机械、施工所需要的人工等进行逐项考核、比较、计算编制。

1. 计算人工费：要计算综合工日及工日单价和其他人工费。

2. 计算材料费：要计算材料用量及材料单价和其他材料费。

3. 计算机械费：根据施工使用的机械计算出使用期间的费用。

以上三者之和便是补充定额。

三、编制补充定额注意事项

1. 编制补充定额要合理，不可胡编乱造。

2. 编制出的补充定额要在预算中前后始终如一的套用，不得在中间随意修改变动。

3. 补充定额在编制前应和建设单位或监理单位沟通协商，编制好的定额需要有关部门或人员确认，方可正式在预算中套用。

4. 编制补充定额在套用时其编号要另行编号并加自行编制的标记。如在第一章第一节室内低压镀锌钢管“1-11”后序排列“1-11 补 1、补 2 等”。

第三节　工程量清单价编制

现在工程量清单价在工程投标报价时普遍采用，工程量清单价是在《2001 年北京市建设工程预算定额》（以下简称《01 定额》）的基础上整合而成。清单价一个子目是由多个分子目组成，涵盖了《01 定额》的诸多内容，所以说 2001 预算定额是工程量清单价的基础。因此只有掌握好 2001 预算定额各册、章节的说明及工程量计算规则，才能编制和运用工程量清单价。

在每一个工程量清单价子目中涵盖了这个子目整个施工环节中的全部施工工序的工艺过程。如室内采暖系统的低压焊接钢管螺纹连接安装子目，其工作内容从预留管洞开始包括管道预制加工、卡架安装、直至管道除锈刷漆、保温、打压冲洗试验等以及后期的采暖系统调试等全部过程的单价。这样在套用清单价时子目比较清晰简单，不像《01 定额》那样子目繁多。

当建设单位不采用《01 定额》编制预算而要求采用清单价编制时，在编制预算前要仔细认真读解建设单位的有关文件及清单价的内容、要求、规定。在统计计算工程量时要按清单价的规定要求的单位、工程项目内容划分的方法、来统计计算工程量；统计计算工程量的方法和前述大致相同。要把不同工序工程量分别划分累计，工程量计算要准确。

在套用清单价时，对清单价的子目所涵盖的工作内容要明确，凡子目涵盖不住的内容应另做补充。

第四节　洽商预算编制

在施工过程中建设单位的需求有变化、设计单位的施工图纸或设备材料以及施工单位的原因或施工现场的变化等原因造成已施工或尚未施工的部位要进行变更修改通称为洽商。

1. 洽商分为施工洽商与设计变更通知两种。设计变更通知由设计单位负责给出，施工洽商由施工单位负责给出；无论设计或施工单位负责给出的洽商均需建设单位、设计单位、监理单位、施工单位四方签认方为有效。

2. 施工洽商与设计变更通知分为技术性洽商、经济性洽商及两种性质的综合洽商。凡有关经济方面的洽商应把修改变化的项目内容核查确认清楚；如修改变化项目的名称、规格、数量、位置、施工现场的施工情况、以及洽商的编号、修改的日期等。

3. 编制洽商增减账。施工单位收到洽商后负责现场施工的技术人员应立即停止原来图纸的施工；并统计出已施工项目的数量、部位、时间等书面报告有关人员。预算人员要将洽商通知和书面报告收集整理，及时做出经济洽商增减账。经济洽商增减账就是把原图纸的工程量全部或部分减去或根据洽商及现场的施工情况具体情况而定。

【例】 某一室内采暖系统支干管，原图低压 *DN*40 焊接钢管螺纹连接，现改为 *DN*50，见表 3-2，请编制洽商增减账。

工 程 洽 商 **表 3-2**

<table>
<tr><td colspan="3">工 程 洽 商 记 录</td><td>编　号</td><td>暖-001</td></tr>
<tr><td colspan="2">工程名称</td><td>××采暖工程</td><td>专业名称</td><td>给　水</td></tr>
<tr><td colspan="2">提出单位名称</td><td>×××安装公司</td><td>日期</td><td>2006.7.8</td></tr>
<tr><td colspan="2">内容摘要</td><td colspan="3">采暖管变更</td></tr>
<tr><td>序　号</td><td>图　号</td><td colspan="3">洽 商 内 容</td></tr>
<tr><td></td><td></td><td colspan="3">1. 1 号楼一层 2/B～12/B 轴，长 200m，原图纸中采暖支干管 DN40，焊接钢管螺纹连接，为以后增加暖气特加大管径，经研究 DN40 焊接钢管改为 DN50 焊接钢管，现场已安装 DN40 焊接钢管拆除。
2. 经各方现场核查 DN40 钢管已安装 50m 需拆</td></tr>
<tr><td rowspan="2">签字栏</td><td>建设单位</td><td>监理单位</td><td>设计单位</td><td>施工单位</td></tr>
<tr><td>×××</td><td>××</td><td>×××</td><td>×××</td></tr>
</table>

【解】 根据洽商，预算人员需做洽商增减账。

1. 洽商工程量

(1) 安装 *DN*50 焊接钢管 200m；

(2) 拆除原 *DN*40 焊接钢管 50m。

2. 洽商增减账计算书见表 3-3。

增 减 账 计 算 书 **表 3-3**

定额编号	工程内容	单　位	工程量	单价（元）	合价（元）	备　注
1-19	焊接钢管 *DN*40	m	150	19.9	－2985	
补充	拆除钢管 *DN*40	m	50	9.95	＋497.5	
1-20	安装钢管 *DN*50	m	200	22.96	＋4592	
合　计					2104.5	

3. 经洽商增减账计算，本洽商增加 2104.5 元。

第五节　施工预、结算编制内容

一、施工预算编制内容

施工预算的内容有；预算编制说明、工程预算书、工程取费等项目。

1. 预算编制说明应包括以下几方面：

（1）编制依据、施工图纸及有关标准图、预算定额及有关规定、经批准的施工组织设计及施工方案等技术文件。

（2）工程概况，简单扼要阐述工程性质、范围及建设地址及主要的工程内容。

（3）工程预算不涵盖的内容及待需解决或商讨问题。

（4）工程量总价及所涵盖的人工费、材料费、机械费。

2. 工程预算书，要按统一表格填写。现行使用的工程预算书的格式及计算机专用软件的预算书表格大致相同。

3. 工程取费书，一般按统一表格填写，若取费标准不同则取费表格根据具体情况编制（但需有关单位认可）。

二、施工结算编制内容

施工结算内容有结算编制说明、洽商增减账、工程结算书、工程结算遗留问题等。

1. 结算编制说明应包括以下几方面：

（1）编制依据，批准工程预算书、工程洽商增减账、有关重要经济、技术变更或政策性的文件。

（2）工程结算不涵盖的项目及待需解决或商讨遗留问题。

2. 工程结算书、工程取费表一般按统一表格填写，若取费标准不同则取费表格根据具体情况编制（但需经有关单位认可）。

第四章　暖通工程定额使用

第一节　暖通工程专业基础知识

一、工业管道分类

（1）管道按介质压力分类，见表4-1。

（2）管道按介质温度分类，见表4-2。

管道按介质压力分类　　表4-1

序号	分类名称	压力值（MPa）
1	低压管道	公称压力不超过2.5
2	中压管道	公称压力4~6.4
3	高压管道	公称压力10~100

管道按介质温度分类　　表4-2

序号	分类名称	介质温度值
1	常温管道	工作温度为－40~120℃
2	低温管道	工作温度在－40℃以下
3	中温管道	工作温度在121~450℃
4	高温管道	工作温度超过450℃

二、供暖工程系统分类

供暖工程按供暖范围、使用的热媒、供水的方式、循环的动力可分为以下不同系统、不同方式的供暖形式，但最终都达到了供暖的目的。

（1）按供暖范围的不同可分为：局部、集中、区域三种供暖系统。

（2）按使用的热媒不同可分为：

①热水供暖系统，其按系统热水的参数不同，又分低温热水供暖系统（水温低于100℃）、高温热水供暖系统（水温高于100℃）。

②蒸汽供暖系统，其按蒸汽压力的高低，又分低压蒸汽供暖系统（气压≤70kPa）、高压蒸汽供暖系统（气压>70kPa）、真空蒸汽供暖系统（气压低于大气压力）。

③热风供暖系统，其根据送风的加热装置安放位置不同，又分集中送风系统、暖风机系统等三种供暖系统。

（3）按供水方式不同可分为：

①单管系统，当热水顺序流过多组散热器并在其中冷却这种流程布置称之单管系统。

②双管系统，当热水平行地分配给全部散热器，并从每组散热器冷却后直接流回热网或锅炉房，这种流程布置称之双管系统。

（4）按循环动力不同可分为：

①重力循环系统，是靠热媒本身的温差所产生的密度差而进行循环。

②机械循环系统，是靠水泵（热风供暖系统靠风机）所产生压力而进行循环。

三、室内给水系统分类

（1）生活给水系统，是用来供生活饮用和洗涤等用水。

（2）生产给水系统，是用来供生产及生产设备的用水。

（3）消防给水系统，是用于扑灭火灾的用水。其消防给水又可分消火栓系统、湿式喷洒系统、干式喷洒系统、水泡系统等。

四、排水工程分类

（1）室外排水系统分为：室外排水系统和室外雨水系统。

（2）室内排水系统按所排水的性质分为：生活排水系统，排水又可分生活污水（是指粪便污水）、生活废水（是指生活洗涤污水）及雨水系统；工业废水系统，指在工业生产中产生的污水和废水。在生活排水中有部分水可经处理后再循环利用即中水。

五、供暖工程、给水排水工程主要设备

供暖、给水排水工程主要设备是水泵，水泵根据其构造原理分立式泵、卧式泵、离心泵、轴流泵。

六、通风空调工程系统分类

通风空调工程按使用场所、环境需要、生产工艺要求，可分为以下不同系统、不同形式的系统，但最终都达到了空气调节、通风换气、净化空气的目的。

1. 通风系统按作用范围分全面通风、局部通风、混合通风。按动力分自然通风、机械通风。按工艺要求分送风系统、排风系统、除尘系统。其送风系统包含有送风、新风、回风等不同功能作用的系统。排风系统按其作用又分排烟、排风系统；排烟系统又包含有排烟、正压送风、排烟补风等不同功能作用的系统。

2. 空调系统按空气处理设备的位置分集中系统、半集中系统、分散系统（局部机组）；按负担负荷的介质分全空气系统、全水系统、空气—水系统、冷剂系统；按空气的来源可分为封闭式、直流式、混合式等不同形式系统；综上述空调系统通常使用的有《定风量系统》（普通集中式系统）亦即全空气混合式系统即处理的空气来源一部分是新鲜空气，一部分是室内回风，夏季和冬季的冷热风都是用一条风道送风。再有的是《变风量系统》变风量系统是通过特殊的送风装置“末端装置”来实现的。

七、通风空调工程主要设备

1. 通风系统主要设备是通风机，风机根据其构造原理分轴流式风机、离心式风机，按离心式风机的风口位置和叶轮转动方向方式又有“左”、“右”式之分。

2. 空调系统主要设备有空调机组，其可分为装配式、整体式及组装式三大类。装配式空调机组，根据需要可以调整选用各种功能段，组装成不同性能的机组如新风机组就仅由空气过滤器、冷热交换器、风机等三段组成。

3. 通风空调工程附属部件有各类风口、消声器、消声弯头、阀门（防火阀、多叶调节阀、三通阀）风帽等。

第二节　通风工程工程量统计及定额套用

一、工程量统计、计算要点及注意问题

通风工程量统计计算必须在熟悉施工设计说明、图纸以及有关的施工文件后有序进行，工程量统计计算极为重要，是整个工程量是否完整、准确的关键。

(1) 统计计算工程量时，要注意施工设计说明中的一些具体针对性的条款、标注、特殊的要求及系统界面划分。

①针对性的条款标注是统计计算个别工程数量的依据，如某工程施工说明有“送风干管与支管相接处，均设拉杆调节阀或多叶调节阀。”则根据这条在计算工程量时，送风干管与支管相接的三通处均统计一个阀件，不管图纸是否画出阀件。因为在送风干支管三通处不是每个工程都加调节阀，而是根据工程的需要而定，所以这种针对性的条款不得疏忽，是计算阀件数量的依据。

②特殊的要求也是统计计算个别工程数量的依据，因此在统计或计算设备、材料的数量、材质、规格、型号时不仅要按图中的标注，还要根据设计提出的技术要求、规范及有关标准综合考虑。如某工程施工说明有“排烟风机和正压送风机应设置硅钛合成高温耐火软接头”，则根据这条在计算排烟风机和正压送风机软接头工程量其软接头的材料要采用硅钛合成，而不是一般阻燃防火材料。

③系统界面划分，因各类工程不同、大小不同，系统分割范围也不同，所以系统分割是以施工图或施工说明中规定的分界面为准。

(2) 在统计工程量前要核对比例，因有些施工图纸在绘制或复制过中存在一些尺寸上的误差，在确认比例后再统计计算，才能保证工程量的准确、可靠、真实。

(3) 统计工程量的项目、内容、单位的归类和划分要和预算定额或工程清单价等的项目、内容、单位划分一致。如矩形风管，预算定额是按大边长，将风管分为320mm、630mm、1000mm、1250mm、2000mm以内及2000mm以上六个档类的规定。因此在矩形风管面积统计时要按边长，将同一档类的风管面积汇总。

(4) 工程量统计必须根据现行的预算定额或工程清单价及有关规定，不得随意统计预算定额中的计算规则，见表4-3。如统计计算风管数量，定额的计算规则是“通风管道分直径(或大边长)，按展开面积以平方米计算。检查孔、测定孔、送回风口等所占的开孔面积不扣除”、“风管长度一律以图示管的中心线长度为准，不扣除弯头、三通、变径管等异形管件的长度，但是应扣除阀门及部件所占长度。中心线的起止点均以管的中心线交点为准”。以上两款即是在统计量取风管长度时，不扣除弯头、三通、变经管等异形管件的长度，但是也不另行计算这些异形管件的面积，这些异形管件的面积都分摊到直风管的展开面积中了；因为在量取中心线的起止点时均是以管的中心线交点为准的。如800mm×320mm主管与200mm×160mm支管、1600mm×400mm管与800mm×400mm管的变径管都是以中心线交点划分的；因此在量取风管长度时一定要准确地量取在管的中心线交点处。在计算面积时也不扣除送、回风口、检查孔、测定孔(图4-1)所占的面积但需另行计算这些部件的费用。

(5) 工程量计算单位应和预算定额或工程清单价的单位一致。如静压箱安装，在定额

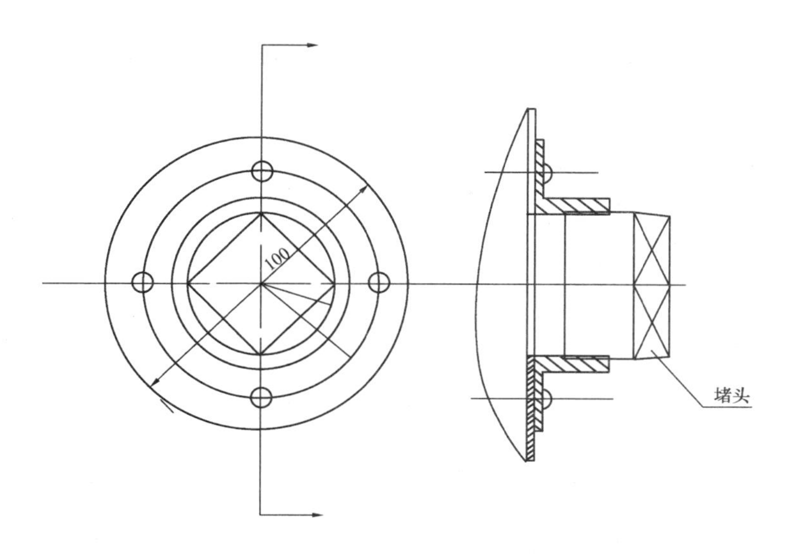

图 4-1　风管测定孔

中单位是平方米，则在统计静压箱安装数量时，不要按个计算，而是要根据静压箱的大边长和静压箱的面积来计算。

（6）工程量计算中涉及到材料、配件等重量、比重等单位换算均应按有关标准，如标准中无规定应以产品出厂合格证或产品说明书为准。

（7）工程量计算要按预算定额或工程量清单计价中的有关说明执行。因在预算定额或工程清单价中有些安装工程量是不包括在工程量计算中，需要另外增加补充的。如预算定额中风机减振安装子目未包括减振器和弹性吊架，所以工程量计算应按设计要求的规格型号补充计算。

（8）通风管工程量计算子目要和现行定额或工程清单价及有关规定一致。如通风管道制作在预算定额中按钢板厚度、普通与镀锌、圆形与方形等规则分类，则在统计风管加工制作数量的就应根据板厚、材质形状等要求及风管的断面周长与系统材质要求分别计算。

（9）通风管工程量计算中不要增加材料消耗量(因在定额中已涵盖)如通风管道制作在定额中每平方米风管钢板的消耗量已增加了13%。定额中的材料消耗量是几十年来经过专业人员实际测定、测算而来的，应该讲是比较正确的。在整个安装行业材料采用统一消耗量，为施工企业提供了平均的尺度。因此在工程量计算中均不得增加或随意更改任何材料消耗量。

预算定额工程量计算规则汇总　　**表 4-3**

序号	工程内容	计算规则
1	薄钢板通风管道及附件	1. 通风管道分直径（或大边长），按展开面积以平方米计算。检查孔、测定孔、送回风口等所占的开孔面积不扣除 2. 风管长度一律以图示管的中心线长度为准，不扣除弯头、三通、变径管等异形管件的长度，但是应扣除阀门及部件所占长度。中心线的起止点均以管的中心线交点为准 3. 检查孔分规格以个计算 4. 测定孔分类型以个计算 5. 弯头导流叶片按周长以组计算 6. 软管接头按其展开面积以平方米计算；柔性连接管分规格以节计算 7. 静压箱分大边长，按其展开面积以平方米计算，所接风管的开口面积不扣除 8. 风管运输，按薄钢板通风管道、罩类、静压箱及泛水的展开面积以平方米计算 9. 风道漏光量、漏风量测试按需测试风管的面积以平方米计算

续表

序号	工 程 内 容	计 算 规 则
2	调节阀	1. 调节阀、排烟口分规格以个计算 2. 三通调节阀按调节阀一边支风管周长，以个计算 3. 远距离控制装置、电动执行机构以套计算
3	风口	1. 风口分规格以个计算 2. 散流器按所接风管直径（或周长）以个计算 3. 金属网框分规格按框内面积以平方米计算
4	风帽与罩类	1. 风帽分规格以个计算 2. 风帽泛水按下口直径（或大边长）以平方米计算 3. 一般排气罩按下口周长以个计算 4. 皮带防护罩按皮带周长以个计算 5. 电动机防雨罩按罩体下口周长以个计算
5	消声装置	1. 消声器分规格，按所接风管的周长以节计算 2. 消声弯头分规格，按所接风管的周长以个计算
6	设备、支架	1. 风机盘管分安装方式以台计算 2. 窗式空调器、户用制冷主机和 VAV 变风量装置，不分规格、型号以台计算 3. 空气幕分功能及安装方式以台计算 4. 空调机组按制冷量（或风量）以台计算 5. 空气加热器不分型号，按加热器本身重量以台计算 6. LWP 型滤尘器不分规格以块计算 7. 除尘设备按设备本身重量以台计算 8. 冷却塔按设备本身冷却水量以台计算 9. 通风机按安装方式及风机型号以台计算 10. 风机箱按安装方式及风量以台计算 11. 厕所排气扇以台计算 12. 通风机减振台座及吊架按风机型号以台计算 13. 设备支架按重量以公斤计算 14. 屏风格架式高中效过滤器按过滤器净面积计算；单体接管式高中效过滤器按设计选用型号以套计算 15. 洁净空调设备以台计算 16. 设备底部垫料分材质以公斤计算
7	玻璃钢风管	1. 通风管道分直径（或大边长），按展开面积以平方米计算。检查孔、测定孔、送回风口等所占的开孔面积不扣除 2. 风管长度一律以图示管的中心线长度为准，不扣除弯头、三通、变径管等异形管件的长度，但是应扣除阀门及部件所占长度；中心线的起止点均以管的中心线交点为准
8	复合型风管	1. 通风管道分直径（或周长），按展开面积以平方米计算。检查孔、测定孔、送回风口等所占的开孔面积不扣除 2. 风管长度一律以图示管的中心线长度为准，不扣除弯头、三通、变径管等异形管件的长度，但应扣除阀门及部件所占长度。中心线的起止点均以管的中心线交点为准

续表

序号	工程内容	计算规则
9	地下人防通风	1. 通风管道分直径（或大边长），按展开面积以平方米计算。检查孔、测定孔、送回风口等所占的开孔面积不扣除 2. 风管长度一律以图示管的中心线长度为准，不扣除弯头、三通、变径管等异形管件的长度，但是应扣除阀门及部件所占长度。中心线的起止点均以管的中心线交点为准 3. 滤毒器分型号以台计算；两用风机、除湿机不分型号以台计算 4. 手动密闭阀、闸板阀、套筒过滤器分规格以个计算；其他阀部件不分规格以个计算 5. 气密试验以米计算 6. 测压装置以套计算 7. 密闭套管按风管直径以个计算
10	刷漆、保温	1. 通风管道刷漆，按风管净面积以平方米计算 2. 型钢刷漆，按重量以公斤计算 3. 通风道布面刷漆，按风管净面积以平方米计算 4. 通风管道保温及保温层外缠（包）保护壳，按风管净面积以平方米计算 5. 静压箱内贴消声材料，分大边长，按静压箱的展开面积以平方米计算

二、统计与计算方法

1. 设备与部件统计

1）统计方法

设备、阀件、风口、消声器、消声弯头等统计数量要按照平、剖面图逐层逐个清点，不得遗漏和重复，根据工程量的多少其常用方法有：

(1) 系统统计法：按系统在平面图上自左至右逐个统计，一个系统完成后，再进行下一个系统。

(2) 层与系统结合统计法：在一层平面图中，自左至右把不同几个系统依次同时统计完毕后，再进行下一层；但要把不同系统的设备、阀件、风口、消声器、消声弯头等数量分别累计。

统计不要遗漏立面图上的阀件、风口、消声器等部件。

2）统计内容

设备、阀件、风口等要统计其规格型号、数量、外观尺寸、技术参数，最好也统计出安装位置以便后续查对方便。

3）汇总归类

在统计时要将同一名称种类的设备、配件按规格型号、外观尺寸、技术参数等汇总一起列为设备清单，为后序套用定额。在统计上述这些设备与部件时其计量单位要和预算定额或工程清单价中的计量单位一致。

2. 通风管数量统计与计算

(1) 通风管数量要首先把平面图逐层、逐系统、逐规格的统计。量取风管长度时，一律要以图示管的中心线长度为准。常用统计方法有：

①系统统计法：按系统在平面图中用比例尺逐米地量取，一个系统完成后，再进行下一个系统。在量取中要把同规格的风管归纳累计。

②层与系统结合统计法：在一层平面图中把不同几个系统依次同时用比例尺逐米地统计量取，完毕后，再进行下一层；但要把不同系统的风管分别按规格归纳累计。

这种层与系统相结合法比较方便、简单经常使用，但在归类汇总时要仔细不得马虎。

（2）其次把立面图或剖面图逐系统、逐规格的统计数量，根据工程量的多少其常用统计方法有：

①系统统计法：在剖面图中按系统用比例尺逐米地量取，一个系统完成后，再进行下一个系统。在量取中要把同规格的风管归纳累计。

②层统计法：在剖面图中按层用比例尺逐米地量取，一层完成后，再进行下一层。在量取中要把同系统、同规格的风管归纳累计。

（3）统计内容：要统计出风管的功能、规格、数量等。

3. 风管计算

风管按形状计算展开面积，展开面积计算公式（式4-1、式4-2、式4-3）：

矩形风管展开面积：

$$\text{面积}(S) = \text{周长}(L) \times \text{延长米}(A) \tag{4-1}$$

$$\text{周长}(L) = 2 \times (\text{大边 } a + \text{小边 } b) \tag{4-2}$$

圆形风管展开面积：

$$\text{面积}(S) = \text{直径}(D) \times \text{延长米}(A) \tag{4-3}$$

展开面积计算后按风管功能、大边长、规格及选用钢板的材质、厚度 δ 分别累计。

【例4-1】 某一新风系统如图4-2，计算风管展开面积工程量。

【解】

1.F新风计算

$$(0.63 + 0.25) \times 2 \times (1.2 + 3.5 + 1.9 + 22 + 3.6 + 5) = 1.76 \times 37.2 = 65.47\text{m}^2$$

2.S送风计算

$$(0.5 + 0.32) \times 2 \times (4 + 26.5 + 4.64 + 5.8) = 1.64 \times 40.94 = 67.14\text{m}^2$$

$$(0.4 + 0.2) \times 2 \times (2.5 + 9 + 1.8) = 1.2 \times 13.3 = 15.96\text{m}^2$$

$$(0.8 + 0.2) \times 2 \times 4 = 8\text{m}^2$$

3. 风管展开面积工程量计汇总（表4-4）。

风管展开面积工程量计算书 **表4-4**

序	类　别	大边长（mm）	材　质	厚　度	长度（m）	风管周长（m）	面积（m^2）
1	F新风	630	镀　锌	$\delta = 1$	37.2	1.76	65.47
2	S送风	800	镀　锌	$\delta = 1$	4	2	8
3	S送风	500	镀　锌	$\delta = 1$	40.94	1.64	67.14
4	S送风	400	镀　锌	$\delta = 1$	13.3	1.2	15.96

三、施工定额套用

预算定额是国家有关单位发布的，是在规定的计量单位，完成工程基本构造要素所需的人工、材料及消耗量标准和货币的额度。是编制建设工程预算、招标标底、投标报价、工程量清单计价及签订施工承包合同、工程结算和工程造价审定的依据。

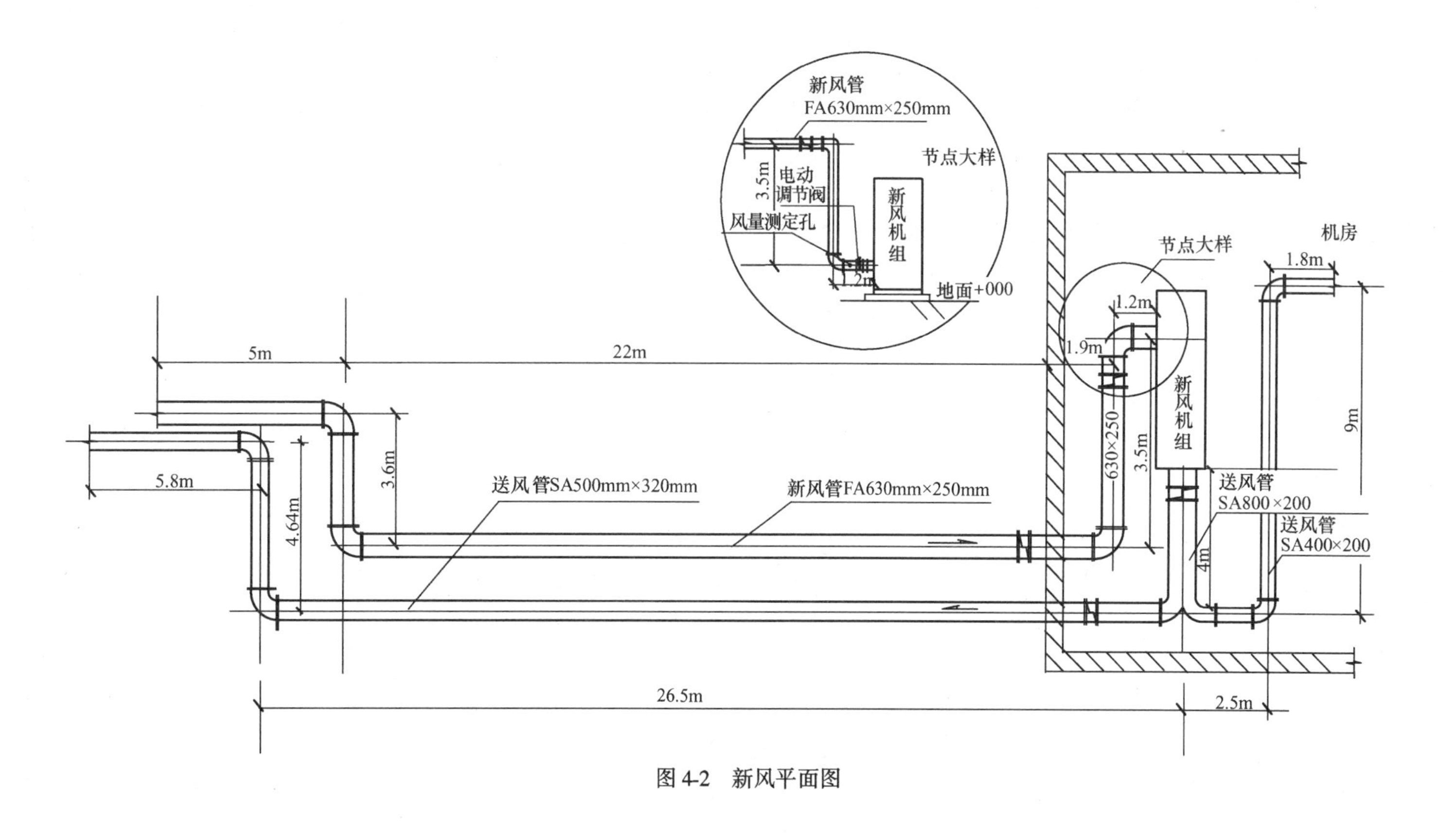
新风管
FA630mm×250mm
节点大样
3.5m
电动
调节阀
风量测定孔
新风机组
1.2m
地面+000
节点大样
机房
1.8m
1.2m
1.9m
5m
22m
3.6m
5.8m
4.64m
送风管SA500mm×320mm
新风管FA630mm×250mm
630×250
3.5m
新风机组
9m
送风管
SA800×200
送风管
SA400×200
4m
26.5m
2.5m

图 4-2 新风平面图

《2001年北京市建设工程预算定额》（以下简称01定额）第六册《通风、空调工程》主要包括薄钢板通风管道及附件的制作与安装、调节阀、风口、风帽、消声装置、设备支架、玻璃钢及复合型通风道、地下人防通风、刷漆与保温等安装施工项目。

在工程量统计计算完成后进行套用定额。在套用定额时要以定额总说明、册说明及章说明为准则，因此要对不同层次的说明认真解读。

1. 定额总说明主要阐述

(1) 01定额共分十册及与之配套使用《北京市建设工程费用定额》、《北京市建设工程预算定额选价汇编》、《北京市建设工程材料预算定额》、《北京市建设工程机械台班费用定额》。

(2) 01定额的编制依据、适用范围；所属范围内工日 、材料、机械台班、二次搬运等定额消耗量的确定。

2. 第六册通风、空调工程定额说明中要点

(1) 定额对同一子目不同状况的特殊处理。如第一章说明中的第二条“（二）风管咬口制作，定额中综合考虑了各种咬口形式，不分单、双咬口及按扣式咬口等，均执行相应定额子目。但对于弧形风管制作、安装，执行相应风管子目，其人工工日和材料用量乘以系数1.12。”这一条就是由于弧形风管制作、安装比一般风管制作、安装的难度大，材料损耗大；所以给予工日和材料用量增加系数的特殊处理。

(2) 定额对设计要求使用的材料与定额编制时采用的材料不同时可以换算。并对换算限定了条件和具体的规定。如第一章说明中的第四条“（四）风管安装子目中所列的法兰垫料，是按橡胶板编制的，若与设计要求不同时可以换算，其他不变。使用泡沫塑料时，每千克橡胶板换算为泡沫塑料0.125kg；使用闭孔乳胶海绵时，每千克橡胶板换算为闭孔乳胶海绵0.5kg；使用8501密封胶条时，每千克橡胶板换算为8501密封胶条5.13m。”这一条就是对风管法兰垫料换算的具体实施的规定。

(3) 定额强调了子目中涵盖的和不涵盖的内容。如第二章说明中的第三条“（三）凡阀体本身带有电动执行机构的电动阀门，其安装均不得再套用电动执行机构安装相应子目。”这一条就是针对电动阀门的电动执行机构安装不得套用两次定额的规定。因电动阀门安装的定额子目涵盖了电动执行机构安装，所以电动执行机构不得再次套用定额。

(4) 定额除了对一般工程适用外同时对净化工程子目也适用，只须稍加修改即可。如第一章第七条和第六章第六条都讲净化风管或设备安装子目中都不包括型钢镀锌费，如设计要求镀锌时，其费用另计。这一条就是针对净化工程而言，当净化工程套用定额子目时需根据说明的要求对定额条款修改再套用。

(5) 定额对过跨风管落地支架的制作与安装按照设备支架的制作与安装套用，因定额中没有此子目。制作加工与安装材料的规格、型号、材质和加工工艺、防腐刷漆等技术规定则按设计图纸及技术要求计算工程量，套用设备支架的制作与安装子目。过跨风管一般是指两个建筑物之间距离长、高度大时风管跨越需做的落地支架或者是指风管交叉安装时需增加的落地支架。

(6) 定额中的操作高度（指操作物的高度距地面或楼面的距离），定额是按6m以下编制，如施工时操作高度超过6m，其超过的部分人工工日乘以系数1.15。如有些工程中的地下机房、走廊等其中的上层风管、防火阀、调节阀的安装及保温等操作高度距地面超

过了 6m 则这部分的工程量在套用定额时应把其中的人工工日乘以 1.15 系数。

3. 套用定额

工程量统计计算完成后，即可根据定额各章节子目的内容套用定额。定额中各个章节子目的主要内容见表 4-5。

定额子目的工作内容 **表 4-5**

序号	定额子目	工作内容
1	普通钢板、镀锌钢板圆形风管制作（$\delta=1.2$mm 以内 咬口）	放样、下料、卷圆、咬口、制作直管、管件、法兰及吊拖支架、钻孔、铆焊、上法兰、组对
2	普通钢板、镀锌钢板矩形风管制作（$\delta=1.2$mm 以内 咬口）	放样、下料、折方、咬口、制作直管、管件、法兰、加固框及吊拖支架、钻孔、铆焊、上法兰、组对
3	普通钢板圆形风管制作（$\delta=2$mm $\delta=3$mm 以内 焊接）	放样、下料、卷圆、焊接、制作直管、管件、法兰及吊拖支架、钻孔、上法兰、组对
4	普通钢板矩形风管制作（$\delta=2$mm $\delta=3$mm 以内 焊接）	放样、下料、焊接、制作直管、管件、法兰及吊拖支架、钻孔、上法兰、组对
5	净化风管制作	放样、下料、折方、咬口、制作直管、管件、法兰、吊拖支架、铆接、上法兰、组对、涂密封胶、清洗
6	静压箱制作	放样、下料、折方、咬口、制作短管、箱体、法兰及吊拖支架、组装
7	普通钢板、镀锌钢板圆形风管安装（$\delta=1.2$mm 以内 咬口）	定标高、装膨胀螺栓、安装吊拖支架、组装、风管就位、找正、找平、垫垫、上螺栓、紧固
8	普通钢板、镀锌钢板矩形风管安装（$\delta=1.2$mm 以内 咬口）	定标高、装膨胀螺栓、安装吊拖支架、组装、风管就位、找正、找平、垫垫、上螺栓、紧固
9	普通钢板圆形风管安装（$\delta=2$mm 以内 焊接）	定标高、装膨胀螺栓、安装吊拖支架、组装、风管就位、找正、找平、垫垫、上螺栓、紧固
10	普通钢板矩形风管安装（$\delta=2$mm 以内 焊接）	定标高、装膨胀螺栓、安装吊拖支架、组装、风管就位、找正、找平、垫垫、上螺栓、紧固
11	净化风管安装	定标高、装膨胀螺栓、安装吊拖支架、风管就位、找正、找平、垫垫、上螺栓、清洗、擦干净、涂密封胶、密封
12	静压箱安装	定标高、装吊拖支架、箱体就位找正、找平、垫垫、上螺栓、紧固
13	弯头导流叶片制作组装	放样、下料、打眼、成型、定位、铆接
14	风管检查孔制作组装	放样、下料、钻孔、铆焊、开孔、找正、垫垫、上螺栓、紧固
15	温度及风量测定孔制作组装	放样、下料、焊接、钻孔、找正、上螺栓、紧固
16	通风管道检测	准备工作、加工及安装堵板、装设测试仪器、检验、测试、拆堵板、清理现场
17	风管场外运输	装车、卸车、运输
18	软接头制作安装	放样、下料、制作法兰及压条、钻孔、缝纫、组装、找正、垫垫、上螺栓、紧固
19	圆形柔性软管安装	下料、安装、上卡子、制作安装吊卡、找正、固定、封胶带
20	矩形柔性软管安装	下料、钻孔、上法兰、铆固、组对、找正、垫垫、上螺栓、紧固、封胶带
21	防火阀安装	制作安装吊架、打膨胀螺栓、对口、校正、上螺栓、垫垫、紧固、试动

续表

序号	定 额 子 目	工 作 内 容
22	调节阀安装	对口、校正、上螺栓、垫垫、紧固、试动
23	余压阀安装	测位、预埋木框、木砖、上螺栓、垫垫、找正、试动
24	其他阀安装	对口、校正、上螺栓、垫垫、紧固、试动
25	三通调节阀制作安装	放样、下料、制作零件、钻孔、铆焊、组合成型、试动
26	排烟风口安装	测位、预埋铁件、找正、钻孔、上螺栓、垫垫、紧固、试动
27	控制装置安装	预埋钢管、管内穿钢丝绳、预埋铁件、安装控制装置、试动
28	百叶风口、带调节阀百叶风口安装	对口、上螺栓、找正、找平、固定、试动、调整
29	散流器安装、带调节阀散流器安装	对口、上螺栓、找正、找平、固定、试动、调整
30	条形风口安装	对口、上螺栓、找正、找平、固定、试动、调整
31	矩形网式风口制作安装	放样、下料、制作网框、开孔、组合成型、对口、上螺栓、固定
32	金属网框制作安装	放样、下料、制作网框及加强筋、焊接、钻孔、组合成型；对口、安装、上螺栓、固定
33	孔板风口安装	对口、上螺栓、找正、找平、固定、调整、清洗
34	伞形、圆锥形、筒形风帽制作安装	放样、下料、咬口、铆焊、制作法兰及零件、钻孔、组装、安装、找正、找平、垫垫、上螺栓、拉筝绳、固定
35	风帽泛水制作安装	放样、下料、卷圆、折方、咬口、焊接、钻孔、组对、安装、找正、找平、固定
36	一般排气罩制作安装	放样、下料、咬口、制作法兰、零件及吊架、铆、焊接、钻孔、组合成型、打膨胀螺栓。安装吊拖支架、罩体就位、找正、垫垫、上螺栓、固定
37	皮带防护罩制作安装	放样、下料、咬口、组合成型。找正、上螺栓、固定
38	电动机防雨罩制作安装	放样、下料、咬口、钻孔、组合成型。找正、上螺栓、固定
39	管式、阻抗式、微穿孔板消声器安装	制作安装吊托支架、打膨胀螺栓、安装、找正、找平、垫垫、上螺栓、固定
40	消声弯头安装	制作安装吊托支架、打膨胀螺栓、安装、找正、找平、垫垫、上螺栓、固定
41	空调器安装	开箱、检查附件、安装、找正、找平、上螺栓、固定、装密封条、试运转
42	空气幕安装	吊架上安装：开箱、检查附件、制作安装吊架、吊装、上螺栓、找正、找平、试运转。墙上安装：开箱、检查附件、打膨胀螺栓、制作安装卡件、找正、找平、紧固试运转
43	风机盘管安装	开箱、检查附件、打膨胀螺栓、制作安装吊架、安装、上螺栓、找正、找平、紧固
44	户用制冷机安装	开箱、检查、设备吊装就位、找正、找平、单机试运转。吊装机具拆装、清洗、组装及相关支架的制安
45	变风量末端装置安装	开箱、检查、打膨胀螺栓、制作安装吊架、制垫、垫垫、吊装、找正、找平、紧固
46	空调机组安装	开箱、检查附件、就位、找正、找平、上螺栓、固定

续表

序号	定额子目	工作内容
47	整体立柜式空调机组安装	开箱、检查附件、就位、找正、找平、清理
48	分体式空调器安装	开箱、检查附件、就位、找正、找平、上螺栓、固定、打洞、清理
49	组合式空调器安装	开箱、检查设备及附件、就位、连接、上螺栓、找正、找平、固定、外表污物清理
50	通风机及减振台座通风机安装	开箱、检查风机及附件、安装、找正、找平、垫垫、固定
51	混流式（斜流式）（屋顶）通风机安装	开箱、检查、就位、找正、找平、垫垫、灌浆、螺栓固定
52	离心通风机安装	开箱、检查风机及附件、清理基础安装、找正、找平、垫垫、灌浆、螺栓固定、安装电动机并连接
53	风机吊架制作安装	放样、下料、平直、钻孔、焊接、打膨胀螺栓、上螺栓、紧固
54	风机减振台座制作、安装	放样、下料、调直、钻孔、焊接成型、测位、安装、上螺栓、固定
55	风机箱安装	开箱、检查、就位、安装、找正、找平、清理
56	厕所排气扇安装	开箱、检查、制作安装吊杆、找正、找平、上螺栓、固定、清理
57	空气加热器（冷却器）安装	开箱、检查、制安柜子及密封板、制垫、安装、垫垫、紧螺栓
58	除尘设备安装	定位、安装、找正、找平、固定
59	玻璃钢冷却塔安装	设备基础验收、开箱、检查、放线定位、就位、找正、找平、垫垫、焊接、固定、灌浆、清理、单机试运转
60	冷水机组安装	设备基础验收、开箱、检查附件、就位、垫垫、找正、找平、焊接、固定、灌浆、清理、单机试运转、起重机具拆、装、清洗、组装
61	钢板密闭门安装	制作扁铁框、钻孔、安装、垫垫、上螺栓、校正、紧固
62	洁净空调设备安装	开箱、检查、就位、找正、找平、清理
63	高中效过滤器安装	制作框架、预埋短管、大小帆布软管及法兰制作安装、开箱、检查、钻孔、垫垫、上螺栓、紧固、涂密封胶、试装、正式安装、清理
64	滤尘器安装	放样、下料、制作框架零件、封板、安装、找正、找平、固定
65	设备支架制作安装	放样、下料、平直、钻孔、焊接成型、测位、组对、安装、上螺栓、固定
66	设备底部垫料	下料、垫垫、找正、找平
67	玻璃钢风管安装	定位、打膨胀螺栓、制作安装吊托支架、风管配合补修、粘接、组装就位、找正、找平、垫垫、上螺栓、紧固、检测
68	复合风管安装	定位、打膨胀螺栓、制作安装吊托支架、对口、粘胶带、校正、固定
69	地下人防设备安装	开箱、检查、测位、就位、安装、固定、清理
70	人防设备支架制作安装	放样、下料、钻孔、焊接成型、测位、安装、上螺栓、固定
71	人防镀锌风管制作	放样、下料、卷圆（折方）、咬口、制作直管、管件、法兰及吊托支架、钻孔、铆焊、上法兰、组对
72	人防普通风管制作	放样、下料、卷圆、焊接、制作直管、管件、法兰及吊托支架、钻孔、铆焊、上法兰、组对
73	人防风管安装	定位、定标高、打膨胀螺栓、装吊拖架、组装、风管就位、找正、找平、垫垫、上螺栓、紧固、清理
74	密闭套管制作	放样、下料、切割、焊接、定标高、找正、找平、就位、安装、加填料
75	自动排气阀安装	放样、下料、制作风管部件、检查活门部件、外观检查、清扫污锈、调制接口材料、接口安装

续表

序号	定 额 子 目	工 作 内 容
76	手动排气阀安装	外观检查、清扫污锈、调制接口材料、接口安装、找正、找平、紧螺栓
77	人防其他部件安装	放样、下料、制作短管、法兰及零件、钻孔、焊接、组合成型
78	套筒过滤器安装	泡沫塑料下料、管道下料、刷过氯乙烯胶液、粘接、制作法兰、安装法兰、找正、找平
79	风管刷漆	除锈、清除尘土、调漆、刷漆
80	风管保温聚苯乙烯泡沫塑料板	下料、清洁风管、铺保温板、修正、补法兰口、上螺栓、做包角、绑扎
81	风管保温橡塑板、玻璃棉板等	下料、清洁风管、涂胶、粘钉、铺保温板、封缝、补法兰口、修正
82	缠玻璃丝布	剪布、缠布、粘接、绑扎、封缝
83	包保护壳	下料、折板、搭接固定
84	静压箱内贴消声材料	下料、涂胶、粘钉、贴消声材料、包玻璃丝布、装微孔板

①套用定额应按产品规格、采用材质及工序项目。例如加工直径 $\delta = 1$mm 圆形镀锌钢板风管，在选用定额时根据：风管是圆形的，其规格直径是500mm，工序是加工制作，材质是 $\delta = 1$mm 镀锌薄钢板。则选用第六册通风、空调定额编号“1-15”中所规定的直径630mm以内圆形风管的子目。

②套用定额时选用子目要准确，其子目内容和工程量项目的规格、材质、单位要一致。如型钢刷漆其定额规定单位是100kg，则套用时要将型钢的重量按百公斤计和定额保持一致。

③套用定额填写表格时，定额编号填写不得有误。因为不同编号子目的定额单价、人工费、材料等是不一样的。

【例 4-2】 某地下两层机房工程量如下，试套用定额。

（1）$\delta = 2$mm 800mm × 400mm 普通钢板排烟风管（SE），50延米，面积 120m^{2}其风管管底标高 −14.5m；

（2）$\delta = 1$mm 600mm × 320mm 镀锌钢板送风管（SA），30延米，面积 55.2m^2 其风管管底标高 −13m；

（3）风管保温面积 55.2m^2，$\delta = 30$；

（4）缠玻璃布面积 55.2m^2；

（5）800mm × 400mm 防火阀 2 个；

（6）600mm × 320mm 电动调节阀 1 个。

【解】 套用定额见工程量计算书（表 4-6）。

某地下两层机房工程量计算书 **表 4-6**

定额编号	工 程 内 容	单 位	工程量	单价（元）	合价（元）
1～34	$\delta = 2$mm 800mm × 400mm 普通钢板排烟风管制作	m^2	120	39.14	4696.8
1～20	$\delta = 1$mm 600mm × 320mm 镀锌钢板送风管制作	m^2	55.2	29.97	1654.34
1～93	$\delta = 2$mm 800mm × 400mm 普通钢板排烟风管安装	m^2	120	9.66	1159.2
1～79	$\delta = 1$mm 600mm × 320mm 镀锌钢板送风管安装	m^2	55.2	14.31	789.91

续表

定额编号	工 程 内 容	单 位	工程量	单价（元）	合价（元）
10～56	保温 $\delta=30$mm 铝箔玻璃棉	m^2	55.2	61.89	3416.32
10～67	缠玻璃丝布	m^2	55.2	9.55	527.16
2～2	防火阀 800mm×400mm	个	2	90.04	180.08
2～16	电动调节阀 600mm×320mm	个	1	26.19	26.19

4．几种费率

（1）建筑物檐高超过 25m 以人工费为基数按不同的檐高乘以费率系数。

（2）系统调试费按单位工程中的人工费 14%计取，其中人工费占 70%。

（3）脚手架使用费按工程中的人工费 5%计取，其中人工费占 20%。上述这三种费用的计取方式和以前的定额（96）有所区别，在编制预算时不要忽略。

第三节　管道工程工程量统计及定额套用

管道工程量统计必须在熟悉施工设计说明、图纸以及有关的施工文件后有序进行，工程量统计极为重要，是关系到整个施工预算是否完整准确的关键。

一、工程量统计与计算要注意的问题

（1）统计计算工程量时要注意施工设计说明中的一些具体针对性的条款标注、特殊的要求及系统划分界面。

①具体针对性的条款标注，如某项工程施工说明中有“本工程给水管道均做防结露保温，采用橡塑材料厚度 $\delta=10$mm，并在保温层外边均缠两道玻璃丝布，再刷防火漆两道”根据这一条款，则在统计计算保温工程量时，除了计算橡塑保温工程量的内容、还要有缠两道玻璃丝布和刷两道防火漆的内容项目。因为一般工程给水管道大多数不保温或即使保温也不缠玻璃丝布或不刷防火漆，另外缠玻璃丝布的层数和刷防火漆的遍数每个工程的要求也不相同。但是施工设计说明中有要求就必须执行，所以说具体针对性的条款对统计计算工程量十分重要。

②专业系统的划分及系统的分界：因各类工程不同、大小不同，系统分割范围不同，系统分割是以施工图或施工说明中规定的分界线为准。

③特殊的要求：在统计计算设备、数量、规格、型号及材料的材质时，不仅要按图纸中的标示，还要根据设计施工说明中提出技术要求及标准规范综合考虑。如消火栓箱有 930mm 高的挂墙箱、也有 1800mm 高落地箱，一般在平面图纸（没有剖面）上分不出挂箱或落地箱，只有从设计施工说明中的条款中得知具体要求。

（2）核对图纸比例：在统计工程量前要核对比例，因有些施工图纸在绘制或复制过中存在一些尺寸上的误差，在确认比例后，不妨抽测一些尺寸，如果尺寸符合比例要求，便可以正式工作了。

（3）内容归类汇总：统计工程量的项目、内容的归类及计算单位，要和预算定额或工程清单价等的项目、内容、单位划分一致。如统计采暖器具时，预算定额就是铸铁散热器以片计算、钢制散热器以组计算、光排管散热器长度以米计算、低温地板辐射采暖以米计

算。因此统计采暖器具就要按上述规定进行。

（4）按计算规则进行工程量统计与计算：

①工程量计算必须根据现行的定额及有关规定不得随意计算，要根据预算定额中的计算规则规定进行量取。工程量计算规则见表4-7。如室内低压镀锌钢管道数量是按图中管道中心线长度以米计量，不扣除管路系统中弯头、变径管、三通、法兰等管件附件等所占长度，也不再单独计算弯头、变径管、三通等管件的数量；但当采用沟槽连接时沟槽连接配用的管件、或低压铜管（氧乙炔焊接）的配用管件要单独按个数计算；预算定额中的计算规则原条文是"管道按图示管道中心线长度以米计算；不扣除阀门、管件及其附件等度"。"钢管沟槽连接管件、低压铜管件等，按图示数量以个计算"。所以工程量计算量取管道时一定要熟悉计算规则。

管道工程量计算规则汇总 表4-7

序号	工程内容	计算规则
1	室内管道	1. 管道按图示管道中心线长度以米计算；不扣除阀门、管件及其附件等所占长度 2. 钢管沟槽连接管件、低压铜管件等，按图示数量以个计算
2	室外管道	1. 管道按图示管道中心线长度以米计算；不扣除阀门、管件及其附件等所占长度 2. 室外热源碰头、给水铸铁管加三通水源接头，分管径以处计算
3	站类管道	1. 管道按图示管道中心线长度以米计算；不扣除阀门、管件及其附件等所占长度 2. 卷焊管管件，按图示数量以个计算
4	法兰、阀门	1. 阀门分压力、规格及连接方式以个计算 2. 法兰分压力、规格及连接方式以副（片）计算 3. 阀门研磨、解体、检查、清洗分压力、规格以个计算
5	卫生器具	1. 各种器具分规格、型号以组（套、个）计算 2. 大、小便槽自动冲水箱按容积以组计算 3. 小便槽冲洗管以米计算 4. 水嘴等附件分规格、材质以个计算
6	采暖器具	1. 铸铁散热器分种类、安装形式以片计算 2. 钢制散热器分种类、形式、规格以组计算 3. 光排管散热器分形式、规格按光排管长度以米计算 4. 集气罐分规格以个计算 5. 暖风机分重量以台计算 6. 低温地板辐射采暖，按敷设方式，分规格以米计算
7	消防设备附件	1. 室内消火栓分规格、形式、按成套产品以组计算，按成套产品其涵盖内容见附表(1)(略) 2. 减压孔板分规格以个计算 3. 消防喷洒头按安装部位，分规格以个计算 4. 集热板以个计算 5. 水流指示器按安装方式，分规格以个计算 6. 报警装置分形式按成套产品以组计算，按成套产品其涵盖内容见附表（2）（略） 7. 末端试水装置分规格以组计算 8. 室外消火栓分工作压力、形式、按成套产品以组计算，按成套产品其涵盖内容见附表(1)(略) 9. 消防水泵结合器分形式、规格按成套产品其涵盖内容见附表（3）（略） 10. 气体消防喷洒头分规格以个计算 11. 气体驱动装置管道分规格以米计算 12. 储存装置按储存容器容积以套计算 13. 二氧化碳称重检漏装置以套计算 14. 泡沫发生器，泡沫比例混合器按型号以台计算

续表

序号	工程内容	计算规则
8	燃气管道附件器具	1. 室内外管道按图示管道中心线长度以米计算；不扣除阀门、管件及其附件等所占长度 2. 聚乙烯管件、阀门分规格以个计算 3. 调压器、调压箱、组合式调压装置分规格、形式以台计算 4. 燃气过滤器调压附件分规格以套（个、组）计算 5. 引入口安装、砌筑分规格、形式以处计算 6. 砌保温沟分规格以米计算 7. 燃气表分规格以块计算 8. 灶具分形式、规格以台计算
9	低压容具、器具	1. 水箱制作按单体重量以千克计算 2. 水箱安装按水箱容积以台计算 3. 各种低压容、器具分形式、规格以台计算 4. 变频泵按同一底座变频泵台数以组计算 5. 地脚螺栓制作分规格以千克计算；地脚螺栓灌浆、设备底座与设备基础间灌浆按一台设备灌浆体积以立方米计算 6. 自制容器场外运输分三环路内外以吨计算
10	锅炉、附属设备	1. 整装、两体组装、模块式锅炉分规格、型号以台计算；散装锅炉分规格以吨计算 2. 燃烧器、油处理设备分形式、规格以台计算 3. 软水处理设备分形式、规格以台计算；离子交换器装料、冲洗按罐体直径以台计算 4. 除氧设备、加酸加药设备、排污设备分形式、规格以台计算 5. 输煤、除渣设备分形式、规格以台计算；钢轨道分型号以米计算 6. 除尘器分形式、设备重量计算 7. 烟囱、烟风道、不锈钢风帽分材质、厚度以平方米计算
11	泵及减振装置	1. 泵类安装： （1）直连式泵按设备本体、电机及设备底座的重量以台计算 （2）非直连式泵按设备本体及设备底座的重量以台计算，不包括电机重量 （3）深井泵按泵体积、电动机、设备底座及设备扬水管的总重量以台计算 （4）其他形式泵均分种类、按设备重量计算 2. 钢减振板按连接板尺寸以块计算；混凝土减振板按连接板重量以块计算 3. 橡胶减振垫不分规格按支点以个计算 4. 橡胶减振器按额定载荷量以个计算 5. 弹簧橡胶减振器分形式、规格以个计算 6. 橡胶软接头、金属软管按连接形式，分规格以个（根）计算 7. 自动耦合泵导轨安装按导轨宽度或直径以副计算
12	附件、仪表	1. 疏水器、除污器、过滤器、波纹（套筒）伸缩器按连接形式分规格以组计算 2. 减压器按高压侧的公称直径以组计算 3. 方形伸缩器按制作工艺以个计算 4. 各类仪表分规格、型号以组计算 5. 室外洒水栓、给水栓分形式以组计算 6. 钢制排水漏斗分规格以个计算
13	套管、支架	1. 套管、阻火圈按主管管径、分规格以个计算 2. 设备支架按每组支架重量计算 3. 室内管道支架分形式以千克计算 4. 室外道支架不分形式以千克计算

续表

序号	工程内容	计算规则
14	试验、探伤	1. 管道压力试验、真空试验、泄漏性试验，分压力、规格以米计算 2. 管道冲洗、吹扫、消毒、通球、碱洗、酸洗、脱脂试验分规格以米计算 3. 焊缝X光射线、γ射线探伤，按管材双壁厚分规格以张计算 4. 焊缝超声波探伤，分规格、壁厚以口计算
15	刷漆、保温	1. 管道、设备布面及灰面刷漆以平方米计算；刷标志色环按色环所占面积计算 2. 铸铁炉片刷漆按面积以平方米计算 3. 金属构件及支架刷漆以千克计算 4. 管道、设备保温分材质以立方米计算 5. 管道、设备缠（抹）保护层（壳）分材质以平方米计算 6. 保温托盘、钩钉以千克计算；保温盒按安装部位以平方米计算

②工程量计算子目要和现行定额及有关规定一致。如室内管道安装根据材质分为镀锌钢管、焊接钢管、无缝钢管、铜管等不同材质的管道。连接方法又分螺纹连接、焊接、法兰、沟槽等不同方式，则其计算规则也不同。

③在工程量计算中不要增加任何材料消耗量，因在定额中都已涵盖。如安装10m *DN*32的镀锌钢管，定额中给的材料是10.2m，给了2%的消耗量。

④工程量计算时单位应和预算定额或工程清单价的单位一致。如法兰安装定额是以副单位，所以在计算时要注意。

⑤工程量计算中涉及到材料、配件等重量、比重等单位换算均应按有关标准，如标准中无规定应以产品出厂合格证或产品说明书为准。

(5) 增加补充内容：工程量计算要按预算定额或工程清单价中的有关说明执行。因在预算定额或工程清单价中有些安装工程量是不包括的在工程量计算中，需要另外增加补充的。

二、管道工程量的统计与计算方法

1. 设备与部件统计

(1) 统计方法：设备、阀件、洁具等统计数量要按照平、剖面图逐层逐个按一定顺序清点，不得遗漏和重复，根据工程量的多少其常用方法有：

①系统统计法：按系统在平面图上自左至右逐个统计，一个系统完成后，再进行下一个系统。

②层与系统结合统计法：在一层平面图中，把不同几个系统的依次同时统计完毕后，在再进行下一层；但要把不同系统的设备、阀件、洁具等数量分别累计。

统计时不要遗漏立面图上的阀件等部件。

(2) 统计内容：要统计出设备、阀件、洁具的规格型号、数量、外观尺寸、技术参数等，最好也统计出安装位置以便后续查对方便。

(3) 汇总归类：在统计时要将同一名称种类的设备、配件按规格型号外观尺寸、技术参数等汇总为设备清单，为后序套用定额。

(4) 在统计上述这些设备与部件时其计量单位要和预算定额的计量单位要换算一致。

2. 管道工程量统计方法

统计工程量首先要从平面图开始逐层、逐系统、逐规格的统计，然后再在立面或剖面图逐层、逐系统、逐规格的统计。

（1）平面图其常用统计方法有：

①系统统计法：按系统在平面图中用比例尺逐米地量取，一个系统完成后，再进行下一个系统。在量取中要把同规格的水管道归纳到一起。

②层与系统结合统计法：在一层平面图中，把不同几个系统依次同时统计完毕后，在再进行下一层；在量取中要把同规格、同系统、同材质、同连接方式的水管道归纳到一起。把不同系统的工程量分别累计。

这种层统与系统相结合法比较方便、简单经常使用，但在归类汇总时要仔细不得马虎。

（2）其次按照立面或剖面图逐系统、逐规格的统计工程量其方法同平面图。

①系统统计法：在剖面图按系统中用比例尺逐米地量取，一个系统完成后，再进行下一个系统。在量取中要把同规格的水管归纳到一起。

②层与系统相结合统计法：在一张剖面图中，把不同几个系统依次同时统计完毕后，在再进行下一张图；在量取中要把同系统、同规格、同材质、同连接方式的水管道归纳到一起。

3. 统计计算内容

水管工程量要统计出水管道的规格、系统、材质、连接方式、安装位置等。

（1）当采用沟槽连接时要计算出沟槽连接所需管件的数量按图中所示个数。

（2）当低压铜管采用氧乙炔焊接时要计算出焊接所需三通、管件的数量按图中所示个数。

三、施工定额套用

2001年第五册《给排水、采暖、燃气工程》定额主要包括有室内管道、室外管道、站类管道、阀门及法兰、卫生器具、采暖器具、消防设备及附件、燃气管道、附件及器具、低压容器与器具、锅炉及附属设备、泵类及减振装置、冷、暖、热附件及工程仪表、套管及管道、设备支架、管道试验及探伤、刷漆及保温等安装施工项目。在工程量统计计算完成后进行定额套用。在定额套用时要以定额总说明、册说明及章说明为准则，要对不同层次的说明认真解读。

1. 定额说明

主要是概括了《2001北京市建设工程预算定额》（以下简称01定额）第五册《给排水、采暖、燃气工程》定额及定额中各个章节中的主要内容。

2. 册说明中要注意问题

（1）室内外管道界线的划分：站类管道以站或机房的外墙皮为界，其他管道以建筑物外墙皮1.5m为界。

（2）无缝钢管外径大于159 mm、铸铁管公称直径大于250mm、其他钢管公称直径大于150mm的室外管道，按设计要求，执行第八册《市政管道工程》定额。

（3）本定额压力划分：低压不大于1.6Ma、中压不大于10Ma、高压大于10Ma，各章另有规定除外。

(4) 定额中的操作高度（指操作物的高度距地面或楼面的距离），除各章节另有规定除外，定额是均按5m以下编制，如施工时操作高度超过5m，其超过的部分人工工日乘以系数见表4-8。

采暖、给排水、燃气工程超高系数表 **表4-8**

操作高度	8m以内	12m以内	16m以内	16m以外
超高系数	1.10	1.15	1.2	1.25

3. 章说明主要讲述内容

(1) 定额的套用原则及定额对同一子目不同状况时的特殊处理。如第四章说明中的第三条“（三）阀门安装如仅为一侧法兰连接时，执行法兰阀门安装项目，但法兰、螺栓数量减半，其他不变”。这就是说在系统中同是法兰阀门安装但和法兰阀门安装位置有关，是采用单边法兰还是双边法兰。如采用单边法兰，则得减去一片法兰及配套的螺栓。

(2) 定额对设计要求使用的材料与定额编制时采用的材料不同时可以换算，并对换算限定了条件和具体的规定。如第五章说明中的第六条“（六）本章卫生器具安装项目中所综合的上、下水短管，定额均按钢管编制的，若与设计要求不符时，可换算管材和管件，但其他不变。”这就是说在定额中选用的材料与设计要求不符时可以根据设计要求使用的材料进行换算但其他项目不变。

(3) 说明中强调了定额子目涵盖的和不涵盖的内容。如第二章说明中的第三条“（三）本章管道安装，均不包括管架的制作与安装，其管架按设计执行第十三章管道支架制作与安装相应子目。”这就是说在定额中所注明不涵盖的内容，就要再另行套用其他相应子目。

4. 套用定额

工程量统计计算好后，根据各个章节子目的主要内容即可套用定额。其定额子目主要内容见表4-9。

定额子目的工作内容 **表4-9**

序号	定额子目	工作内容
1	室内低压镀锌钢管、焊接钢管螺纹连接	预留管洞、场内搬运、检查及清扫管材、修洞堵洞、切管、套丝、上管件、调直、栽管卡、管卡刷漆、一次水压试验
2	室内低压镀锌钢管焊接	预留管洞、场内搬运、检查及清扫管材、修洞堵洞、切管、坡口、调直、对口、管道焊接、三通口开制、管件安装、焊口刷漆、一次水压试验（雨水管满水试验）
3	室内低压焊接钢管、无缝钢管焊接	预留管洞、场内搬运、检查及清扫管材、修洞堵洞、切管、坡口、调直、煨弯制作、对口、焊接、三通口开制、异径管制作、管道及管件安装、一次水压试验
5	钢管沟槽连接	预留管洞、场内搬运、检查及清扫管材、管道安装、调直、一次水压试验
6	管件安装	场内搬运、外观检查、开口、压槽、对口、上胶圈、紧螺栓
7	室内低压不锈钢管电弧焊接	场内搬运、检查及清扫管材、切管、坡口、对口、焊接、焊口酸洗、管道及管件安装、一次水压试验

续表

序号	定 额 子 目	工 作 内 容
8	室内低压铜管氧乙炔焊接	场内搬运、检查及清扫管材、切管、坡口加工、坡口磨平、管口组对、焊接预热、焊接、管道安装、一次水压试验
9	室内低压铜管管件氧乙炔焊接	场内搬运、检查及清扫管件、管子切口、坡口加工、坡口磨平、管口组对、焊接预热、焊接
10	室内给水铸铁管石棉水泥接口（膨胀水泥接口）	预留管洞、场内搬运、检查及清扫管材、管口涂沥青、切管、调制接口材料、调直、管道及管件安装、养护、补沥青漆、一次水压试验
11	室内雨水给水铸铁管水泥接口	预留管洞、场内搬运、检查及清扫管材、修洞堵洞、管口涂沥青、切管、调制接口材料、调直、管道及管件安装、养护、补沥青漆、满水试验
12	室内排水铸铁管水泥接口	预留管洞、场内搬运、检查及清扫管材、修洞堵洞、切管、调制接口材料、调直、管道及管件安装、养护、闭水试验
13	室内柔性排水铸铁管法兰接口	预留管洞、场内搬运、检查及清扫管材、修洞堵洞、切管、加橡胶圈、调直、紧螺栓、管道及管件安装、闭水试验
14	室内铝塑复合管管件连接	预留管洞、场内搬运、检查及清扫管材、切管、弯管、上管件、上管件、管道排布及安装、管架安装、一次水压试验
15	室内 PVC-U 给水塑料管（粘接）	预留管洞、场内搬运、检查及清扫管材、切管、抹胶、上管件、调直、一次水压试验
16	室内 PVC-U 雨水塑料管粘接	预留管洞、场内搬运、检查及清扫管材、修洞堵洞、切管、抹胶、上管件、调直、闭水试验
17	室内 PVC-U 排水塑料管粘接	预留管洞、场内搬运、检查及清扫管材、修洞堵洞、切管、接口、管道及管件安装、闭水试验
18	室内中压无缝钢管焊接	场内搬运、检查及清扫管材、切管、坡口、调直、对口、焊接、三通口开制、管道及管件安装、一次水压试验
19	室内中压气体无缝钢管螺纹连接	预留管洞、场内搬运、检查及清扫管材、切管、调直、车丝、清洗、管口连接、管道连接、一次气压试验
20	室内中压气体无缝钢管管件螺纹连接	场内搬运、检查及清扫管件、切管、调直、车丝、清洗、管件连接
21	室内中压不锈钢管氩弧焊接	场内搬运、检查及清扫管件、切管、坡口、对口、焊接、焊口酸洗、管道及管件安装、一次水压试验
24	室内高压气体无缝钢管螺纹连接	预留管洞、场内搬运、检查及清扫管材、切管、调直、车丝、清洗、管口连接、管道连接、一次气压试验
25	室内高压气体无缝钢管管件螺纹连接	场内搬运、检查及清扫管件、切管、调直、车丝、清洗、管件连接
26	室外低压镀锌钢管螺纹连接	场内搬运、检查及清扫管件、切管、套丝、上管件、调直、丝口刷漆、一次水压试验
27	室外低压镀锌钢管焊接	场内搬运、检查及清扫管件、切管、坡口、调直、对口、管道焊接、三通口开制、管件安装、焊口刷漆、一次水压试验

续表

序号	定额子目	工作内容
28	室外低压焊接钢管螺纹连接	场内搬运、检查及清扫管件、切管、套丝、上管件、调直、一次水压试验
29	室外低压焊接钢管焊接	场内搬运、检查及清扫管件、切管、坡口、煨弯制作、对口、焊接、对口、管口焊接、三通及异径管件制作管件安装、一次水压试验
30	室内低压无缝钢管焊接	场内搬运，检查及清扫管材，切管，坡口，调直，煨弯制作、对口、焊接、三通及异径管件制作管件安装、一次水压试验
31	室内低压直埋保温钢管（焊接）	场内搬运，检查及清扫管材，坡口，对口，接口及管件处保温材料去除，管道焊接，三通及管径管件制作，管件安装，一次水压试验
32	室外低压不锈钢管（电弧焊接）	场内搬运，检查及清扫管材，坡口，对口，管道焊接，焊口酸洗，管道及管件安装一次水压试验
33	室外 PVC-U 给水塑料管埋设	场内搬运，外观检查，切管，抹胶，上管件，调直，一次水压试验
34	给水铸铁管（石棉水泥接口）	场内搬运，检查及清扫管材，挖工作坑，管口除沥青，切管，调制接口材料，管道及管件安装，养护，补沥青漆，一次水压试验
35	给水铸铁管（胶圈接口）	场内搬运，检查及清扫管材，挖工作坑，切管，上胶圈，管道及管件安装，水压试验
36	室外排水铸铁管埋设给水铸铁管（石棉水泥接口）	场内搬运，检查及清扫管材，挖工作坑，管口除沥青，切管，调制接口材料，管道及管件安装，养护，补沥青漆，一次水压试验
37	室外排水铸铁管埋设给水铸铁管（胶圈接口）	场内搬运，检查及清扫管材，挖工作坑，切管，上胶圈，管道及管件安装，水压试验
38	室外排水铸铁管埋设	场内搬运，检查及清扫管材，挖工作坑，切管，调制接口材料，管道及管件安装，管道养护，闭水试验
39	水塔配管	场内搬运，检查及清扫管材，切管，接口，管道及管件安装，一次水压试验
40	室外中压无缝钢管（焊接）	场内搬运，检查及清扫管材，切管，坡口，调直，对口，焊接，三通口开制，管件安装，一次水压试验
41	室外中压不锈钢（氩弧焊接）	场内搬运，检查及清扫管材，切管，坡口，对口，管道焊接，焊口酸洗，管道及管件安装一次水压试验
42	室外热源管道碰头	拆除碰头处保温及障碍，开口，放水，掏水，接头，修复保温
43	室外给水铸铁管加三通水源接头（石棉水泥接口）	场内搬运，检查及清扫管材，挖工作坑，切管，放水掏水，调制接口材料，管件装配接口、养护、通水试验
44	室外给水铸铁管加三通水源接头（青铅接口）	场内搬运，检查及清扫管材，挖工作坑，切管，放水掏水，熔化接口材料，管件装配，接口，通水试验
45	填砂	场内搬运，填砂，找平，测量砂厚
46	站类低压镀锌钢管（螺纹连接）	场内搬运，检查及清扫管材，切管，套丝，上管件，调直，管道安装，丝口刷漆，一次水压试验

续表

序号	定 额 子 目	工 作 内 容
47	站类低压镀锌钢管（焊接）	场内搬运，检查及清扫管材，切管、坡口、调直、对口、管道焊接、三通口开制、管件安装、焊口刷漆、一次水压试验
48	站类低压焊接钢管（螺纹连接）	场内搬运，检查及清扫管材，切管、套丝、上管件、调直、管道安装，一次水压试验
49	站类低压焊接钢管（焊接）	场内搬运，检查及清扫管材，切管、坡口、调直、煨弯制作、对口、管道焊接、三通口开制、管件安装，一次水压试验
50	站类低压无缝钢管（焊接）	场内搬运，检查及清扫管材，坡口、调直、对口、管道焊接、三通口开制、管件安装、一次水压试验
51	低压卷焊钢管（焊接）	场内搬运，检查及清扫管材，切管、切口、管道焊接，一次水压试验
52	低压卷焊钢管管件（焊接）	场内搬运，检查及清扫管件，切口、坡口加工、管口组对、焊接
53	站类低压不锈钢管（电弧焊接）	场内搬运，检查及清扫管材，切管、坡口、调直、对口、管道焊接、焊口酸洗，管道及管件安装，一次水压试验
54	站类中压无缝管钢管（焊接）	场内搬运，检查及清扫管材，坡口、调直、对口、管道焊接、三通口开制、管件安装、一次水压试验
55	站类中压不锈钢管（氩弧焊接）	场内搬运，检查及清扫管材，切管、坡口、对口、焊接、焊口酸洗、管道及管件安装、水压试验
56	低压丝扣阀门	场内搬运，外观检查，清污除锈，切管，套丝、阀门安装，调直及水压试验
57	低压丝扣法兰阀门	场内搬运，外观检查，清污除锈，切管，套丝、法兰垫制作安装，阀门、法兰安装及水压试验
58	自动排气阀、手动放风门	场内搬运，外观检查，清污除锈，切管，套丝，放风门攻丝，阀门安装，水压试验
59	低压焊接法兰阀门	场内搬运，外观检查，清污除锈，切管，坡口，法兰垫制作安装，阀门及法兰盘安装，紧螺栓，水压试验
60	低压蝶阀门	场内搬运，外观检查，清污除锈，切管，法兰垫制作安装，阀门及法兰安装，紧螺栓，水压试验
61	丝扣浮球阀、底阀	场内搬运，外观检查，清污除锈，切管，套丝，阀门安装，水压试验
62	法兰浮球阀、底阀	场内搬运，外观检查，清污除锈，切管，法兰垫制作安装，阀门及法兰安装，紧螺栓，水压试验
63	低压法兰调节阀门	场内搬运，外观检查，清污除锈，切管，法兰垫制作安装，阀门及法兰安装，紧螺栓，水压试验
64	低压法兰阀门（带短管甲乙）	场内搬运，外观检查，清污除锈，切管，法兰垫制作安装，阀门及法兰盘安装，紧螺栓，接口材料调制，养护及水压试验
65	低压不锈钢法兰阀门（电弧焊）	场内搬运，外观检查，清污除锈，切管，焊接，制垫，紧螺栓，水压试验
66	低压铜法兰阀门（氧乙炔焊）	场内搬运，外观检查，清污除锈，切管，焊接，制垫，紧螺栓，水压试验

续表

序号	定额子目	工作内容
67	塑料丝扣阀门	场内搬运，外观检查，切管，抹胶，阀门安装，水压试验
68	低压碳钢丝扣法兰	场内搬运，外观检查，清污除锈，切管，套丝、组对，法兰垫制作安装，法兰安装及水压试验
69	低压碳钢焊接法兰	场内搬运，外观检查，清污除锈，切管，坡口，法兰垫制作安装，紧螺栓，水压试验
70	低压不锈钢法兰（电弧焊）	场内搬运，外观检查，清污除锈，切管，坡口加工，坡口磨平，焊缝钝化，法兰垫制作安装，紧螺栓，水压试验
71	低压铜法兰（氧乙炔焊）	场内搬运，外观检查，清污除锈，切管，焊前预热，法兰垫制作安装，法兰安装，紧螺栓，水压试验
72	中压丝扣阀门	场内搬运，外观检查，清污除锈，切管，车丝，阀门安装，水压试验
73	中压丝扣法兰阀门	场内搬运，外观检查，清污除锈，管头车丝，制垫，紧螺栓，上法兰，水压试验
74	中压焊接法兰阀门	场内搬运，外观检查、清污除锈、切管、法兰垫制作安装、阀门及法兰安装、紧螺栓、水压试验
75	中压不锈钢法兰阀门（氩弧对焊）	场内搬运，外观检查，清污除锈，切管，焊接，焊口处理，制垫，加垫，紧螺栓，水压试验
76	中压碳钢丝扣法兰	场内搬运，外观检查，清污除锈，切管，车丝，加垫，上法兰，紧螺栓，水压试验
77	中压碳钢焊接法兰	场内搬运，外观检查，清污除锈，切管，坡口，加垫，上法兰，紧螺栓，水压试验
78	中压不锈钢法兰（氩弧对焊）	场内搬运，外观检查，清污除锈，切管，坡口加工，坡口磨平，焊缝钝化，法兰垫制作安装，紧螺栓，水压试验
79	高压丝扣阀门	场内搬运，外观检查，清污除锈，切管，车丝，阀门安装，压力试验
80	高压丝扣法兰阀门	场内搬运，外观检查，清污除锈，管头车丝，制垫，加垫，螺栓涂二硫化钼，紧螺栓，上法兰，压力试验
81	高压焊接法兰阀门	场内搬运，外观检查，清污除锈，管头车光，焊接，焊口处理，压力试验
82	高压碳钢丝扣法兰	场内搬运，外观检查，清污除锈，切管，车丝，加垫，上法兰，紧螺栓，螺栓涂二硫化钼，压力试验
83	高压碳钢法兰（电弧对焊）	场内搬运，外观检查，清污除锈，管子切口，坡口加工，管口组对，焊接，法兰连接，紧螺栓，压力试验
84	中、低压阀门研磨	场内搬运，准备工具，阀门解体检查，清洗，研磨，水压试验
85	中、低压阀门解体检查及清洗	场内搬运，准备工具，阀门解体检查，清洗，水压试验
86	浴盆、净身器	留堵洞，场内搬运，外观检查，器具稳装，附件安装，紧螺栓，上下水管连接，试水
87	按摩浴盆	留堵洞，场内搬运，外观检查，修洞，浴盆稳装，上下水管附件连接，浴盆调试
88	洗脸盆	留堵洞，场内搬运，外观检查，盆及托架安装，附件安装，上下水连接，试水
89	洗发盆、洗手盆	留堵洞，场内搬运，外观检查，稳装，附件安装，载木砖，上下水连接，试水
90	洗涤盆	留堵洞，场内搬运，外观检查，器具稳装，附件安装，托架安装，上下水管连接，试水
91	淋浴器组成、安装	留堵洞眼，场内搬运，载木砖，切管，套丝，淋浴器组成与安装，试水

续表

序号	定额子目	工作内容
92	淋浴房组成、安装	留堵洞，场内搬运，外观检查，淋浴器安装、上下水支管及附件连接、浴房稳装、通水试验
93	蹲便器	场内搬运，留堵洞眼，栽木砖，切管，套丝，大便器、水箱及附件安装，上下水管连接、试水
94	座便器	场内搬运，留堵洞眼，栽木砖，切管，套丝，大便器、水箱及附件安装，上下水管连接、试水
95	脚踏式倒便器	场内搬运，留堵洞眼，栽木砖，切管，套丝，倒便器安装，上下水管连接，试水
96	挂斗式、立式小便器	场内搬运，留堵洞眼，栽木砖，小便器安装，上下水连接，冲洗阀调试，试水
98	大便漕、小便槽自动冲洗水箱安装	场内搬运，留堵洞眼，水箱托架安装，水箱安装，冲洗管安装，试水
100	小便槽冲洗管制作安装	场内搬运，切管，套丝，钻眼，上零件，栽管卡，安装，试水
101	水嘴安装	水嘴安装，试水
102	排水栓安装	场内搬运，切管，套丝，上管件，安装，下上管连接，试水
103	座便器软接头安装	场内搬运，外观检查，接头安装，紧卡子，水压试验
104	地漏安装	场内搬运，外观检查，安装，与下水管连接，试水
105	三用排水器安装	场内搬运，外观检查，清除锈，安装，通水试验
106	毛发聚集器安装	场内搬运，外观检查，安装，试水
107	地面扫除口安装	场内搬运，安装，试水
108	隔油器安装	场内搬运，外观检查，隔油器安装，法兰连接，试水
109	雨水斗安装	场内搬运，外观检查，留堵洞眼，雨水斗安装
110	铸铁散热器组成与安装	场内搬运，清除口锈，加垫，组成，托架制安，稳固，水压试验
111	钢制闭式散热器	场内搬运，打堵墙眼，安装，稳固，托架，放水门丝堵安装
112	高频焊翅片管散热器	场内搬运，外观检查，打堵墙眼，安装，稳固，防护罩安装
113	钢制板式、钢制扁管式、多柱式钢管散热器	场内搬运，打堵墙眼，安装，稳固
116	光排管散热器制作安装 A 型（2～4m）（4.5～6m）	场内搬运，检查管材，下料，切管，焊接，组对，托架制作安装，稳固，水压试验
118	光排管散热器制作安装 B 型（2～4m）（4.5～6m）	场内搬运，检查管材，下料，切管，焊接，组对，托架制作安装，稳固，水压试验
120	集气罐制作	场内搬运，下料，切割，坡口，焊接，水压试验
121	集气罐安装	场内搬运，集气罐安装
122	暖风机安装	场内搬运，起吊，找平，稳固，试运行

续表

序号	定额子目	工作内容
123	低温地板辐射采暖	场内搬运，检查及清扫管材，剪管，调直，管道排布，绑扎，固定，与分集水器连接，一次水压试验，配合地面浇筑
124	室内消火栓（明、暗装）	场内搬运，外观检查，切管，套丝，箱体及消火栓安装，附件安装，一次水压试验
126	减压孔板	场内搬运，外观检查，切管，焊接法兰，法兰垫制作安装，减压孔板二次安装
127	水喷淋消防喷洒头	场内搬运，外观检查，切管，套丝，管件及喷头安装，喷头外观清洁，丝堵拆装
128	集热扳制作安装	划线，加工，支架制作及安装，整体安装固定
129	水流指示器（螺纹连接）	场内搬运，外观检查，切管，套丝，上零件，临时短管安装，拆除，主要功能检查，安装及调试，试验后复位
130	水流指示器（法兰连接）	场内搬运，外观检查，切管，坡口，对口，焊接法兰，临时短管安装，拆除，主要功能检查，安装及调试，试验后复位
131	湿式报警装置	场内搬运，部件外观检查，切管，坡口，组对，焊法兰，紧螺栓，临时短管安装，拆除，整体组装，部件及配管安装，报警阀泄放试验管安装，报警装置调试
132	其他报警装置	场内搬运，部件外观检查，切管，坡口，组对，焊法兰，紧螺栓，临时短管安装，拆除，整体组装，部件及配管安装，泄放试验管安装，报警装置调试
133	末端试水装置	切管，套丝，上零件，整体组装，一次水压试验，放水试验
134	室外地下式消火栓	场内搬运，外观检查，管口除沥青，法兰垫制作安装，紧螺栓，消火栓安装，一次水压试验
135	消防水泵结合器	场内搬运，外观检查，切管，焊法兰，制加垫，紧螺栓，整体安装，充水试验
136	气体消防喷洒头	场内搬运，外观检查，切管，调直，车丝，管件及喷头安装，喷头外观清洁
137	气体驱动装置管道	场内搬运，外观检查，切管，煨弯，安装，固定，调整，卡套连接
138	贮存装置	场内搬运，外观检查，系统组件安装，阀驱动装置安装，氮气增压
139	二氧化碳称重检漏装置	场内搬运，开箱检查，组合装配安装，固定，试动调整
140	泡沫发生器	场内搬运，开箱检查，整体吊装，找平，找正，安装固定，切管，焊法兰，调试
141	压力储罐式泡沫比例混合器	场内搬运，开箱检查，整体吊装，找平，找正，安装固定，切管，焊法兰，调试
142	平衡压力式、环泵式、管线式负压比例混合器	场内搬运，开箱检查，切管，坡口，焊法兰，本体安装，调试
143	聚乙烯管道 聚乙烯管道（电熔连接）	场内搬运，外观检查，清扫管材，调直，断管，预热，管道连接，临时封堵，试压
144	聚乙烯管道 聚乙烯管道（热熔对接）	场内搬运，外观检查，清扫管材，调直，断管，预热，管道连接，临时封堵，试压
145	聚乙烯管道附件 钢塑转换接头（电熔连接）	场内搬运，外观检查，焊接，法兰连接，焊口防腐，试压
146	聚乙烯管道附件 聚乙烯阀门	场内搬运，外观检查，阀门及套轴连接，试压

续表

序号	定额子目	工作内容
147	聚乙烯管道附件 聚乙烯管件（电熔连接）	场内搬运，外观检查，清扫，管件连接，试压
148	聚乙烯管道附件 聚乙烯管件（热熔对接）	场内搬运，外观检查，清扫，管件连接，试压
149	室内管道安装 镀锌钢管（螺纹连接）	留堵洞眼，场内搬运，检查清扫，切管，套丝，上零件，调直，栽管卡，管道及管件安装，气压试验
150	无缝钢管（焊接）	留堵洞眼，检查清理，切管，对口，焊接，栽卡子，管道及管件安装，气压试验
151	调压器及附件安装 调压器	场内搬运，外观检查，开孔，断管，法兰焊接，安装信号管，调压器安装，支托架制作安装，托架刷漆
152	调压器及附件安装 燃气过滤器	场内搬运，外观检查，法兰焊接，过滤器安装，清洗
153	调压器及附件安装 燃气波纹管	场内搬运，法兰焊接，制垫，加垫，紧螺栓，波纹管安装
154	调压器及附件安装 油密封旋塞阀门	场内搬运，法兰焊接，制垫，加垫，紧螺栓，阀门安装
155	调压器及附件安装 水封（油封）	场内搬运，断管，焊接法兰，加垫，安装水封（油封），紧螺栓，充水（充油）
156	调压器及附件安装 组合式调压装置	场内搬运，焊接法兰，调压装置吹扫，安装，支架制作安装
157	调压器及附件安装 调压箱	场内搬运，调压箱体固定安装，焊接法兰，进出管连接，防腐，进出管保护台砌筑，底座砌筑，试压及气密性试验
158	引入口安装 地下引入口 无地下室地下引入口	预留堵洞，挖填土方，套管制作安装，室外距墙 2m 至室内地面以上 1.5m 的管道安装，管卡安装，防腐，试压
159	引入口安装 有地下室地下引入口	预留堵洞，挖填土方，套管制作安装，室外距墙 2m 至室内地面以上 0.5m 的管道安装，管卡安装，防腐，试压
160	引入口安装 地上引入口	预留堵洞，挖填土方，套管制作安装，室外距墙 2m 至室内地面以上 1.5m 的管道安装，管卡安装，防腐，试压
161	引入口安装 引入口石棉绳保温，砌保温台	地基处理，砌台，缠石棉保温，抹灰，填料等
162	引入口安装 引入口沥青珍珠岩保温，砌保温台	地基处理，砌台，缠石棉保温，抹灰，勾缝，填沥青珍珠岩
163	引入口安装 引入口保护台砌筑	地基处理，砌台，抹灰，勾缝等

续表

序号	定额子目	工作内容
164	引入口安装 砌保温沟	砌砖沟，填沥青珍珠岩
165	燃气表安装	场内搬运，燃气表安装，表接头连接，表托架，托架安装
166	灶具安装 户内灶具	场内搬运，灶具安装，胶管、格林接头、喉箍等附件安装，试压
167	灶具安装 公用厨房灶具	场内搬运，灶具安装，胶管，喉箍安装，水管连接，试压
170	钢板矩形（圆形）水箱制作	下料、坡口、平直、（卷圆）接板组对、开孔、水箱盖、爬梯制作，焊接，翻转，满水试验
171	便槽冲洗水箱	下料、坡口、平直、接板组对、开孔、装配零件、焊接、满水试验
172	整体水箱安装	场内搬运、稳固、调距、上零件
173	组装水箱安装	场内搬运、底架制作安装、开箱检查、分片组装、配件安装、满水试验
174	换热器安装	场内搬运、外观检查、安装就位、找平找正、上附件、水压试验
175	开水炉、热水器安装	场内搬运、外观检查、本体及底座就位、管道连接、附件安装、找平找正、通水试验
176	汽水集配器安装	场内搬运、集配器安装、水压试验
177	紫外线消毒器、电子水处理器、水质净化器等安装	场内搬运、稳装设备、切管套丝、法兰安装、安装零件、阀门、制加垫、紧螺栓、找平找正、清洗、通水试验
178	变频给水设备安装	场内搬运、外观检查、罐体稳装、压力控制器及法兰附件安装、制加垫、找平找正、定压、充水、调试
179	变频泵安装	场内搬运、开箱检查、基础定位、基础配件、基础铲麻面、泵体及底座稳装、软接头、集流管、缓冲器及附件安装、找平找正、设备清洗、试水调压
180	地脚螺栓制作、灌浆（安装）	下料、调直烧闷、墩帽、摔头、套丝、开叉、煨弯、配螺母、冲洗地脚螺栓孔、筛选沙石、人工搅拌、捣固、找正、养护
181	设备底座与设备基础间灌浆	冲洗基础、铲麻面、支模、筛选沙石、人工搅拌、捣固、找平、养护、拆模
182	自制容器场外运输	容器装卸车、运输到指定地点、轨道木码放、清点
183	立式燃煤锅炉安装	开箱检查、场内运输、设备吊装、锅炉稳装、本体所带安全阀、压力表、温度计、水位计各种阀件安装，一次阀门以内的水压试验、烘炉、煮炉、定压校正、无负荷试运行
184	快装锅炉安装	开箱检查、场内运输、设备吊装、锅炉稳装、鼓引风机安装、本体范围的管道、三阀，压力表、温度计、水位计各种配套附件安装，上煤、除渣、省煤器及配套的烟风道、非标构件、配件安装，一次阀门以内的水压试验、烘炉、煮炉、定压校正、无负荷试运行
185	散装锅炉安装	开箱检查、场内运输、设备吊装、锅炉本体的钢架、汽包、水冷系统、过热系统、省煤器、防爆门、预热器及本体范围的管道、三阀、吹灰装置、各种门孔构件、炉排及平台栏杆梯子等的安装。一次阀门以内的水压试验、烘炉、煮炉、定压校正、无负荷试运行

续表

序号	定 额 子 目	工 作 内 容
186	模块式锅炉安装	开箱检查、场内运输、设备稳装、本体所带仪表及附件安装，本体水压试验、煮炉、定压校正、无负荷试运行
187	锅炉燃烧器安装	场内运输、清理、制加垫、紧固、油过滤器及附件安装，配合筑炉
188	油处理设备（储油罐、日用油箱、阻火器、油过滤器）安装	场内运输、外观检查、基础处理、稳装就位、找平找正、接管、附件安装、表面油漆
189	软水处理设备安装	场内运输、外观检查、吊装就位、找平找正、随设备配带的管道、阀部件、配件的安装
190	离子交换器装料、冲洗	场内运输、外观检查、拆顶盖、装料、制加垫、装顶盖、紧螺栓、反洗
191	除氧设备安装	场内运输、外观检查、吊装就位、找平找正、附件安装
192	加酸、加药设备安装	场内运输、外观检查、内部清理、吊装就位、找平找正
193	输煤装置工字钢轨道	场内运输、测量、矫直、钻孔、吊装固定
194	输煤装置上煤机安装	场内运输、传动装置立柱及平台安装，卷扬装置、翻斗组合安装，试运行
195	除渣设备安装	场内运输、开箱检查、组装，机头、机壳、机槽、机尾安装、传动装置及链条安装
196	除尘器安装	场内运输、吊装稳固、紧螺栓、找平找正、连接烟风道
197	烟风道与烟囱制作安装	放样、下料切割、卷圆、法兰、异型管件制作、组对焊接、避雷针安装。场内运输、制加垫、吊装就位、找直找正、固定缆风绳、跨接地线焊接
198	泵安装	场内运输、基础定位、设备开箱清点、外观检查、基础处理、安装就位、精平找正、一次灌浆、设备清理、无负荷运转
199	空气压缩机整体安装	场内运输、基础定位、设备开箱清点、外观检查、基础处理、安装就位、精平找正、设备本体管道安装、一次灌浆、设备清理、严密度试验、试运行
200	钢减振板安装	场内搬运、外观检查、核对尺寸、安装减振板、紧螺栓、找平找正、外观清理
201	混凝土减振板安装	场内搬运、核对尺寸、安装减振板、找平找正
202	橡胶减振器安装	场内运输、开箱检查、核对尺寸、定位安装、清理
203	成品弹簧减振器安装	场内搬运、基础划线、开孔、栽膨胀螺栓、就位、找平找正、清理
204	橡胶软接头安装	切管、套丝、焊接、安装、紧螺栓、水压试验
205	丝扣金属软接头安装	切管、套丝、安装、找平找正、清理、水压试验
206	法兰金属软接头安装	场内搬运、切管、焊法兰、制加垫、紧螺栓、水压试验
207	自动耦合泵导轨安装	场内搬运、焊埋件、栽膨胀螺栓、导轨焊接、调正、耦合、调试
208	疏水器组成与安装	场内搬运、切断、套丝、上零件、制加垫、配管组成、安装、水压试验

续表

序号	定 额 子 目	工 作 内 容
209	丝接除污器、过滤器安装	切管、套丝、拆盖检查、清洗安装、冲污、上盖、水压试验
210	法兰除污器、过滤器安装	场内搬运、切管、套丝、拆盖检查、焊接、制加垫、附件安装、找平找正、清污、上手孔、水压试验
211	减压器组成与安装	场内搬运、清污检查、切管、套丝、上零件、制加垫、找平找正、水压试验
212	波纹伸缩器安装	场内搬运、清污检查、制加法兰垫、切管、坡口、焊接、预拉伸、紧螺栓、找平找正、水压试验
213	螺纹连接水表安装	场内搬运、清污检查、切管、套丝、制加垫、找平找正、阀门及水表安装、通水试验
214	法兰连接水表安装（不带旁通管）	场内搬运、清污检查、切管、上法兰、制加垫、紧螺栓、找平找正、阀门水表及附件安装、通水试验
215	户用热量表安装	场内搬运、外观检查、卡子安装、仪表安装、找平找正、单体调校、通水试验
216	温度计安装	场内搬运、外观检查、温度取样部件安装、温度计安装、表壳安装、毛细管固定、校验挂牌
217	压力表安装	场内搬运、外观检查、压力取样部件安装、压力表安装、表开关安装固定、找正、校验挂牌
218	流量计安装	场内搬运、外观检查、法兰焊接、紧螺栓、流量计安装、开孔、流量计安装、管座安装、校验挂牌
219	钢制排水漏斗制安	下料、切割、焊接、安装
220	防水套管制作	场内搬运、放样、下料、翼环及非标法兰盘制作、焊接、刷漆
221	防水套管安装	场内搬运、定位、找平找正、就位安装、加填料
222	套管安装	修洞补洞、套管制作、定位、找平找正、就位安装、加填料
223	阻火圈安装	划线、打眼、就位、紧螺栓、阻火圈安装
224	设备支架制作安装	场内搬运、放样、切割、调直、型钢煨制、坡口组对、钻孔、焊接、吊装就位、找正、紧螺栓
225	管道支架制作安装	场内搬运、放样、切割、调直、煨制、组对、钻孔、制作。场内搬运、组对、钻孔、打洞、固定、安装、堵洞
226	管道液压试验	准备工作、加工堵盲板、装临时泵、管线灌水加压、停压检查、强度试验、严密性试验、拆除临时管线及堵板、现场清理
227	管道泄漏性试验	准备工作、安装临时管线、设备管道封闭、系统充压、涂刷检查液、检查泄漏、放压、紧螺栓、更换垫片或盘根、阀门处理、拆除临时管线及堵板、现场清理
228	真空试验	准备工作、加工堵盲板、安装临时管线、试验、检查、拆除临时管线及堵板、现场清理
229	水冲洗	准备工作、加工堵盲板、拆除阀件及安装临时管线、通水冲洗检查、系统管线复位、现场清理
230	压缩空气吹扫	准备工作、加工堵盲板、安装临时管线、充气加压、敲打管道检查、系统管线复位、拆除临时管线及堵板、现场清理
231	管道消毒冲洗	溶解漂白粉、灌水、消毒冲洗

续表

序号	定 额 子 目	工 作 内 容
232	通球试验	准备工作、安装临时管线、灌水、通球、检查拾球、拆除临时管线及堵板、现场清理
233	管道碱（酸）洗、脱脂试验	准备工作、安装临时管线及拆除、配置清洗液、清洗、中和处理、检查、剂料回收、现场清理
234	X、γ射线焊缝无损探伤	射线机搬运及固定、焊缝清刷、透照位置标记编号、底片号码编排、底片固定开机拍片、暗室处理、底片鉴定、技术报告
235	焊缝超声波探伤	搬运及校定仪器、检查位置标记编号、清理除污、涂耦合剂、探伤、检查结果、记录鉴定、技术报告
236	钢管刷漆	手工除锈、除尘、调漆、刷漆
	布（灰）面刷漆	除尘、调漆、刷漆
237	管道瓦块保温	拌料、灰浆衬底、安装瓦块、绑铅丝、抹缝、修整找平
238	管道管壳保温	开口、安装、捆扎、修整找平
239	铅丝网石棉灰保温	合灰、抹灰、缠铅丝网

（1）套用定额时选用子目要准确，按项目内容、规格、材质、工艺套用，其子目内容和工程量项目的规格、材质、单位要一致。如安装室内100m上水管，直径50mm，丝接镀锌钢管套用其定额。则选用第五册《给排水、采暖、燃气工程》定额中第一节编号“1－6”字目。

（2）套用定额填写表格时，定额编号填写不得有误。因为不同编号子目的定额单价、人工费、材料等是不一样的。

（3）套用定额时要对定额子目所包含的内容要明确，不得重复套用。

如管道安装子目涵盖了修洞堵洞的内容，则不得再计算修洞堵洞的工程量；但是打洞的内容子目不涵盖，则可根据现场实际发生的工程量计算或按有关规定计算。

【例4-3】 某一空调水如图4-3，工程量如表4-10，试套用定额。

空 调 水 工 程 量 **表4-10**

序	名 称	规 格	单 位	数 量	备 注
1	风机盘管		台	12	
2	铜闸阀	*DN*20	个	24	
3	铜闸阀	*DN*25	个	2	
4	铜闸阀	*DN*32	个	6	
5	铜闸阀	*DN*50	个	2	
6	电动两通阀	*DN*20	个	12	
7	镀锌钢管	*DN*50	m	6.7	
8	镀锌钢管	*DN*32	m	59	
9	镀锌钢管	*DN*25	m	40.2	
10	镀锌钢管	*DN*20	m	36.7	

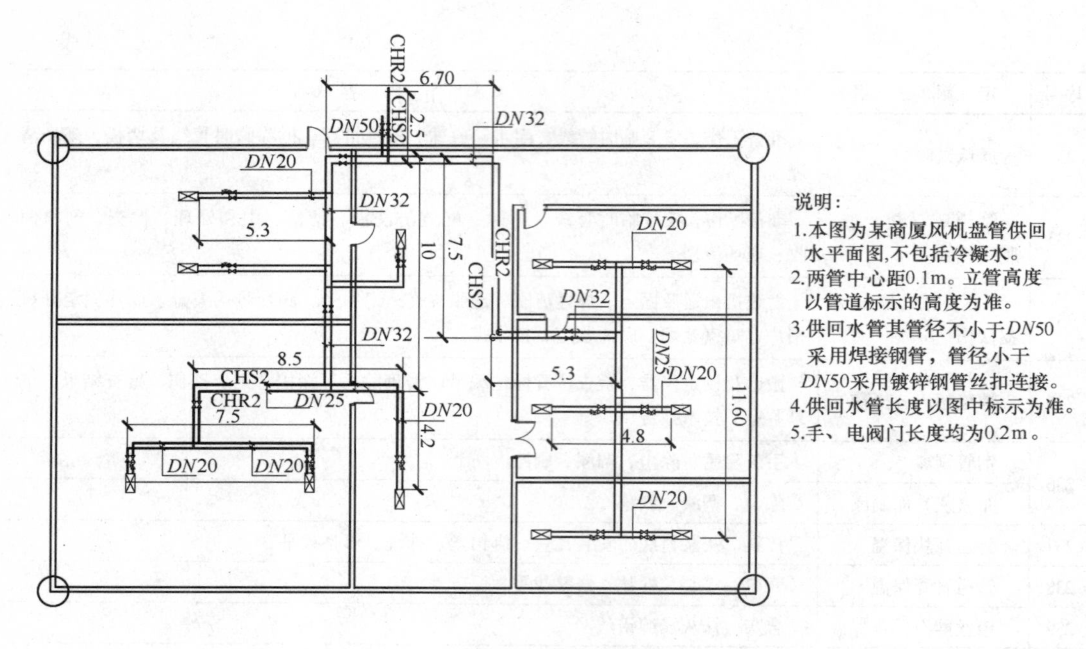

图 4-3　某空调水

【解】　套用定额见工程量计算书（表 4-11）。

某一空调水工程量计算书　　**表 4-11**

定额编号	名　称	规　格	单　位	数　量	单　价	合　价
6—7	风机盘管		台	12	114.58	1374.96
4—143	铜闸阀	DN20	个	24	9.2	220.8
4—144	铜闸阀	DN25	个	2	13.95	27.9
4—145	铜闸阀	DN32	个	6	16.66	99.96
4—146	铜闸阀	DN50	个	2	20.93	41.86
4—2	电动两通阀	DN20	个	12	5.68	68.16
1—6	镀锌钢管	DN50	m	6.7	26.85	179.895
1—4	镀锌钢管	DN32	m	59	19.66	1159.94
1—3	镀锌钢管	DN25	m	40.2	17.12	688.224
1—2	镀锌钢管	DN20	m	36.7	13.08	480.036

5. 几种费率

（1）定额的工效是按建筑物檐高 25m 以下编制的，超过 25m 檐高的按高层建筑物取费，以人工费作为基数。

（2）采暖系统调试费按单位工程人工费的 14%计取，其中人工费占 78%但不包括热源费用。

（3）脚手架使用费按单位工程费的 2%计取，其中人工费占 20%。

上述费用的计取方式和以前的 96 定额有所区别在编制预算时不要忽略。

第四节　施工预算编制实例

【例 4-4】　某商厦一层通风如图 4-4，试按图编制预算。

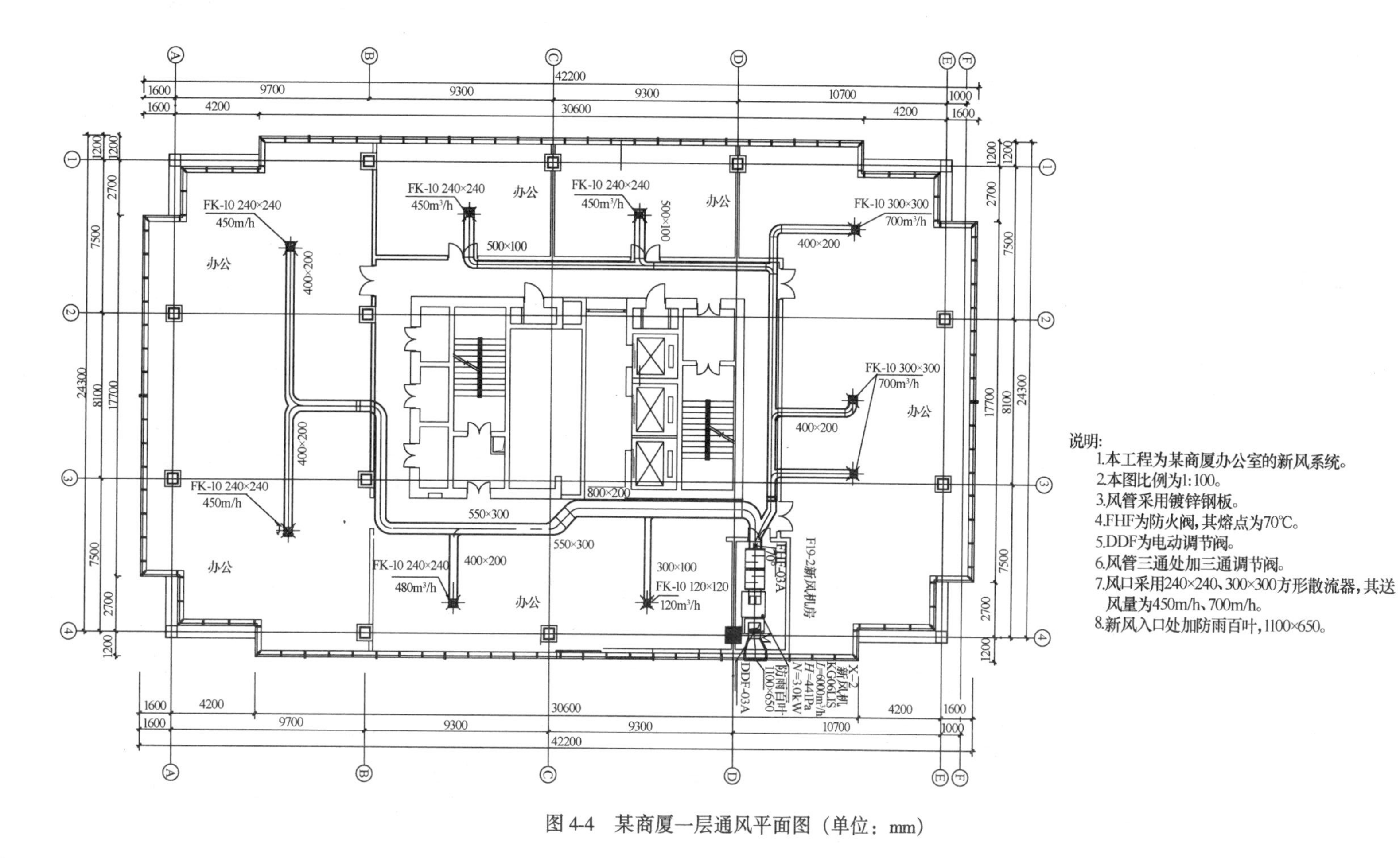

说明：

1.本工程为某商厦办公室的新风系统。
2.本图比例为1:100。
3.风管采用镀锌钢板。
4.FHF为防火阀，其熔点为70℃。
5.DDF为电动调节阀。
6.风管三通处加三通调节阀。
7.风口采用240×240、300×300方形散流器，其送风量为450m/h、700m/h。
8.新风入口处加防雨百叶，1100×650。

图 4-4　某商厦一层通风平面图（单位：mm）

一、工程说明

（1）本工程为某商厦办公室通风平面图，图中比例 1∶100。

（2）图中所示风管均采用镀锌钢板，保温采用 $\delta = 30mm$ 铝箔玻璃棉外缠两道玻璃丝布并刷两遍防火漆。

二、主要设备数量（见表 4-12）

某商厦一层通风工程主要设备数量表　　表 4-12

编号	设备名称	型号规格	单位	数量
X—2	新风机组	$L = 6000m/h$、$N = 3kW$、$H = 441Pa$	台	1
FHF	70℃防火阀	1000mm × 200mm	个	1
DDF—03A	电动调节阀	1000mm × 200mm	个	1

【解】 某商厦一层通风预算：

一、编制说明

（1）编制依据

①施工图纸；

②2001 年《北京市建设工程预算定额》；

③设备、材料价格根据市场价格编制；

④《建筑设备施工安装通用图集》91 SB6（通风与空调工程）、《通风与空调工程施工质量验收规范》（GB 50243—2002）、《通风管道技术规程》（JGJ 141—2004）；

⑤某商厦办公室通风工程施工方案。

（2）工程概况：略。

（3）本工程造价为 39945.49 元，其中人工费 1066.57 元。

二、设备及工程量计算

（1）统计设备：见表 4-13。

设备数量表　　表 4-13

编号	设备名称	型号规格	单位	数量
X—2	新风机组	$L = 6000m/h$、$N = 3kW$、$H = 441Pa$	台	1
FHF	70℃防火阀	1000mm × 200mm	个	1
DDF—03A	电动调节阀	1000mm × 200mm	个	1
FK—10	方型散流器	300mm × 300mm	个	3
FK—10	方型散流器	240mm × 240mm	个	3
FK—10	方型散流器	120mm × 120mm	个	1
FK—2	防雨百叶	1100mm × 650mm	个	1

（2）计算工程量：见表 4-14。

通风工程量计算表 **表 4-14**

序	工程内容	规　格（mm）	单位	计 算 公 式	结 果
1	镀锌风管	800×200	m^2	1.5+8.8+0.7=11	22
2	镀锌风管	550×300	m^2	1+8.5+5.7+4=19.2	32.64
3	镀锌风管	400×200	m^2	12.5+1.7+4+4.5+4+1.4=28.1	33.72
4	镀锌风管	500×100	m^2	12+1.6+15.2+2.5+2.5=33.8	40.56
5	镀锌风管	300×100	m^2	4.6	3.68
6	保　温	$\delta=30$	m^2	22+32.64+33.72+40.56+3.68	132.6

三、通风工程预算书（表 4-15）

单位工程概预算表 **表 4-15**

项目文件：通风 1

序号	定额编号	子 目 名 称	工 程 量		价 值(元)		其中(元)			
			单位	数 量	单 价	合 价	人工费	材料费	主材费	设备费
1	1—21	镀锌钢板矩形风管制作（δ=1.2mm 以内 咬口）大边长（320mm 内）	m^2	22.00	40.84	898.48	400.62	295.02		
2	1—80	镀锌钢板矩形风管安装（δ=1.2mm 以内 咬口）大边长（320mm 内）	m^2	22.00	20.74	456.28	281.60	138.82		
3	1—20	镀锌钢板矩形风管制作（δ=1.2mm 以内 咬口）大边长（630mm 内）	m^2	32.64	29.97	978.22	428.56	371.44		
4	1—79	镀锌钢板矩形风管安装（δ=1.2mm 以内 咬口）大边长（630mm 内）	m^2	32.64	14.31	467.08	262.43	166.14		
5	1—20	镀锌钢板矩形风管制作（δ=1.2mm 以内 咬口）大边长（630mm 内）	m^2	33.72	29.97	1010.59	442.74	383.73		
6	1—79	镀锌钢板矩形风管安装（δ=1.2mm 以内 咬口）大边长（630mm 内）	m^2	33.72	14.31	482.53	271.11	171.63		
7	1—20	镀锌钢板矩形风管制作（δ=1.2mm 以内 咬口）大边长（630mm 内）	m^2	40.56	29.97	1215.58	532.55	461.57		
8	1—79	镀锌钢板矩形风管安装（δ=1.2mm 以内 咬口）大边长（630mm 内）	m^2	40.56	14.31	580.41	326.10	206.45		

续表

序号	定额编号	子目名称	工程量		价值(元)		其中(元)			
			单位	数量	单价	合价	人工费	材料费	主材费	设备费
9	1—21	镀锌钢板矩形风管制作(δ = 1.2mm以内 咬口)大边长(320mm内)	m²	3.68	40.84	150.29	67.01	49.35		
10	1—80	镀锌钢板矩形风管安装(δ = 1.2mm以内 咬口)大边长(320mm内)	m²	3.68	20.74	76.32	47.10	23.22		
11	3—25	散流器安装(300mm×300mm)	个	3.00	29.13	87.39	39.30	47.07		
	主材	(2305-1)风口 周长(1800mm以内)	个	3.00	300.00	900.00			900.00	
12	3—24	散流器安装(240mm×240mm)	个	3.00	22.45	67.35	33.69	32.79		
	主材	(2305-2)风口 周长(1200mm以内)	个	3.00	300.00	900.00			900.00	
13	3—23	散流器安装(120mm×120mm)	个	1.00	17.81	17.81	9.06	8.52		
	主材	(2305-3)风口 周长(800mm以内)	个	1.00	300.00	300.00			300.00	
14	2—2	防火阀安装(1000mm×200mm)	个	1.00	90.04	90.04	39.61	42.99		
	主材	(2304-2)调节阀 周长(2400mm以内)	个	1.00	1500.00	1500.00			1500.00	
15	2—16	对开式多叶调节阀安装(1000mm×200mm)	个	1.00	26.19	26.19	15.59	10.20		
	主材	(2304-1)调节阀 周长(2400mm以内)	个	1.00	1200.00	1200.00			1200.00	
16	6—24	新风机组安装 风量6000m³/h	台	1.00	518.45	518.45	491.13	14.66		
17	3—6	百叶风口安装 周长(1100mm×650mm)	个	1.00	58.26	58.26	27.44	30.11		
	主材	(2305-4)风口 周长(4000mm以内)	个	1.00	850.00	850.00			850.00	
18	1—135	圆形柔性软管安装 直径(300mm以内)长度(500mm以内)	节	7.00	25.39	177.73	78.61	97.09		
	主材	(2306-2)柔性软管 直径(300mm以内)长度(500mm以内)	节	7.00	200.00	1400.00			1400.00	
19	10—56	通风管道保温 铝箔玻璃棉板板材厚度(30mm)	m²	132.60	61.89	8206.61	2194.53	5911.31		
20	6-158	设备底部垫料 橡胶板	kg	4.00	9.88	39.52	3.56	35.88		

续表

序号	定额编号	子 目 名 称	工程量		价值(元)		其中(元)			
			单位	数量	单价	合价	人工费	材料费	主材费	设备费
21	1—129	通风管道检测　漏光法检测	$10m^2$	13.26	3.91	51.85	49.59	0.93		
22	1—130	通风管道检测　漏风量测试	$10m^2$	13.26	9.12	120.93	115.76	2.25		
23	1—131	通风管道场外运输　场外运输	$10m^2$	13.26	29.21	387.32	122.26	2.39		
24	1—125	风管检查孔制作组装　周长(1000mm以内)	个	1.00	30.57	30.57	10.93	15.40		
25	补充设备1	新风机组　风量 $6000m^3/h$	台	1.00	5000.00	5000.00				5000.00
	小计									
		合　计	元			28245.81	6290.88	8518.96	7050.00	5000.00

四、工程取费（表4-16）

单位工程费用表　　**表4-16**

项目名称：通风

行号	序号	费用名称	取费说明	费率	费用金额
1	一	定额直接费	直接费+主材费合计+设备费合计		28245.81
2		其中:人工费	人工费合计		6290.88
3		材料费	材料费合计		8518.96
4		机械费	机械费合计		1385.97
5		主材费	主材费合计		7050.00
6		设备费	设备费合计		5000.00
7		暂估价材料费	暂估价材料市场价合计		
8	二	系统调试费	[2]	14	880.72
9		其中:人工费	[8]	70	616.50
10	三	脚手架使用费	[2]	5	314.54
11		其中:人工费	[10]	20	62.91
12	四	现场经费	[13]+[14]		3345.74
13		1. 临时设施费	[2]+[9]+[11]	21	1463.76
14		2. 现场经费	[2]+[9]+[11]	27	1881.98
15	五	直接费	[1]+[8]+[10]+[12]		32786.81
16	六	企业管理费	[2]+[9]+[11]	47.6	3317.86
17	七	利润	[15]+[16]	7	2527.33
18	八	税金	[15]+[16]+[17]	3.4	1313.49
19	九	工程造价	[15]+[16]+[17]+[18]		39945.49

【例4-5】　某小区商场采暖、给排水如图4-5，试按图编制预算。

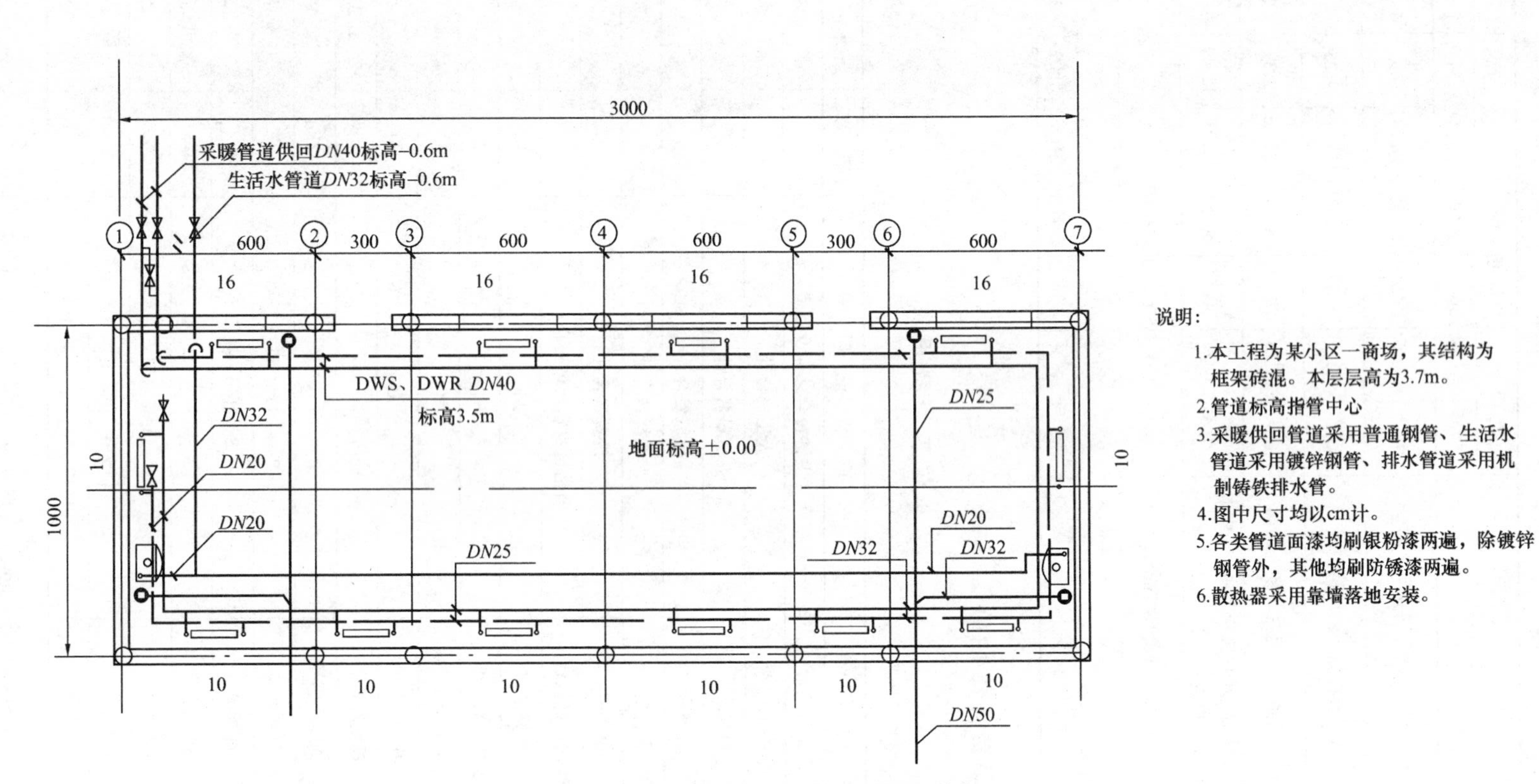

说明：

1.本工程为某小区一商场，其结构为框架砖混。本层层高为3.7m。

2.管道标高指管中心

3.采暖供回管道采用普通钢管、生活水管道采用镀锌钢管、排水管道采用机制铸铁排水管。

4.图中尺寸均以cm计。

5.各类管道面漆均刷银粉漆两遍，除镀锌钢管外，其他均刷防锈漆两遍。

6.散热器采用靠墙落地安装。

图 4-5　某小区商场采暖、给排水平面图（单位：mm）

一、施工说明

（1）本图为某商场采暖、给排水平面图。图中比例 1∶100。

（2）采暖管道采用焊接钢管、给水管道采用镀锌钢管、排水管道采用铸铁上水管。

（3）供回水管两端均设 *DN*20 放气阀。

（4）明装采暖、排水管道及管支、吊、卡架均刷灰色防锈漆两遍、银粉漆两遍。给水管道刷银粉漆两遍。

二、主要设备材料数量见表 4-17。

主要设备材料工程量 **表 4-17**

编　号	设备名称	型　号　规　格	单　位	数　量
1	洗手盆	托架式普通单	个	2
2	地漏			4
3	暖气	铸铁二柱型 10 片/组	组	8
4	暖气	铸铁二柱型 16 片/组		2
5	阀门	*DN*40		
6	阀门	*DN*25		
7	阀门	*DN*20		
8	N1、N2	采暖供回水管		
9	Y	污水管		
10	G	给水管		

【解】 某小区商场仓库采暖、给排水预算：

一、编制说明

（1）编制依据：

①施工图纸。

②2001 年《北京市建设工程预算定额》。

③设备、材料价格根据市场价格编制。

④《建筑设备施工安装通水图集》91SB1—B4、《建筑给水排水及采暖工程施工质量验收规范》GB 50242—2002。

⑤商场仓库采暖、给排水工程施工方案。

（2）工程概况：略。

（3）本工程造价：采暖工程 14874.13 元，其中人工费 2968.83 元；给排水工程 6445.60 元，其中人工费 1066.57 元。

二、工程量计算见表 4-18。

采暖、给排水量计算表 表 4-18

序	工程内容	规 格	单 位	计算公式	结 果
1	采暖管道 N1	DN40	m	7.1 + 15 + 12.9 + 7.3 + 2.5	44.8
2	采暖管道 N1	DN32	m	15.1	15.1
3	采暖管道 N1	DN25	m	9.9 + 5.8	15.7
4	采暖管道 N1	DN20	m	0.8 × 5 + 0.7 × 7	8.9
5	采暖管道 N2	DN40	m	6.7 + 15 + 12.5 + 8 + 2.8	45
6	采暖管道 N2	DN32	m	15.1	15.1
7	采暖管道 N2	DN25	m	10.1 + 4.2	14.3
8	采暖管道 N2	DN20	m	0.4 × 5 + 0.3 × 7	4.1
9	支管立管	DN20	m	0.7 × 12 × 2	16.8
10	干管立管 N1	DN40	m	0.45	0.45
11	干管立管 N2	DN40	m	0.45	0.45
12	阀门	DN40	m	2	2
13	阀门	DN25	m	1 + 2	3
14	阀门	DN20	m	1	1
15	给水 G	DN20	m	13 + 12 + 15 + 0.6 + 0.5 + 1.2	42.3
16	污水 Y	DN50	m	11.1 + 4.2 + 0.5 + 12.7 + 4.5	33
17	清扫口	DN50	个	4	4
18	水池		个	2	2
19	暖气片		片	16 × 4 + 10 × 8	144

三、工程预算书（表 4-19、表 4-20）

单 位 工 程 概 预 算 表 表 4-19

项目文件：采暖

序号	定额编号	子 目 名 称	工程量		价值（元）		其中（元）			
			单位	数量	单价	合价	人工费	材料费	主材费	设备费
1	1—16	室内低压焊接钢管（螺纹连接）公称直径（mm 以内）20	m	29.80	11.64	346.87	171.05	168.97		
2	1—17	室内低压焊接钢管（螺纹连接）公称直径（mm 以内）25	m	30.00	15.48	464.40	207.00	244.80		
3	1—18	室内低压焊接钢管（螺纹连接）公称直径（mm 以内）32	m	30.20	17.54	529.71	208.38	309.25		

续表

序号	定额编号	子目名称	工程量		价值（元）		其中（元）			
			单位	数量	单价	合价	人工费	材料费	主材费	设备费
4	1—19	室内低压焊接钢管（螺纹连接）公称直径（mm以内）40	m	90.70	19.90	1804.93	745.55	1020.38		
5	4—3	低压丝扣阀门　公称直径（mm以内）25	个	3.00	7.06	21.18	11.31	9.33		
	主材	（1901-2）阀门　公称直径（mm以内）25	个	3.03	50.00	151.50			151.50	
6	4—5	低压丝扣阀门　公称直径（mm以内）40	个	2.00	14.40	28.80	15.72	12.34		
	主材	（1901-3）阀门　公称直径（mm以内）40	个	2.02	100.00	202.00			202.00	
7	6—1	铸铁散热器组成与安装　柱型　落地安装	片	144.00	3.86	555.84	190.08	358.56		
	主材	（2001-1）散热器　柱型　落地安装	片	145.44	15.00	2181.60			2181.60	
8	13—1	柔性防水套管制作　公称直径（mm以内）50	个	2.00	154.39	308.78	93.50	159.26		
9	13—26	柔性防水套管安装　公称直径（mm以内）50	个	2.00	13.59	27.18	24.50	1.72		
10	13—79	管道支架制作安装　制作　室内管道　一般管架	100kg	2.89	568.93	1644.89	570.58	844.98		
11	13—83	安装　室内管道　一般管架	100kg	2.89	249.40	721.07	307.28	332.17		
12	15—45	金属构件及支架刷漆　防锈漆　第一遍	100kg	2.89	42.66	123.34	29.95	44.78		
13	15—46	金属构件及支架刷漆　防锈漆　第二遍	100kg	2.89	28.73	83.06	21.77	36.72		
14	15—51	金属构件及支架刷漆　银粉漆　第一遍	100kg	2.89	21.77	62.94	21.77	16.60		
15	15—52	金属构件及支架刷漆　银粉漆　第二遍	100kg	2.89	21.21	61.32	21.77	14.98		
16	15—1	钢管刷漆　防锈漆　第一遍	m^2	23.36	5.19	121.23	71.95	46.49		
17	15—2	钢管刷漆　防锈漆　第二遍	m^2	23.35	3.25	75.89	33.86	40.63		

续表

序号	定额编号	子目名称	工程量		价值（元）		其中（元）			
			单位	数量	单价	合价	人工费	材料费	主材费	设备费
18	15—7	钢管刷漆　银粉　第一遍	m^2	23.35	2.84	66.31	45.53	18.91		
19	15—8	钢管刷漆　银粉　第二遍	m^2	23.35	2.25	52.54	33.86	17.28		
20	14—34	水冲洗　公称直径（mm以内）50	100m	1.81	96.31	174.03	143.42	9.96		
	小计									
		合　　计	元			9809.44	2968.83	3708.11	2535.10	

单位工程概预算　　　　**表 4-20**

项目文件：给排水

序号	定额编号	子目名称	工程量		价值（元）		其中（元）			
			单位	数量	单价	合价	人工费	材料费	主材费	设备费
1	1—2	室内低压镀锌钢管（螺纹连接）公称直径（mm以内）20	m	42.30	13.08	553.28	242.80	300.75		
2	1—141	室内柔性排水铸铁管（法兰接口）公称直径（mm以内）50	m	33.00	61.04	2014.32	206.91	1799.16		
3	5—88	排水附件安装　地面扫除口安装　公称直径（mm以内）50	组	4.00	11.13	44.52	9.36	34.80		
4	5—19	洗涤盆安装　单嘴	组	2.00	70.56	141.12	21.08	119.20		
	主材	(2106) 洗涤盆	件	2.02	220.00	444.40			444.40	
5	4—2	低压丝扣阀门　公称直径（mm以内）20	个	1.00	5.68	5.68	3.14	2.40		
	主材	(1901-1) 阀门　公称直径（mm以内）20	个	1.01	40.00	40.40			40.40	
6	13—79	管道支架制作安装　制作　室内管道　一般管架	100kg	1.20	568.93	685.45	237.77	352.11		
7	13—83	安装　室内管道　一般管架	100kg	1.20	249.40	300.48	128.05	138.42		

续表

序号	定额编号	子目名称	工程量		价值（元）		其中（元）			
			单位	数量	单价	合价	人工费	材料费	主材费	设备费
8	15—45	金属构件及支架刷漆 防锈漆 第一遍	100kg	1.20	42.66	51.40	12.48	18.66		
9	15—46	金属构件及支架刷漆 防锈漆 第二遍	100kg	1.20	28.73	34.61	9.07	15.30		
10	15—53	金属构件及支架刷漆 调合漆 第一遍	100kg	1.20	24.01	28.93	9.07	9.61		
11	15—54	金属构件及支架刷漆 调合漆 第二遍	100kg	1.20	23.03	27.75	9.07	8.43		
12	14—34	水冲洗 公称直径（mm以内）50	100m	0.75	96.31	72.52	59.77	4.15		
13	13—1	柔性防水套管制作 公称直径（mm以内）50	个	2.00	154.39	308.78	93.50	159.26		
14	13—26	柔性防水套管安装 公称直径（mm以内）50	个	2.00	13.59	27.18	24.50	1.72		
	小计									
		合 计	元			4780.79	1066.57	2963.97	484.80	

四、工程取费（表4-21、表4-22）

单位工程费用表 **表4-21**

项目名称：采暖

行号	序号	费用名称	取费说明	费率	费用金额
1	一	定额直接费	直接费+主材费合计+设备费合计		9809.44
2		其中：人工费	人工费合计		2968.83
3		材料费	材料费合计		3708.11
4		机械费	机械费合计		597.40
5		主材费	主材费合计		2535.10
6		设备费	设备费合计		
7		暂估价材料费	暂估价材料市场价合计		
8	二	采暖系统调试费	[2]	14	415.64
9		其中：人工费	[8]	78	324.20
10	三	脚手架使用费	[2]	2	59.38
11		其中：人工费	[10]	20	11.88
12	四	现场经费	[13] + [14]		1586.36
13		1.临时设施费	[2] + [9] + [11]	21	694.03

续表

行号	序号	费用名称	取 费 说 明	费 率	费用金额
14		2. 现场经费	[2] + [9] + [11]	27	892.33
15	五	直接费	[1] + [8] + [10] + [12]		11870.82
16	六	企业管理费	[2] + [9] + [11]	47.6	1573.14
17	七	利润	[15] + [16]	7	941.08
18	八	税金	[15] + [16] + [17]	3.4	489.09
19	九	工程造价	[15] + [16] + [17] + [18]		14874.13

单位工程费用表 **表 4-22**

项目名称：给排水

行号	序号	费用名称	取 费 说 明	费 率	费用金额
1	一	定额直接费	直接费+主材费合计+设备费合计		4780.79
2		其中：人工费	人工费合计		1066.57
3		材料费	材料费合计		2963.97
4		机械费	机械费合计		265.45
5		主材费	主材费合计		484.80
6		设备费	设备费合计		
7		暂估价材料费	暂估价材料市场价合计		
8	二	脚手架使用费	[2]	2	21.33
9		其中：人工费	[8]	20	4.27
10	三	现场经费	[11] + [12]		514.01
11		1. 临时设施费	[2] + [9]	21	224.88
12		2. 现场经费	[2] + [9]	27	289.13
13	四	直接费	[1] + [8] + [10]		5316.13
14	五	企业管理费	[2] + [9]	47.6	509.72
15	六	利润	[13] + [14]	7	407.81
16	七	税金	[13] + [14] + [15]	3.4	211.94
17	八	工程造价	[13] + [14] + [15] + [16]		6445.60

第五章　电气安装工程定额使用

第一节　基　础　知　识

一、电工基础知识

1. 电路

电流所经过的路径叫做电路。电路由三个基本部分组成：电源、负载和导线。导线连接电源和负载形成闭合回路，电流通过导线→负载→导线回到电源。

2. 直流电

电流的大小和方向均不随时间变化，电源有固定的正负极。

3. 单相交流电

电流的大小和方向均随时间变化，电源没有固定的正负极，但在某一瞬间，有固定的正负极。

生产中使用的交流电是按照正弦函数规律变化的，也称为正弦交流电。交流电在 1 秒内完成变化的次数，称为交流电的频率，频率的符号为 f，单位是“赫兹”（Hz）。

我国工农业生产及生活用交流电的频率是 50Hz，常称为工频交流电。

单相交流电就是一个交流电。使用单相交流电和使用直流电一样，用两根导线，连接电源和负载。

4. 三相交流电

把三个大小相等、频率相同、初相位相差 120°的单相交流电合在一起，就组成一个三相交流电。

由于初相位相差 120°，在各条导线中流过的电流存在一个时间差，这样就不需要六条导线供电，而只需在发电机内部把三个绕组按一定方式联接起来，用三条或四条导线供电。发电机每个绕组发出的一个交流电叫做三相交流电中的一相，因此实际上，我们所使用的单相交流电，都是三相发电机所提供三相交流电中的一相。

用三条导线供电时，三条导线称为相线，用 L_1、L_2、L_3 表示，两条相线间的电压称为线电压，这种供电方式称为三相三线制。

用四条导线供电时，要增加一条公共导线称为中性线，用 N 表示，每条相线与中性线间的电压称为相电压，线电压是相电压的$\sqrt{3}$倍，平常说的 380V 就是线电压，220V 就是相电压，这种供电方式称为三相四线制。

5. 电力系统

电力系统由发电厂、变电所、电力网和电力用户组成。

发电机发出的电压一般不太高，在 10kV 上下。电力网用来输送和分配电能，简称电网。它由各种电压等级的电力输电线路组成。为了把电能传输到远方，减小电网上的电能损失，和减少导线材料，主干电网的电压很高，为500kV到1000kV。城市附近的电网为增加安全性，电压稍低，为110kV、220kV。电网到达用户供电系统的电压大多为6～10kV，而真正到达用户用电器的电压则多为220/380V的低电压。

变电所是变换电压和分配电能的场所，在城市周围的变（配）电所要把电压降低到10kV，准备把电能送到各个用电户。电力用户是利用电能进行生产和生活的单位的总称。电力用户直接使用的是220/380V的低压电，这就需要用户处有一个10kV/380V的变（配）电所，把电压降低并分配到各条低压配电线路中去，通过低压配电线路把电能送到每一个用电器。

6. 安全用电

为了保证用电安全，防止触电事故的发生，必须采取有效的防护措施。而采用何种防护措施要根据低压供电系统的接地情况来决定。低压供电系统常用的接地方式是TN方式，T表示电源中性点直接接地，N表示用电设备的外露可导电部分，接在系统中性线上。

TN方式是用得最广泛的一种供电系统，根据中性线（N线）和保护导线（PE线）的布置情况，TN方式又分TN-C方式和TN-S方式。

TN-C方式中，保护导线（PE线）和中性线（N线）是同一条导线，称为PEN线。这种供电系统就是平常用的三相四线制。由于PEN线中有中线电流流过，PEN线就有可能因过流发热而造成损坏，一旦PEN线损坏，就失去了保护导线的作用。

TN-S方式中，保护导线与中性线分开，使用两条导线，保护导线称为保护零线（PE线），中性线称为工作零线（N线）。所有用电设备的外露可导电部分均与保护零线（PE线）相接，工作时保护零线（PE线）中没有电流，中线电流从工作零线（N线）中流通，这样就保证了保护零线（PE线）的可靠性。这种系统的安全可靠性高，通常称这种系统为三相五线制。这时使用的金属外壳的单相用电器，都要接三根导线，一根相线（L）、一根零线（N）、一根保护零线（PE），保护零线接电器的金属外壳。房间中的三眼插座，接的就是这三根线。

二、电气设备安装工程定额基础知识

《电气设备安装工程》定额是《全国统一安装工程预算定额》中的第二册，适用于新建、扩建工程中10kV以下电气设备安装工程。全册包含了变压器、配电装置、母线绝缘子、控制设备和低压电器、蓄电池、电机、滑触线装置、电缆、防雷及接地装置、10kV以下架空配电线路、电气调整实验、配管配线、照明器具、电梯电气装置等十五章。配有总说明、册说明、章说明和定额项目表。

1. 总说明

总说明是《全国统一安装工程预算定额》的总体说明，说明了定额的作用、定额的编写依据，并说明定额是按在正常的施工条件下进行施工编写的。

除上述内容外，总说明还涉及以下几个问题：

（1）人工工日消耗量的确定：

①定额中的人工工日不分列工种和技术等级，一律以综合工日表示。内容包括基本用工、超运距用工和人工幅度差。

基本用工包括基本工作、工作准备和结束、辅助工作、不可避免的中断和工人必要的休息。

超运距用工是超过劳动定额规定的材料、半成品运距的用工。

人工幅度差是在正常施工条件下，必须发生的各种零星工序的用工。

②综合工日的单价采用北京市1996年安装工程人工费单价，包括基本工资和工资性津贴。可根据现场情况调整。

（2）材料消耗量的确定：

定额中的材料消耗量包括直接消耗在安装工作内容中的主要材料、辅助材料和零星材料等，并计入了相应损耗。

①主要材料。是指构成工程实体的材料，安装工程中是指安装施工的对象，主要材料可以是设备或施工材料，如变压器安装中的变压器、灯具安装中的灯具、钢管暗敷设中的钢管、铁支架制作安装中的角钢等。主要材料的费用称主材费，安装工程定额给出的是安装费用，定额中大多不包含主材费，而主材费又是工程造价中的主要费用，如果漏计，会造成很大损失。主材费的计取有三种计算方法。

A. 在定额材料表中，没有主要材料的名称，这时要按主要材料的实际使用量计算主材费。但是要注意，如果主要材料不是设备而是施工材料，要根据工程量计算规则中的规定，增加相应的损耗率。这样的定额项目表，见表5-1。

干式变压器安装　　表5-1

定额编号				2-8	2-9	2-10	2-11	2-12	2-13	2-14
项目				容量（kV·A以下）						
				100	250	500	800	1000	2000	2500
名称		单位	单价（元）	数量						
人工	综合工日	工日	23.22	7.520	8.430	11.170	13.250	14.630	17.460	20.950
材料	棉纱头	kg	5.830	0.500	0.500	0.500	0.500	0.500	0.500	0.500
	破布	kg	5.830	—	—	0.100	0.100	0.100	0.100	0.100
	铁砂布0号~2号	张	1.060	—	—	2.000	2.000	2.000	2.000	2.000
	塑料布聚乙烯0.05	m^2	0.500	2.000	2.000	2.000	2.000	2.500	2.500	3.000
	电焊条结422ϕ3.2	kg	5.410	0.300	0.300	0.300	0.300	0.300	0.300	0.300
	汽油70号	kg	2.900	0.300	0.300	0.500	1.000	1.000	1.500	1.500
	镀锌铁丝8号~12号	kg	6.140	0.800	1.000	1.000	1.500	2.000	2.650	2.800
	调和漆	kg	16.720	2.500	2.500	2.500	2.500	3.000	3.000	3.000
	防锈漆C53-1	kg	14.980	0.300	0.300	0.500	0.500	1.000	1.000	1.000
	钢板垫铁	kg	4.120	4.000	4.000	4.000	6.000	6.000	6.500	7.000
	钢锯条	根	0.620	1.000	1.000	1.000	1.000	1.000	1.000	1.000
	电力复合酯一级	kg	20.000	0.050	0.050	0.050	0.050	0.050	0.050	0.050
	镀锌扁钢－40×4	kg	4.300	4.500	4.500	4.500	4.500	4.500	4.500	4.500
	镀锌精制带帽螺栓M20×100以内2平1弹垫	10套	40.690	0.410	0.410	0.410	0.410	0.410	0.410	0.410
机械	汽车式起重机5t	台班	307.620	0.100	0.100	0.120	0.150	—	—	—
	汽车式起重机8t	台班	388.610	—	—	—	—	0.400	0.450	0.500
	载重汽车5t	台班	207.200	0.100	0.100	0.120	0.150	—	—	—
	载重汽车8t	台班	303.440	—	—	—	—	0.220	0.250	0.300
	交流电焊机21kV·A	台班	35.670	0.300	0.300	0.300	0.300	0.300	0.400	0.400

在表中，材料一栏中没有干式变压器这一设备名称。

B. 定额材料表中，有主要材料名称，但没有材料单价，这时在表中有一组带括号的数字，如（116.000），这个数字表示一个定额计量单位所使用的主要材料数量，称为定额含量，要使用定额含量计算主材费。这样的定额项目表，见表 5-2。

管 内 穿 线 **表 5-2**

工作内容：穿引线、扫管、涂滑石粉、穿线、编号、接焊包头。 计量单位：100m 单线

定额编号				2-1169	2-1170	2-1171	2-1172	2-1173
项目				照明线路				
				导线截面（mm^2 以内）				
				铝芯 2.5	铝芯 4	铜芯 1.5	铜芯 2.5	铜芯 4
名称		单位	单价（元）	数量				
人工	综合工日	工日	23.22	·1.000	0.700	0.980	1.000	0.700
材料	绝缘导线	m	—	(116.000)	(110.000)	(116.000)	(116.000)	(110.000)
	钢丝 ϕ1.6	kg	7.670	0.090	0.090	0.090	0.090	0.130
	棉纱头	kg	5.830	0.200	0.200	0.200	0.200	0.200
	铝压接管 ϕ4	个	0.140	16.240	—	—	—	—
	铝压接管 ϕ6	个	0.210	—	7.110	—	—	—
	焊锡	kg	54.100	—	—	0.150	0.200	0.200
	焊锡膏 瓶装 50g	kg	66.600	—	—	0.010	0.010	0.010
	汽油 70 号	kg	2.900	—	—	0.500	0.500	0.500
	塑料胶布带 25mm×10m	卷	10.000	0.250	0.200	0.250	0.250	0.200
	其他材料费	元	1.000	0.199	0.160	0.438	0.519	0.513
基价（元）				30.05	21.76	37.79	41.03	33.86
其中	人工费（元）			23.22	16.25	22.76	23.22	16.25
	材料费（元）			6.83	5.51	15.03	17.81	17.61
	机械费（元）			—	—	—	—	—

在表中，材料一栏中有施工对象绝缘导线的名称，但没有材料单价，后面有（116.000）的数字，表示每个定额计量单位 100m 单线，使用绝缘导线 116.000m，主材费为 116m 绝缘导线的费用。

C. 在定额材料表中，有主要材料名称，也有材料单价，这时主材费已计入定额基价中，不需要再另外计算。在这种定额项目中要注意寻找哪些是施工所使用的主要材料，因为此时的材料名称和定额施工项目名称可能不同，见表 5-3。

穿通板制作、安装 **表 5-3**

定额编号				2-352	2-353
项目				石棉水泥板（m^2）	塑料板
名称		单位	单价（元）	数量	
人工	综合工日	工日	23.22	2.240	1.650
材料	普通钢板 δ2.0～2.5	kg	3.850	—	—
	清油	kg	17.440	—	—
	角钢（综合）	kg	3.030	8.000	8.000

续表

定额编号			2-352	2-353
项目			石棉水泥板（m^2）	塑料板
名称	单位	单价（元）	数量	
材料 镀锌扁钢 －25×4	kg	4.300	1.580	1.580
镀锌精制带帽螺栓 M10×100 以内 2 平 1 弹垫	10 套	8.190	0.820	0.820
石棉水泥板 δ10	张	63.500	0.310	—
塑料板	kg	7.000	—	5.220
机械 交流电焊机 21kV·A	台班	35.670	0.150	0.150
立式钻床 ϕ25	台班	24.960	—	0.030

本定额项目的施工对象是制作穿通板的材料，如 2-353 塑料板穿通板制作安装一项，使用材料是塑料板，在材料表中有塑料板，单价 7 元，用量 5.220kg，此时，基价 125.93 元中已含有主要材料塑料板的费用，不需要再另行计算。

②辅助材料。是指工程施工中所必须使用的少量材料，如安装变压器时要使用固定螺栓、电焊条、钢板垫板等材料。这些材料都列在定额材料表中，构成定额基价中的材料费。

③零星材料。是指工程施工中用量极少、对基价影响很小的材料。零星材料费用可以根据工程情况合并为定额材料表中的一项其他材料费，计入材料费中。

④材料单价。采用的是北京市 1996 年材料预算价格。

⑤发生材料损耗的范围。是从工地仓库、现场集中堆放地点或现场加工地点到操作安装地点，也就是工程施工的现场范围内，在现场外发生损耗则要另行计算，如从火车站运到现场途中发生破损，要另行计算。

⑥材料损耗。是以下三种情况下发生的正常损耗：现场运输中、施工操作中和施工现场堆放中。如运输中的遗撒，施工操作中的加工长度损耗，施工现场堆放中的日晒雨淋等造成的不可避免的损耗。

(3) 定额中注有“×××以内”或“×××以下”者均包括×××本身；“×××以外”或“×××以上”者，则不包括×××本身。

如规定操作物高度离楼地面 5m 以上的要增加“工程超高增加费”。有一个灯具安装高度 5m 不增加“工程超高增加费”，“5m 以上”者，不包括 5m 本身。

2. 册说明

册说明是第二册《电气设备安装工程》册的说明。

(1) 本定额不适用 10kV 以上电气设备安装，及专业专用项目的电气设备安装；也不适用电气设备（如电动机等）配合机械设备进行单体试运转和联合试运转工作。

(2) 定额中的工作内容除各章节已说明的工序外，还包括：施工准备，设备器材、器具的场内搬运，开箱检查，安装，调整试验，收尾，清理，配合质量检验，工种间交叉配合，临时移动水、电源的停歇时间。

(3) 关于定额以外计取各项费用的规定如下：

①脚手架搭拆费。按人工费的 4%计算，其中人工工资占 4%的 25%，计入定额人工

费。10kV 以下架空线路不计取脚手架搭拆费。

②工程超高增加费。操作物高度离楼地面 5m 以上、20m 以下的电气安装工程，按超高部分人工费的 33%计算。这里操作物高度是指操作点距本层地面的高度，而不是通常图上标的安装高度。如一厂房高度 5.1m，安装管吊灯，安装高度 4.5m，吊杆长度 0.6m，操作点在楼顶板处，距本层地面的高度 5.1m，超过规定的 5m，要计算工程超高增加费。已考虑了超高因素的定额项目不再计取工程超高增加费。

③高层建筑增加费：高度在 6 层或 20m 以上的建筑为高层建筑，按表中的费率计算高层建筑增加费，全部为人工工资。但为高层建筑供电的变电所和供水等的动力工程，如装在高层建筑的底层或地下室的，均不计取高层建筑增加费。装在 6 层以上的变配电工程和动力工程则同样计取高层建筑增加费。

④安装与生产同时进行时，安装工程的总人工费增加 10%，全部为因降效而增加的人工费。

⑤在有害人身健康的环境中（包括高温、多尘、噪声超过标准和有害气体等有害环境）施工时，安装工程的总人工费增加 10%，全部为因降效而增加的人工费。

3. 定额项目表

《电气设备安装工程》定额分成十四章，每章按安装施工的设备材料分为若干节，每节又以设备材料的种类、规格分成若干细目，称为定额子目，定额子目以列表形式给出。

下面以表 5-4 管内穿线，来说明定额项目表的内容。

管 内 穿 线 **表 5-4**

工作内容：穿引线、扫管、涂滑石粉、穿线、编号、接焊包头。 计量单位：100m 单线

定额编号				2-1169	2-1170	2-1171	2-1172	2-1173
项目				照明线路				
				导线截面（mm^2 以内）				
				铝芯 2.5	铝芯 4	铜芯 1.5	铜芯 2.5	铜芯 4
	名称	单位	单价（元）	数量				
人工	综合工日	工日	23.22	1.000	0.700	0.980	1.000	0.700
材料	绝缘导线	m	—	(116.000)	(110.000)	(116.000)	(116.000)	(110.000)
	钢丝 ϕ1.6	kg	7.670	0.090	0.090	0.090	0.090	0.130
	棉纱头	kg	5.830	0.200	0.200	0.200	0.200	0.200
	铝压接管 ϕ4	个	0.140	16.240	—	—	—	—
	铝压接管 ϕ6	个	0.210	—	7.110	—	—	—
	焊锡	kg	54.100	—	—	0.150	0.200	0.200
	焊锡膏 瓶装 50g	kg	66.600	—	—	0.010	0.010	0.010
	汽油 70 号	kg	2.900	—	—	0.500	0.500	0.500
	塑料胶布带 25mm × 10m	卷	10.000	0.250	0.200	0.250	0.250	0.200
	其他材料费	元	1.000	0.199	0.160	0.438	0.519	0.513
基价（元）				30.05	21.76	37.79	41.03	33.86
其中	人工费（元）			23.22	16.25	22.76	23.22	16.25
	材料费（元）			6.83	5.51	15.03	17.81	17.61
	机械费（元）			—	—	—	—	—

（1）本表为第七节管内穿线工程的定额。工程的工作内容为：穿引线、扫管、涂滑石粉、穿线、编号、接焊包头，这些内容都是按施工工艺要求编写的。

表右上角为定额计量单位：100m 单线，要注意定额计量单位与主要材料的计量单位的区别，表中主要材料是绝缘导线，材料计量单位是 m，定额基价 21.76 元是 100m 导线施工的费用，折合每米导线的施工费用才 0.22 元，每米的施工费用太低，定额则以 100m 为一个计量单位，这样施工费用便于列表计算。

（2）表格第一行为定额编号，2-1169 表示此项为第二册中第 1169 个定额子目。

全国定额的定额子目按册统一编号，第二册为 2-×××，第三册为 3-×××。在编制预算时必须写清定额编号。

（3）表格第二行为定额项目名称。

每个定额子目的划分方法都由项目名称说明，如表中管内穿线定额子目分为照明线路和动力线路，本表为照明线路。定额子目按导线截面积（mm^2 以内）划分，由于有铝芯导线和铜芯导线，还要按导线材料划分，这样就有铝芯 $2.5mm^2$ 以内、$4mm^2$ 以内，铜芯 $1.5mm^2$、$2.5mm^2$、$4mm^2$ 以内这些定额子目。定额子目中的规格都是规定“××以内”，如这里铝芯 $2.5mm^2$ 以内，如果是 $2.5mm^2$ 铝芯导线执行本项定额，如果是 $1.5mm^2$ 铝芯导线也执行本项定额。

（4）表格的中间部分是人工、材料、机械消耗的细目表。

第一部分是人工，以综合工日计算，单位是工日，人工单价是 23.22 元，后面是每个定额子目的用工数量。用工数量乘以人工单价就是表格中的人工费的数量。

第二部分是材料表，表中列出本项施工所需要的材料，本例中材料表中有管内穿线工程的主要材料绝缘导线的名称、单位，但没有单价，数量栏中有定额含量，可以利用定额含量乘上材料价格计算主材费。除了主要材料外，材料表中都是辅助材料，这些材料有单位、单价，数量表中有材料用量，这些材料的费用构成定额中的材料费。材料表中的其他材料费，是指用量很少的零星材料，也计入定额材料费。

第三部分应为机械台班费，本工程中不使用机械，所以没有此项，可以参见表 5-1，表 5-1 中，机械台班中有汽车起重机、载重汽车、交流电焊机，有台班单价和用量，计算出的费用计入定额机械费。

使用定额时要注意，材料表和机械表中的每一项，并不是每个定额子目都用到，有数量的一项子目才用到此项材料。此外，如果只是进行预算工作，只需要注意材料表中的主要材料项，因为这与计算主材费有关，而其他材料和机械的费用只有发生价格变更时才会用到。

（5）表中最后是基价，基价中包括人工费、材料费和机械费。基价加上另外需计算的主材费，就构成了定额直接费。基价是编制预算时必须要使用的。表中还列出了基价中人工费、材料费和机械费的细目，其中人工费必须单独统计，因定额人工费是安装工程预算取费的基数。

第二节　变配电工程定额

一、变配电工程的工程内容

变配电工程是变配电所内的设备安装工程，内容包括：变压器安装、高压配电装置安装、低压配电装置安装和母线安装。

（一）变压器安装

电力变压器大多是三相变压器，小容量的和超大容量的电力变压器也有单相的。由于电力变压器容量较大，工作温度较高，因此要采用不同的结构方式加强散热，常用的有油浸式和干式两大类。

1. 油浸式变压器

油浸式变压器，把绕组和铁芯整个浸泡在油中，用油作为介质散热。为了防火，油浸式变压器要放在专门的变压器室内，小型变压器一般直接放在地坪上，容量较大的变压器考虑散热要求，一般要架高0.8～1m，放在基础轨梁上并加以固定。

油浸式变压器安装主要包括以下工作内容：

变压器外观检查、变压器吊芯检查、变压器二次搬运、变压器稳装、附件安装、送电前检查、送电运行验收。

2. 干式变压器

干式变压器，把绕组和铁芯置于空气中，为了使铁芯和绕组结构更稳固，采用环氧树脂浇注。干式变压器造价比油浸式变压器高，一般用于有防火要求的场所，建筑物内的变配电所要求使用干式变压器。

3. 变压器型号

变压器的型号用汉语拼音和数字表示，其排列顺序如下：

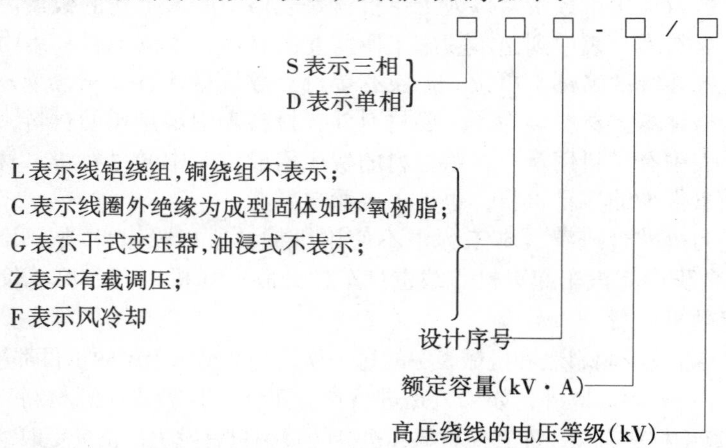

例如S_9-630/10表示油浸自冷式三相铜线绕制变压器，高压侧的额定电压为10kV，额定容量为630kV·A。

（二）高压配电装置安装

高压配电装置包括各种高压开关、高压熔断器、避雷器、互感器、高压配电柜安装。

在建筑电气设备安装工程中，一般不作单个电器的安装，系统中的电器都由专业厂家事先安装在配电柜中，在现场进行配电柜整体安装。配电柜整体安装在地面上准备好的型钢基础上。

高压配电柜分为固定式和手车式。固定式高压配电柜的全部电气设备均固定在柜内。手车式高压配电柜的断路器及其操动机构装在可以从柜内拉出的小车上，便于检修和更换。

（三）低压配电装置安装

低压配电装置安装的内容与高压配电装置安装基本相同，只是几何尺寸小许多。低压电器都安装在低压开关柜上，在现场进行低压开关柜整体安装。开关柜整体安装在地面上准备好的型钢基础上，在型钢基础下面是电缆沟。

（四）母线安装

母线是变配电室室中设备连接的主干导线，分为软母线和硬母线。

软母线就是多股铝绞合线，为了改善其电磁特性，变配电工程中使用的软母线要用钢丝或金属蛇皮管加在线芯中央扩大导线直径，称为扩径导线。软母线主要用于大跨度空间的母线架设。

变配电室中用的更多的是硬母线，硬母线按材质分为铜母线、铝母线和钢母线；按截面形状分为矩形母线、槽形母线、环形母线和超大截面的重型母线。一般小容量变配电室常用的是铜或铝质的矩形母线（也称为带形母线）。矩形铜母线的型号为 TMY，铝母线的型号为 LMY，型号中 T 表示铜，L 表示铝，M 表示母线，Y 表示硬。矩形母线的截面从 $15 \times 3mm^2$ 到 $120 \times 10mm^2$。由于低压配电柜的厚度只有 600mm，矩形母线为裸导线，各相母线之间要有足够的间距，因此矩形母线的宽度不能过宽，厚度也不能过厚，否则不易加工，当需要增大母线截面时，采用每相两根母线叠放的方式。

带形母线是裸导线的要固定在支架上的绝缘子上，母线支持点的间隔不大于 1m。

（五）变配电工程图中的图形符号

变配电工程图中的图形符号见表 5-5。

变配电工程图中的图形符号 **表 5-5**

序号	名称	图形符号	文字符号	序号	名称	图形符号	文字符号
1	双线圈变压器	或	T 或 TM	6	电压互感器	或	TV
2	单级开关		Q	7	熔断器		F，FU
3	断路器		QF，QA	8	跌开式熔断器		F、FU
4	负荷开关		Q	9	电流互感器	或	TA
5	隔离开关		QS	10	避雷器		FV 或 F

二、定额内容及工程量计算规则

在全国统一定额中，与变配电工程相关的定额有三章内容，第一章变压器，第二章配电装置，第三章母线绝缘子。

（一）变压器

全国统一定额第一章变压器包括：油浸电力变压器安装、干式变压器安装、消弧线圈安装、电力变压器干燥、变压器油过滤等5节共30个子目。

1. 变压器安装

（1）油浸电力变压器安装、干式变压器安装、消弧线圈安装，按变压器、消弧线圈的容量（kV·A以下）划分定额子目，以“台”为定额计量单位。

（2）自耦式变压器、带负荷调压变压器、电炉变压器、整流变压器及并联电抗器由于都是含油结构，均套用相同容量的油浸电力变压器安装定额子目。由于结构不同，安装电炉变压器时，按同容量电力变压器定额乘以系数2.0，安装整流变压器时执行同容量电力变压器定额乘以系数1.6。

（3）油浸电力变压器安装定额的工作内容中有器身检查，4000kV·A以下变压器器身检查是按吊芯检查考虑，就是把变压器器身从油箱中吊出，4000kV·A以上变压器是按吊钟罩考虑，就是把变压器油箱外壳吊起，如果4000kV·A以上的变压器需吊芯检查时，定额中机械费要乘以系数2.0。

（4）安装干式电力变压器时，如果带有保护外罩，定额中的人工费和机械费要乘以系数1.2，同时要计算变压器保护罩主材费。

2. 变压器干燥

（1）电力变压器干燥按变压器的容量（kV·A以下）划分定额子目，以“台”为定额计量单位。

（2）整流变压器、消弧线圈、并联电抗器、电炉变压器等的干燥，执行同容量电力变压器干燥定额，其中电炉变压器干燥要乘以系数2.0。变压器是否需要干燥，要经过试验，判定受潮时才能决定，编制施工图预算时可以先列出干燥一项，待工程结算时，根据实际情况再作处理，如不需干燥，则扣除此项费用。

3. 绝缘油过滤

（1）绝缘油过滤以“t”为定额计量单位。

（2）变压器油是按设备自带考虑的，在施工中变压器油的过滤损耗和操作损耗已包括在有关定额中。变压器安装过程中放、注油，油过滤所使用的油罐，已摊入油过滤定额中。

（3）变压器油过滤，不论过滤多少次，直到过滤合格为止。如果含油设备的绝缘油需要过滤时，按制造厂提供的设备充油量计算。

计算公式：油过滤数量（t）= 设备油重（t）×（1 + 损耗率）

4. 变压器一章定额不包括下列工作内容：

（1）变压器干燥棚的搭拆工作。变压器的干燥工作一般在变压器室外进行，要临时搭建棚屋遮挡。

（2）变压器铁梯及母线铁构件的制作、安装。大型变压器进行安装和维修时为了方便攀登，要制作安装铁扶梯。母线在设备间架空敷设时要制作、安装铁支架。

(3) 端子箱、控制箱的制作、安装。大型变压器要安装瓦斯继电器和温度继电器，进行接线时需要安装端子箱或控制箱。

(4) 二次喷漆工作。变压器有时需要重新喷漆。

如果施工中有上述工作内容，要另行计算工程量。

(二) 配电装置

全国统一定额第二章配电装置包括：油断路器安装、真空断路器安装、SF_6 断路器安装、大型空气断路器安装、真空接触器安装、隔离开关安装、负荷开关安装、互感器安装、熔断器安装、避雷器安装、电抗器安装、电抗器干燥、电力电容器安装、并联补偿电容器组架安装、交流滤波装置安装、高压成套配电柜和组合型成套箱式变电站安装等 12 节共 75 个子目。

1. 高压开关装置

(1) 各种断路器、隔离开关、负荷开关、互感器、熔断器、避雷器、电抗器、电力电容器的安装定额，均是这些电器装置单独安装时使用，如果安装的是成套配电柜，则不再执行这些电器装置的安装定额。

(2) 配电装置定额中，可以单个安装的设备，均以“台（个）”为计量单位，如断路器、油浸电抗器、电力电容器的安装。互感器按单相考虑，可以三相上都安装，也可以只在其中一相或两相上安装，因此也以“台（个）”为计量单位。

(3) 熔断器、避雷器、干式电抗器必须三相同时安装，因此以“组”为计量单位，每组按三台计算。

(4) 绝缘油、六氟化硫气体、液压油等均按设备带有考虑。

2. 成套配电柜

(1) 高压成套配电柜安装定额系综合考虑的，不分容量大小，也不包括母线配制。以“台”为计量单位。

(2) 高压成套配电柜分为单母线柜和双母线柜，定额按配电柜内所安装的设备划分定额子目，分为断路器柜、互感器柜、电容器柜、其他柜和母线桥。

(3) 组合型成套箱式变电站安装定额，分为带高压开关柜和不带高压开关柜两类，按变压器容量（kV·A 以下）划分定额子目。

3. 配电装置一章不包括下列工作内容：

(1) 端子箱安装及端子板外部接线。

(2) 设备支架、抱箍、延长轴、轴套、间隔板、加压设备和附属管道的制作及安装。

(3) 绝缘油过滤。

(4) 基础槽（角）钢安装。

(5) 设备安装用的地脚螺栓按土建预埋考虑，但不包括二次灌浆。

这些工作内容应按其他章相应定额另行计算。

(三) 母线及绝缘子

全国统一定额第三章母线、绝缘子包括：绝缘子安装、穿墙套管安装、软母线安装、软母线引下线、跳线及设备连线、组合软母线安装、带形母线安装、带形母线引下线安装、带形母线用伸缩接头及铜过渡板安装、槽型母线安装、槽型母线与设备连线、共箱母线安装、重型母线安装、重型母线伸缩器及导板制作、安装、重型铝母线接触面加工、低压封闭式插接母线槽安装等15节共128个子目。

1. 软母线

(1) 软母线安装，指直接由耐张绝缘子串悬挂部分，按软母线截面（mm^2以内）划分定额子目，以"跨/三相"为计量单位。设计跨距不同时不得调整。

(2) 软母线安装是按单串绝缘子考虑的，如设计为双串绝缘子，其定额人工乘以系数1.08。

(3) 软母线安装在终端、跳线、引下线处要按定额规定增加预留长度。

(4) 导线、绝缘子、线夹、弛度调节金具等，均按施工图设计用量加预留长度和定额规定的损耗率计算。

2. 带形母线

(1) 带形母线安装及带形母线引下线安装按材质分为铜母线和铝母线，按每相母线片数和母线截面（mm^2以下）划分定额子目，以"10m/单相"为计量单位。为了增大母线截面积，在不能增加单片母线几何尺寸的情况下，采用多片母线叠装的方式，因此有每相一片，每相两片之分。

(2) 钢带形母线安装，按同规格的铜母线定额执行，不得换算。

(3) 带形母线伸缩节头和铜过渡板均按成品考虑，按每相片数划分定额子目，以"个"为计量单位。

(4) 母线和固定母线的金具均按设计量加预留长度和损耗率计算。

3. 低压封闭式插接母线槽

(1) 低压（指380V以下）封闭式插接母线槽和分线箱安装，分别按每相导体的额定电流（A以下）划分定额子目，以"10m"为计量单位。

(2) 母线槽安装长度按设计母线的轴线长度计算。

(3) 封闭式插接母线槽在竖井内安装时，人工和机械乘以系数2.0。

(4) 带形母线安装不包括支持绝缘子安装和钢构件配置安装，其工程量应分别按设计成品数量执行本册相应定额。

4. 绝缘子

(1) 悬式绝缘子串安装，指垂直或V型安装的提挂导线、跳线、引下线、设备连接线或设备等所用的绝缘子串安装，耐张绝缘子串的安装，已包括在软母线安装定额内。

(2) 支持绝缘子安装分别按安装在户内、户外、单孔、双孔、四孔固定划分定额子目，以"10个"为计量单位。

(3) 穿墙套管安装不分水平、垂直方式，以"个"为计量单位。

这三章定额中的各个项目均不包含主材。需另计主材费。

三、变配电工程定额应用举例

下面以某变配电工程为例，说明如何使用定额计算定额直接费。变配电工程平面图如图5-1所示。

1. 计算定额直接费的步骤

计算定额直接费的工作分两步做，首先分析工程图，统计图中示出的工程量，并列出

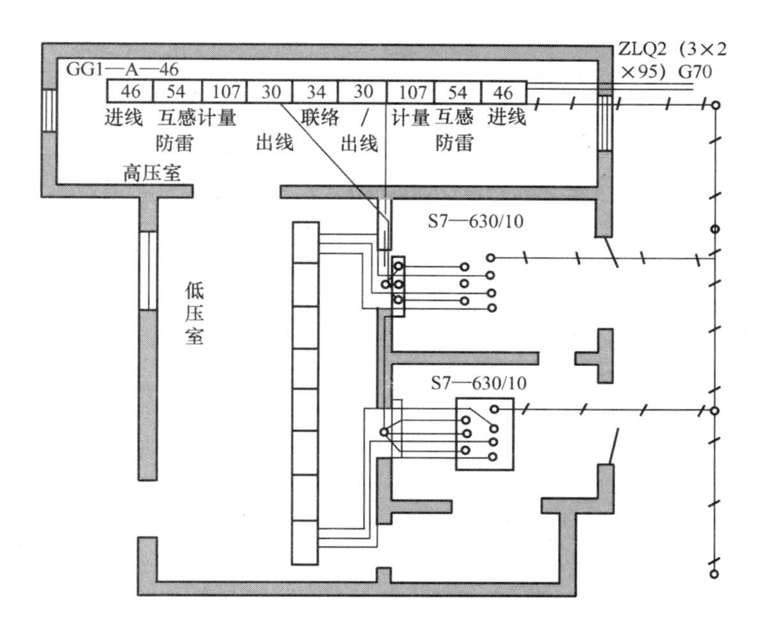

图 5-1 变配电工程平面图

工程量统计表，第二步对照定额工程项目统计并计算出定额直接费。由于定额工程项目与工程图中的工程项目并不是一一对应，在统计工程量时，不要考虑定额工程项目，只根据图面显示的内容及工程说明的内容统计工程量。

2. 长度尺寸的确定

在统计工程量时，涉及长度尺寸的问题，《工程量计算规则》中规定：本规则的计算尺寸，以设计图纸表示的或设计图纸能读出的尺寸为准。这里所说以图纸表示的尺寸，是指根据图纸的比例尺，用直尺量出并计算出的尺寸。在测量时，以定位轴线为起点，较大的图形符号以图形中心点为终点，沿设计图线进行测量。设计图纸能读出的尺寸是指定位轴线标注尺寸直接读出的尺寸，由于电气线路都是画在墙轮廓线外，在计算尺寸时，以轴线尺寸为准。能从轴线尺寸读出的尺寸直接使用，不能读出的部分再测量计算得出。

3. 工程量的计量单位

工程量的计量单位应按下列规定计算：

以体积计算的为立方米，以面积计算的为平方米，以长度计算的为米，以重量计算的为吨。汇总工程量时立方米、平方米、米以下取两位小数，吨以下取三位小数，两位或三位小数后的位数按四舍五入取舍。

4. 图纸分析

从图上可以看到，本工程为双路供电，一路为正常供电，另一路为备用，在两间变压器室内装有两台变压器。在高压室中有九台高压柜，其中两台进线柜和两台出线柜中装有油断路器，两台互感防雷柜中装有电压互感器和避雷器，在低压室中有八台低压屏，其中七台低压配电屏、一台电容器屏。高低压母线均采用 250mm^2 带形铜母线。母线穿过墙壁时要使用穿通板，高压母线要使用穿墙套管。

（一）工程量统计表

图 5-1 所示工程的工程量统计见表 5-6。

工程量统计表　　表5-6

序号	工程项目	单位	计算公式	数量
1	油浸电力变压器安装 S_7-630/10	台		2.00
2	高压成套配电柜安装	台		9.00
3	低压开关柜	台		8.00
4	高压带形铜母线安装 250mm²	m	[3.7+4.6+1.75+1.8+2.1+1.75+(1.2×9)]×3	79.50
5	低压带形铜母线安装 250mm²	m	(0.9×8+1.3+1+2.6+1.3+2.1+2.6)×3	54.30
6	高压支持绝缘子安装1孔	个	(2×9+11)×3	87.00
7	低压支持绝缘子安装1孔	个	(2×8+7)×3	69.00
8	高压穿通板制作安装	块		4.00
9	低压穿通板制作安装	块		2.00
10	高压穿墙套管安装	个	3×4	12.00

工程量统计过程如下：

①S7-630/10型油浸变压器安装，2台。

②高压成套配电柜安装，9台。

③低压开关柜安装，8台。

④高压带形铜母线安装。高压母线需要从图上量出长度，由于没有母线的详细结构图，这里只测量母线的水平尺寸，说明定额的使用方法。统计表中的计算公式一栏，就是要把所有的数字来源表示清楚。高压柜顶上的母线按柜的全长计算，高压柜的尺寸是长1.2m×宽1.2m×高3m，9个柜子总长为1.2×9=10.8m。由于图上没有标注尺寸，为了方便计算按1:100的比例测量。先量从图左边出线柜（30）引出的母线，斜线段为3.7m，直线段量到下边变压器左侧的圆圈中心，长度为4.6m，向右接到变压器高压套管的三条母线应是等长的，只测量中间一条，从圆心量到圆心，长度为1.75m，三段相加为3.7+4.6+1.75=10.05m。另一条高压母线从图右边出线柜（30）引出，斜线段量到墙边为1.8m，直线段量到上部变压器左侧的圆圈中心，长度为2.1m，向右接到变压器的母线应与到下边变压器的线段等长，为1.75m，三段相加为1.8+2.1+1.75=5.65m，高压母线的总长度为（10.8+10.05+5.65）×3=79.5m，乘3是三相母线的总长。

⑤低压母线安装。同样只测量母线的水平尺寸，低压屏顶上的母线按屏的全长计算，低压屏的宽度一般为0.9m，8台配电屏长度为0.9×8=7.2m，从低压柜引出的母线一组为3条，只测量中间一条，上部三段长度为1.3+1+2.6=4.9m，从低压屏中心线量起，下部三段长度为1.3+2.1+2.6=6m，低压母线总长为（7.2+4.9+6）×3=54.3m。

⑥高压支持绝缘子安装。为了便于计算按每台柜上2组，架空每10m母线使用7组绝缘子计算，使用户内一孔绝缘子。9台柜为18组绝缘子，架空母线长度为10.05+5.65=15.7m，15.7/10×7=11组绝缘子，绝缘子3个为一组，共为3×（11+18）=87个高压支持绝缘子。

⑦低压支持绝缘子安装。算法同上。8台配电屏为16组绝缘子，架空长度为4.9+6=10.9m，算7组，共为3×（16+7）=69个低压支持绝缘子。这里不计算绝缘子铁支架的工程量，实际工作中按设计图计算。

⑧高压穿通板制作安装。高压母线从高压室到变压器室，每路母线要穿两道墙，需要在墙上开洞装穿通板，在上面安装高压穿墙套管。共需制作安装四块高压穿通板，制作要使用角钢和钢板。

⑨低压穿通板制作安装。低压母线从低压室进入变压器室，也要在墙上开洞装穿通板，但使用的是角钢和石棉水泥板或塑料板、电木板。两路母线需制作两块。

⑩高压穿墙套管安装。每组3个，共4组12个。

（二）套定额计算定额直接费

工程量统计完后，就可以根据定额计算定额直接费。统计工程量时是根据图纸上的工程项目分项统计，套用定额则是按照定额编号顺序，一项一项与工程量统计表中的项目对照，看有哪些项目需要计算。在计算安装费的同时，还要注意定额中是否包含主材费，如不包含，还需要计算主材费。由于安装工程的取费基数是人工费，在计算定额直接费时，定额人工费要单独计算。在使用定额时要注意，定额项目表右上角的单位是定额计量单位，这个计量单位有时与材料的计量单位不同。另外，工程项目要用定额上规定的定额工程项目名称，有时与习惯的工程名称不完全相同。

定额直接费计算见表5-7。

定额直接费计算表 **表5-7**

序号	定额编号	定额工程项目	单位	单价	计算公式	数量	合价	人工费
1	2-3	油浸电力变压器安装10kV/容量1000kV·A以下	台	1064.54		2.000	2129.08	941.34
2	主材费	S_7-630/10油浸电力变压器	台	55489.00		2.000	110978.00	
3	2-25	电力变压器干燥10kV/容量1000kV·A以下	台	1346.14		2.000	2692.28	912.08
4	补	干燥棚搭拆	座	1700.00		1.000	1700.00	510.00
5	2-30	变压器油过滤	t	626.14	0.6×2×（1+1.8%）	1.222	765.14	95.90
6	2-92	高压成套配电柜安装单母线断路器柜	台	298.28		4.000	1193.12	789.48
7	主材费	高压成套断路器柜	台	21740.00		4.000	86960.00	
8	2-93	高压成套配电柜安装单母线互感器柜	台	237.23		2.000	474.46	314.86
9	主材费	高压成套互感器柜	台	19700.00		2.000	39400.00	
10	2-94	高压成套配电柜安装单母线其他柜	台	173.41		3.000	520.23	283.53
11	主材费	高压成套其他柜	台	18500.00		3.000	55500.00	
12	2-108	绝缘子安装10kV以下户内式支持绝缘子1孔	10个	99.19	（87+69）/10	15.600	1547.36	307.94

续表

序号	定额编号	定额工程项目	单位	单价	计算公式	数量	合价	人工费
13	主材费	高压支持绝缘子	个	17.00	87×(1+2%)	88.740	1508.58	
14	主材费	低压支持绝缘子	个	15.00	69×(1+2%)	70.380	1055.70	
15	2-114	穿墙套管安装电压10kV以下	个	32.48		12.000	389.76	80.76
16	主材费	高压穿墙套管	个	320.00		12.000	3840.00	
17	2-127	带形铜母线安装每相一片截面360mm^{2}以下	10m/单相	196.33	(79.5+54.3)/10	13.380	2626.90	568.52
18	主材费	带形铜母线250mm^2	m	100.00	(79.5+54.3)×(1+2.3%)	136.880	13688.00	
19	主材费	母线金具	套	20.00	13.38×7×(1+2%)	95.530	1910.60	
20	2-240	低压开关柜安装	台	273.57		7.000	1914.99	768.81
21	主材费	低压开关柜	台	15235.00		7.000	106645.00	
22	2-251	低压电容器柜安装	台	164.98		1.000	164.98	73.38
23	主材费	低压电容器柜	台	19628.00		1.000	19628.00	
24	2-353	穿通板制作、安装塑料板	块	125.93		2.000	251.86	76.62
25	2-355	穿通板制作、安装钢板	块	148.47		4.000	593.88	164.40
26		合　计					358122.52	5984.68

本例定额直接费计算表中，计算定额直接费的数额。表中单价即为定额表中的基价，除计算每项的合计外，还要计算其中人工费的数额，为将来取费做准备。后面的例题只计算数量，不再计算价格。

①定额编号2-3，油浸电力变压器安装10kV/容量1000kV·A以下，2台。安装的变压器是630kV·A，套用定额时使用1000kV·A以下子目。

②主材费。S7-630/10油浸变压器，2台。注意不要忘记计算主材费。

③定额编号2-25，电力变压器干燥10kV/容量1000kV·A以下，2台。《工程量计算规则》中规定，变压器通过试验，制定绝缘受潮时才需要进行干燥，所以只有需要干燥的变压器才能计取此项费用，但编制预算时不知是否需要干燥，可以先列此项，到工程结算时根据实际情况再作处理，没有发生可以扣除。

④干燥棚搭拆。定额中没有包含干燥棚搭拆的费用，这里需要计取的干燥棚搭拆费，可以根据其他相关规定计取，作为补充定额。

⑤定额编号2-30，变压器油过滤。油变压器干燥时要把油放出，在注回油箱时，要先进行过滤，变压器油重约0.6t，按计算公式：油过滤数量（t）=设备油重（t）×（1+损耗率）=0.6×2×（1+1.8%）=1.222t。公式中1.8%是定额主要材料损耗率表中油的损耗率。

以上5项都是工程量统计表中油浸电力变压器安装工程一项相关的定额工程项目。

⑥定额编号2-92，高压成套配电柜安装单母线断路器柜，4台。图上有9台高压柜，定额中高压柜安装分3个子目，按柜内设备类型分别使用。一般供电系统均为单母线柜。

⑦主材费。高压成套断路器柜，4台。

⑧定额编号2-93，高压成套配电柜安装单母线互感器柜，2台。

⑨主材费。高压成套互感器柜，2台。

⑩定额编号2-94，高压成套配电柜安装单母线其他柜安装，3台。

⑪主材费。高压成套其他柜，3台。

⑫定额编号2-108，绝缘子安装10kV以下户内式支持绝缘子1孔，87+69=156个。注意，绝缘子安装定额计量单位是10个，因此定额数量为156/10=15.6。

⑬主材费。高压支持绝缘子，88.74个。87×（1+2%）=88.74个。其中2%是定额主要材料损耗率表中绝缘子类的损耗率。

⑭主材费。低压支持绝缘子，70.38个。69×（1+2%）=70.38个。

⑮定额编号2-114，穿墙套管安装电压10kV以下，12个。

⑯主材费。高压穿墙套管，12个。

⑰定额编号2-127，带形铜母线安装每相一片截面$360mm^2$以下，定额计量单位是10m/单相，定额数量为（79.5+54.3）/10=13.38。

⑱主材费。带形铜母线截面$250mm^2$。母线长度为（79.5+54.3）×（1+损耗率）=133.8×（1+2.3%）=136.88m。

⑲主材费。母线金具。母线金具数量为每10m母线7套，还要考虑损耗率，金具数量为13.38×7×（1+损耗率）=93.66×（1+2%）=95.53套。这里要注意，带形母线安装的主材为两项，母线和金具，在定额项目表下有注明。

⑳定额编号2-240，低压开关柜安装，7台。低压开关柜定额不在前三章中，在第四章中。

㉑主材费。低压开关柜，7台。

㉒定额编号2-251，低压电容器柜安装，1台。见定额第四章。

㉓主材费。低压电容器柜，1台。

㉔定额编号2-353，穿通板制作、安装塑料板，2块。

㉕定额编号2-355，穿通板制作、安装钢板，4块。穿通板制作安装定额中包含主材角钢、钢板、塑料板的费用，不需另计主材费。

第三节　外线工程定额

一、外线工程的工程内容

外线工程是建筑物外墙以外的线路敷设工程，由架空电力线路工程和电缆电力线路工程组成。

（一）架空电力线路工程

1.架空电力线路主要由电杆、导线、横担、金具、绝缘子和拉线等组成，如图5-2

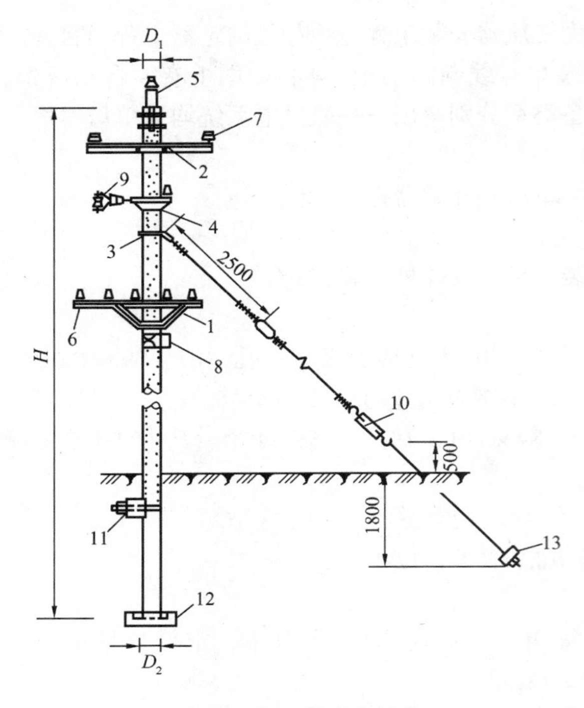

图 5-2 架空线路的结构

1—低压五线横担及角戗；2—高压二线横担；3—拉线抱箍；4—双横担；5—高压杆顶支座；6—低压针式绝缘子；7—高压针式绝缘子；8—蝶式绝缘子；9—悬式绝缘子和高压蝶式绝缘子；10—花篮螺栓；11—卡盘；12—底盘；13—拉线盘

所示。

2. 架空线路施工包括：定位挖坑、立杆、组横担、做拉线、放线、架线、紧线和绑线等工程内容。

①定位挖坑　首先根据设计图纸确定线路走向，确定电杆的位置。两杆之间间距：低压杆 40 ~ 60m，高压杆 50 ~ 100m，在一个直线段内，各电杆间距尽量相等。

不设卡盘和底盘的电杆的杆坑，可以挖成圆形。有卡盘和底盘的电杆的杆坑，可以挖成梯形坑。

②立杆　架空线路常用水泥电杆。电杆按其在线路中的作用和地位，可分为六种结构形式：直线杆、耐张杆、转角杆、终端杆、分支杆和跨越杆。不同结构形式的电杆，杆上安装的横担和绝缘子不同。立杆的方法有许多种，常用汽车起重机立杆。

③组横担　组横担是把横担安装在电杆上，并在横担上装好所需的绝缘子。

水泥电杆上的横担采用镀锌角钢横担。直线杆上安装单横担，耐张杆和终端杆上安装两根横担组成的双横担。如图 5-3 所示。

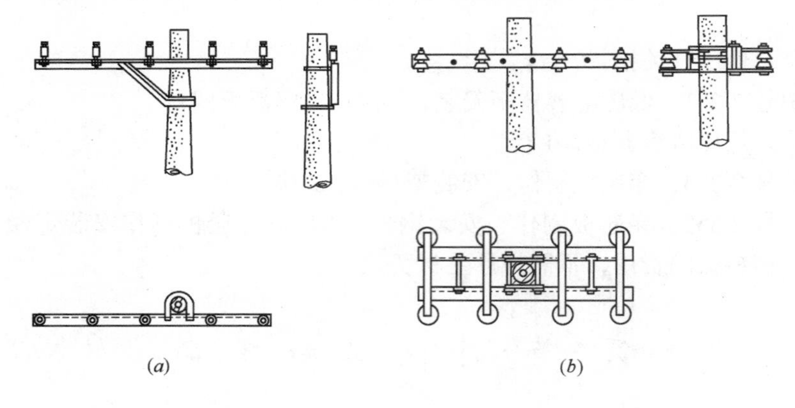

图 5-3　角钢横担

(*a*) 单横担；(*b*) 双横担

组横担要使用螺栓、铁板、抱箍等金属件，电杆上除角钢横担以外的所有金属件统称为金具。

在横担上要安装绝缘子来支持导线，直线杆上安装针式绝缘子，其他各种电杆上安装蝶式绝缘子或悬式绝缘子，如图 5-4 所示。

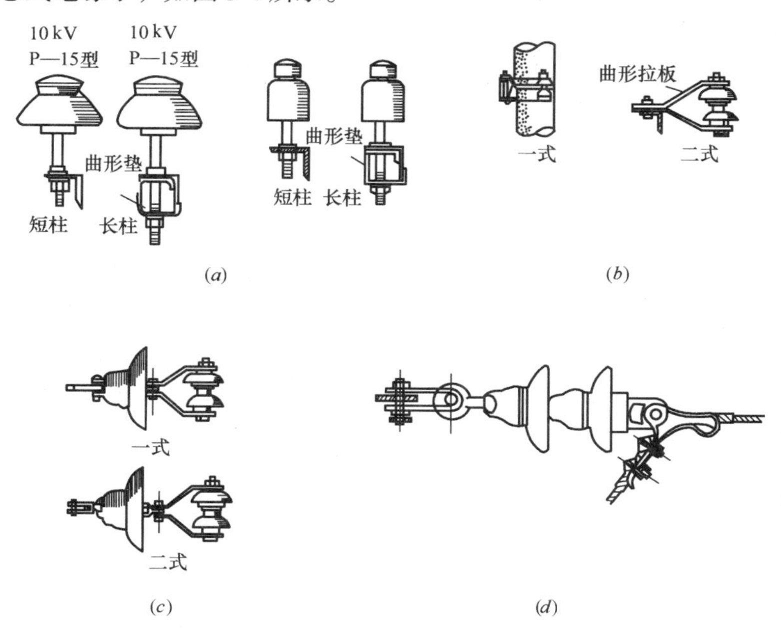

图 5-4 绝缘子

（a）针式绝缘子；（b）蝶式绝缘子；（c）悬蝶式绝缘子；（d）悬式绝缘子加耐张线夹

④做拉线 拉线可平衡（抵抗）水平风力和导线对电杆的拉力，从而改善电杆的受力情况，增加电杆的机械强度和稳定性。通常低压架空线路的耐张杆、转角杆、终端杆、分支杆都要安装拉线。拉线的形式如图 5-5 所示。

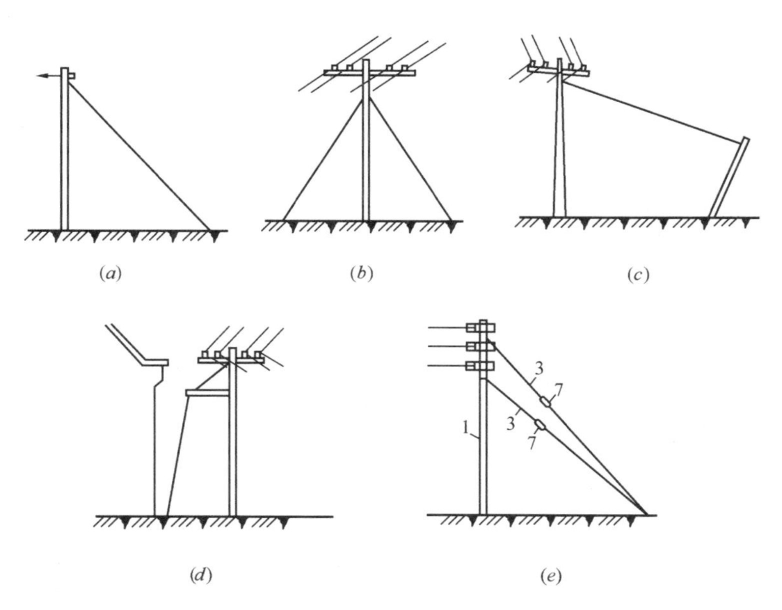

图 5-5 拉线的形式

（a）普通拉线；（b）人字形拉线；（c）水平拉线；（d）弓形拉线；（e）V 形拉线

拉线用镀锌钢绞线制作，下部安装拉线盘。安装拉线之前先挖拉线坑，坑深 1 ~ 1.2m，可把拉线盘埋入地下。

⑤架线　架空电力线路所用的导线分为裸导线和绝缘导线。

裸导线有硬铝绞线和钢芯铝绞线，铝绞线的型号为 LJ，钢芯铝绞线的型号为 LGJ。

绝缘线是在裸导线外面加一层绝缘层的导线，常用的绝缘材料有聚氯乙烯塑料和橡胶。

塑料绝缘导线简称塑料线，型号有 BV 和 BLV 型。其中：B 表示布线用导线（布置线路用导线），V 表示塑料绝缘，L 表示铝芯导线（没有 L 为铜芯导线）。

3. 架空电力线路工程图常用图形符号见表 5-8。

架空电力线路工程图常用图形符号　　**表 5-8**

图形符号	说　明	图形符号	说　明
	架空线路		单接腿杆（单接杆）
A—B C	电杆的一般符号（单杆，中间杆）		双接腿杆（双接杆）
H	H 形杆	形式1	有 V 形拉线的电杆
	带撑杆的电杆	形式2	
	带撑拉杆的电杆	形式1	有高桩拉线的电杆
	引上杆（小黑点表示电缆）	形式2	
	电杆保护用围桩（河中打桩杆）		
形式1	拉线一般符号（示出单向拉线）	a $\frac{b}{c}$ Ad	带照明灯的电杆的一般画法
形式2			

（二）电缆电力线路工程

1. 电缆

电缆是在绝缘导线的外面加上增强绝缘层和防护层的导线，一般由许多层构成。一条电缆内可以有若干根芯线，电力电缆一般为单芯、双芯、三芯、四芯和五芯，控制电缆为多芯。

电力电缆的型号是由许多字母和数字排列组合而成的，型号中字母的排列次序和字符含义见表 5-9 和表 5-10。

电缆型号含义　　表 5-9

类别	绝缘种类	线芯材料
电力电缆（不表示） K—控制电缆 P—信号电缆 Y—移动式软电缆 H—市内电话电缆	Z—纸绝缘 X—橡皮绝缘 V—聚氯乙烯 Y—聚乙烯 YJ—交联聚乙烯	T—铜（一般不表示） L—铝
内护层	**其他特征**	**外护层**
Q—铅包 L—铝包 H—橡套 V—聚氯乙烯套 Y—聚乙烯套	D—不滴液 F—分相护套 P—屏蔽 C—重型	2 个数字 （见表 2-10）

外护层代号含义　　表 5-10

第一个数字		第二个数字	
代号	铠装层类型	代号	外皮层类型
0	无	0	无
1	—	1	纤维绕包
2	双钢带	2	聚氯乙烯护套
3	细圆钢丝	3	聚乙烯护套
4	粗圆钢丝	4	—

电缆型号写在前面，后面的数字是外护层的含义，只有铠装电缆才有。

如：$VV_{22}-3\times95+2\times50$ 型电缆表示铜芯、聚氯乙烯绝缘、聚氯乙烯护套、双钢带铠装塑料五芯电缆，3 根相线的截面积为 $95mm^2$，2 根零线的截面积为 $50mm^2$。

2. 电缆的敷设方法

电缆的敷设方法有多种，常用的有直接埋地敷设、排管敷设、电缆沟敷设、电缆隧道敷设和室内外明敷设。

电缆的直接埋地敷设是把电缆直接埋入地下。直接埋地敷设要使用铠装电缆。埋地深度一般大于 0.7m，农田中埋地深度大于 1m。如图中没有标明一般取 0.8m。

电缆埋地敷设是在地上挖一条深度 0.8m 左右的沟，沟口宽 0.6m，如果电缆根数较多，沟宽要加宽。沟底平整后，铺上 100mm 厚筛过的松土或细砂土，作为电缆的垫层。电缆应松弛地敷在沟底。在电缆上再铺上 100mm 厚的软土或细砂土，上面盖混凝土盖板或黏土砖，最后在电缆沟内填土，如图 5-6 所示。

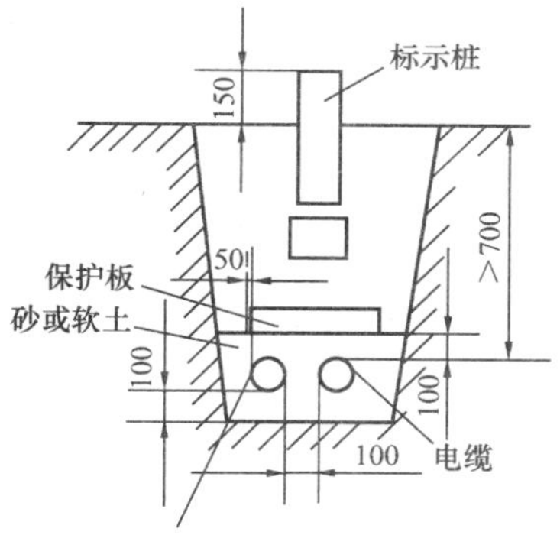

图 5-6　电缆直接埋地敷设（单位：mm）

3. 电缆桥架

电缆桥架用于电缆明敷设。它是在专用支架上先放电缆槽，放入电缆后可以在上面加盖板，既美观又清洁。

电缆桥架分为槽式、盘式和梯级式，如图 5-7 所示。

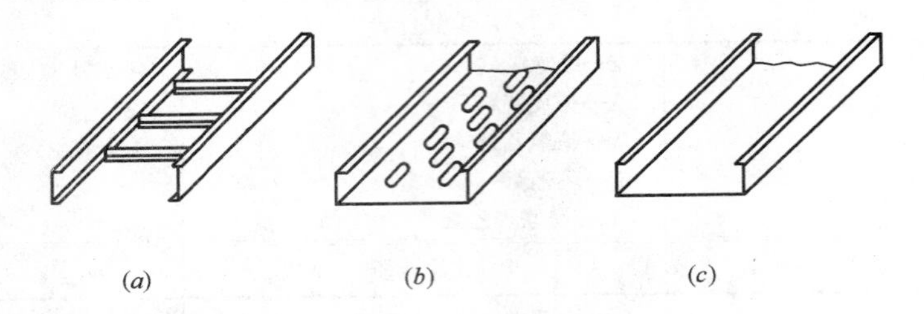

图 5-7　电缆桥架

(*a*) 梯级式；(*b*) 盘式；(*c*) 槽式

电缆桥架的安装方式，如图 5-8 所示。

4. 电缆头

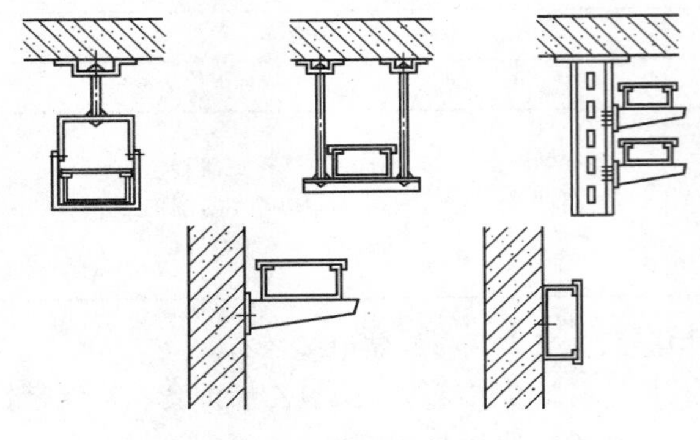

图 5-8　电缆桥架安装方式示意图

由于电缆的绝缘层结构复杂，为了保证电缆连接后的整体绝缘性及机械强度，在电缆敷设时要制作使用电缆头，在电缆连接时要使用电缆中间头，在电缆两端要使用电缆终端头。电缆干线与直线连接时要使用分支电缆头。

5. 电缆线路电气工程图常用的图形符号

电缆线路电气工程图常用的图形符号见表 5-11。

电缆线路常用图形符号　　**表 5-11**

图形符号	说　明	图形符号	说　明
	管道线路，管孔数量，截面尺寸或其他特性（如管道的排列形式）可标注在管道线路的上方		手孔的一般符号
6	示例：6 孔管道的线路	a (*a*)	电力电缆与其他设施交叉点 *a*—交叉点编号 (*a*) 电缆无保护 (*b*) 电缆有保护
	电缆铺砖保护	a (*b*)	
	电缆穿管保护，可加注文字符号表示其规格数量		电缆密封终端头（示出带一根三芯电缆）
	电缆预留	*	电缆桥架 * 为注明回路号及电缆截面芯数
	电缆中间接线盒		
	电缆分支接线盒		
	人孔一般符号，需要时可按实际形状绘制		

二、定额内容及工程量计算规则

（一）架空配电线路定额

全国定额中10kV以下架空配电线路是第十章，共有9节84个子目。

架空配电线路定额是按平地施工条件考虑的，如果在其他地形条件下施工时，人工和机械要乘以地形调整系数，丘陵（市区）调整系数为1.20；一般山地、泥沼地带调整系数为1.60。

预算编制中，全线地形分为几种类型时，可按各种类型长度所占百分比求出综合系数进行计算。如线路长度10km，其中丘陵4 km，一般山地6 km，综合系数为（1.20×4+1.60×6）/10=1.44，全部工程的人工和机械要乘以系数1.44。

架空配电线路一次施工工程量按5根以上电杆考虑，如果在5根以内，架空配电线路工程全部人工、机械乘以系数1.3。这里5根电杆包括各种用途的电杆。

1. 工地运输

工地运输是指定额内未计价材料，从集中材料堆放点或工地仓库运至杆位上的工程运输。由于架空配电线路距离很长，施工点分散，需要把电杆、横担、导线等材料运送到每个杆位上，因此需要考虑增加施工现场运输费。

运输量计算公式如下：

$$\text{工程运输量} = \text{施工图用量} \times (1 + \text{损耗率})$$

预算运输重量=工程运输量+包装物重量（不需要包装的可不计算包装物重量）

工地运输定额分人工运输和汽车运输，人工运输按平均运距200m以内、200m以上划分定额子目，以“10t”为定额计量单位。汽车运输分为装卸和运输两个定额子目，装卸以“10t”为定额计量单位，运输以“10t·km”为定额计量单位。

电缆工程如果在厂外进行，也可以使用本定额计算运输费。

2. 电杆组立

（1）土石方工程

电杆组立需要挖杆坑，挖杆坑土石方工程定额按土质划分定额子目，以“10m³”为定额计量单位。土石方工程定额的工作内容包括回填土，但由于要埋入电杆，回填土方量较少。

（2）杆坑土方量计算方法

①无底盘、卡盘的电杆坑，其挖土方的体积：

$$V = 0.8 \times 0.8 \times h$$

式中　h——坑深（m）。

②有底盘、卡盘的电杆坑，土方量计算公式（式5-1）：

$$V = \frac{h}{6 \times [ab + (a + a_1) \times (b + b_1) + a_1 \times b_1]} \quad (5\text{-}1)$$

式中　V——土（石）方体积（m³）；

h——坑深（m）；

a（b）坑底宽（m），a（b）=底拉盘底宽+2×每边操作裕度；

a_1（b_1）坑口宽（m），a_1（b_1）=a（b）+2×h×放坡系数。

施工操作裕度按底、拉盘的底宽，每边增加0.1m。

③ 带卡盘的电杆坑，如果原来计算的尺寸不能满足卡盘安装时，因卡盘超长而增加的土（石）方量另行计算。

④ 如果电杆坑有马道，马道的土（石）方量按每个杆坑0.2m³计算。

⑤ 冻土厚度大于300mm时，冻土层的挖方量按挖坚土定额乘以系数2.5。其他土层仍按土质性质执行定额。

杆坑土质按一个坑的主要土质而定，如一个坑大部分为普通土，少量为坚土，则该坑应全部按普通土计算。

（3）底盘、卡盘、拉线盘按设计用量，以“块”为定额计量单位，定额主材有：混凝土底盘、卡盘、拉线盘、拉棒、抱箍、连接螺栓和金具，需另计主材费。

（4）电杆组立定额分为单杆、接腿杆、撑杆及钢圈焊接三种。单杆定额按木杆、混凝土杆的杆长（m以内）划分定额子目，以“根”为定额计量单位。接腿杆定额按单腿接杆、双腿接杆、混合接腿杆的杆长（m以内）划分定额子目，以“根”为定额计量单位。撑杆定额按木撑杆、混凝土撑杆的杆长（m以内）划分定额子目，以“根”为定额计量单位。钢圈焊接以“1个焊口”为定额计量单位。电杆组立定额的主材有：电杆、地横木、接腿杆、圆木、撑杆、连接铁件和螺栓，需另计主材费。

（5）如果出现钢管杆组立，按同高度混凝土电杆组立的人工和机械乘以系数1.4，材料不调整。

3. 横担及拉线安装

（1）横担安装定额分为10kV以下横担、1kV以下横担、接户线横担三种横担。10kV以下横担定额子目有铁、木横担（分单根和双根），磁横担。

1kV以下横担定额子目有二线、四线、六线横担，四线、六线横担分为单根和双根，还有磁横担。

接户线横担定额子目有一端埋设式、两端埋设式，分为二线、四线、六线横担。

横担安装定额以“组”为定额计量单位。定额工作内容中包含了安装绝缘子。

（2）如果安装双杆横担，基价乘以系数2.0。

横担安装定额的主材有：横担、绝缘子、防水弯头、支撑铁件、连接铁件和螺栓，需另计主材费。

（3）拉线制作、安装定额分为普通拉线、水平及弓形拉线，按截面（mm²以内）划分定额子目，以“根”为定额计量单位。定额的主材有：拉线、金具、抱箍，需另计主材费。

定额按单根拉线考虑，若安装V型、Y型或双拼型拉线时，按2根计算。拉线长度按设计全根长度计算。

4. 导线架没

（1）导线架设定额分为裸铝绞线、钢芯铝绞线、绝缘铝绞线，按截面（mm²以下）划分定额子目，以“1km/单线”为定额计量单位。定额的主材有：导线、金具、绝缘子，需另计主材费。

（2）导线长度按线路总长度和预留长度之和计算。计算主材费时应另增加规定的损耗率。

(3) 导线跨越架设，包括越线架的搭、拆和运输以及因跨越（障碍）使施工难度增加而增加的工作量。定额分为跨越电力、公路、通信线、跨越铁路、跨越河流，以“处”为定额计量单位。

① 每个跨越间距按 50m 以内考虑，大于 50m 而小于 100m 时按 2 处计算，以此类推。

② 在同一跨越档内，有多种（或多次）跨越物时，应根据跨越物种类分别执行定额。

③ 跨越定额仅考虑因跨越而多耗的人工、机械台班和材料，在计算架线工程量时，不扣除跨越档的长度。

5. 杆上变配电设备安装

定额分为变压器安装和变配电设备安装，变压器安装按容量（kV·A 以下）划分定额子目，以“台”为定额计量单位；杆上变配电设备有：跌落式熔断器、避雷器、隔离开关，以“组”为定额计量单位；油开关和配电箱，以“台”为定额计量单位。

定额的主材有：台架铁件、连引线、瓷瓶、金具、接线端子、熔断器等。

定额未包括：变压器调试、抽芯、干燥工作、接地装置、检修平台、防护栏杆的安装。

（二）电缆定额

全国定额中电缆是第八章，共有 17 节 166 个定额子目。

1. 电缆敷设

(1) 电缆敷设定额适用于 10kV 以下的电力电缆和控制电缆敷设。定额是按平原地区和厂内电缆工程的施工条件编制的，电缆在一般山地、丘陵地区敷设时，其定额人工乘以系数 1.3。该地段所需要的施工材料如固定桩、夹具等按实际用量另行计算。厂外电缆敷设工程需按本册第十章有关定额另外计算工地运输费。定额未考虑在积水区、水底、井下等特殊条件下的电缆敷设。

(2) 电力电缆敷设定额分为铝芯电力电缆敷设和铜芯电力电缆敷设，按电缆截面划分定额子目，定额计量单位是“100m”。注意这里的截面是指电缆中一根线芯的截面，如 3 芯 $120mm^2$ 电缆，执行 $120mm^2$ 以下定额子目。此外在竖直通道中敷设电缆，要按截面执行竖直通道电缆敷设定额子目。

(3) 控制电缆敷设按电缆芯数划分定额子目，同样也有竖直通道电缆敷设定额子目，定额计量单位是“100m”。

(4) 电力电缆敷设定额均是按三芯（包括三芯接地就是四芯）考虑的，敷设 5 芯电力电缆时定额乘以系数 1.3，敷设 6 芯电力电缆时定额乘以系数 1.6，电缆每增加一芯定额增加 30%，以此类推。

单芯电力电缆敷设按同截面电缆定额乘以 0.67。截面 $400mm^2$ 以上至 $800mm^2$ 的单芯电力电缆敷设，按 $400mm^2$ 电力电缆定额执行。

(5) 电缆敷设定额是综合定额，已将裸包电缆、铠装电缆、屏蔽电缆等因素考虑在内，因此凡 10kV 以下的电力电缆不分结构形式和型号，一律按相应的电缆截面执行定额。控制电缆按芯数执行定额。

(6) 电缆敷设定额未考虑因波形敷设增加长度、弛度增加长度、电缆绕梁（柱）增加长度以及电缆与设备连接、电缆接头等必要的预留长度，该增加长度应计入工程量之内。

(7) 电缆敷设按单根以延长米计算，如一个沟内（或架上）敷设三根各长 100m 的电缆，应按 300m 计算，以此类推。这里延长米是指两设备之间的电缆，按从设备轴线到设备轴线的长度，不扣除设备本身的长度。

（8）电缆敷设定额及其相配套的定额中均未包括主材，应按设计和工程量计算规则加上定额规定的损耗率计算主材费用。

2. 电缆头

（1）制作电缆头的材料种类很多，电缆头制作、安装定额有：

干包式电力电缆头制作、安装，浇注式电力电缆终端头制作、安装，热缩式电力电缆终端头制作、安装，浇注式电力电缆中间头制作、安装，热缩式电力电缆中间头制作、安装，分电缆电压值 1kV、10kV 按截面划分定额子目。

控制电缆头制作、安装，分终端头、中间头，按芯数划分定额子目。

电缆头制作、安装不包含主材。

（2）电力电缆头制作、安装定额均是按铝芯电缆考虑的，如果是铜芯电力电缆头，按同截面电缆头定额乘以系数 1.2。双屏蔽电缆头制作、安装，人工乘以系数 1.05。

（3）电缆头制作、安装定额均包含焊压接线端子，并包含接线端子主材。但 $240mm^2$ 以上的电缆头，因接线端子为异型端子，需要单独加工，应按实际加工价计算费用。

（4）电缆终端头及中间头均以“个”为计量单位。电力电缆和控制电缆均按一根电缆有两个终端头考虑。电缆中间头的数量，设计有图示的，按设计确定；设计没有规定的，按实际情况计算，或按平均每 250m 一个中间头考虑。

3. 电缆沟和电缆保护管敷设

（1）电缆直接埋地敷设时，电缆沟挖填按土质划分定额子目，土质分为一般土沟、含建筑垃圾土、泥水土冻土、石方，挖填土的土方量以立方米为计量单位。定额也适用于电气管道沟等的挖填土工作。

（2）挖电缆沟时如果遇到路面，要执行人工开挖路面的定额，按路面材料及厚度划分定额子目，混凝土路面分为厚度 150mm、250mm 的两个定额子目、沥青和砂石路面均为 250mm 厚，以平方米为计量单位。路面以下的土方挖填工作另外计算土方量，执行电缆沟挖填定额。

（3）电缆沟土方量的计算方法：

① 两根以内的电缆沟，电缆埋深 0.8 m，按上口宽度 600mm、下口宽度 400mm、深度 900mm 计算，每米电缆沟的土方量为 $0.45m^3$。

② 每增加一根电缆，电缆沟宽度增加 170mm，每米电缆沟增加土方量 $0.153m^3$。

③ 如果设计深度超过 900mm，多挖的土方量应另行计算。

（4）电缆沟内铺砂盖砖、铺砂盖保护板定额子目分为 1 ~ 2 根和每增加一根定额子目，以沟长“100m”为计量单位。各定额子目均包含主材费。例如沟内有 4 根电缆，铺砂盖板则执行一个“1 ~ 2 根”定额子目，再执行两个“每增加一根”定额子目。

（5）砌筑的电缆沟上有盖板覆盖，电缆沟盖板揭、盖定额，按盖板长度（mm 以下）划分定额子目，以沟长“100m”为计量单位。按每揭或每盖一次盖板的长度计算，如果盖板又揭又盖，则按两次的长度计算。

（6）电缆保护管敷设定额，按管径及材质划分定额子目，分为 100mm、200 mm 混凝土管和石棉水泥管，150mm 铸铁管，100 ~ 150mm 钢管。以“10m”为计量单位。

（7）直径 100mm 以下的电缆保护钢管敷设，执行本册配管配线章有关定额。

（8）顶管施工使用直径 100mm 钢管，顶管定额按管长分为 10m 以下、20m 以下两个定额子目，以“根”为计量单位。

（9）电缆保护管长度，除按设计规定长度计算外，遇到下列情况，应按以下规定增加保护管长度：

① 横穿道路时，按路基宽度两端各增加 2m。

② 垂直敷设时，管口距地面以上增加 2m。

③ 穿过建筑物外墙时，按基础外缘以外增加 1m。

④ 穿过排水沟时，按沟壁外缘以外增加 1m。

（10）电缆保护管埋地敷设，挖沟的土方量，施工图注明的，按施工图计算；无施工图的，一般按沟深 0.9m、沟宽按最外边的保护管两侧边缘外各增加 0.3m 工作面计算，如管径 150mm，两侧边缘外各增加 0.3m，沟宽为 $0.3 \times 2 + 0.15 = 0.75$m。执行电缆沟挖填定额。

4．电缆桥架安装

（1）电缆桥架安装定额按桥架材质分为三部分：钢制桥架、玻璃钢桥架、铝合金桥架。每部分按桥架类型又分为三种：槽式桥架、梯式桥架、托盘式桥架。每种桥架按桥架截面尺寸（高＋宽，mm 以下）划分定额子目，以“10m”为计量单位。

（2）电缆桥架的主材除了桥架外，还有盖板和隔板。此外还有一种特殊的桥架：叫组合式桥架，这种桥架是一片片组合起来的，以“100 片”为计量单位。

（3）桥架安装包括运输、组合、螺栓或焊接固定，弯头制作，附件安装，切割口防腐，桥式或托板式开孔，上管件隔板安装，盖板及钢制梯式桥架盖板安装。

（4）桥架支撑架定额适用于立柱、托臂及其他各种成品支撑架的安装。本定额已综合考虑了采用螺栓、焊接和膨胀螺栓三种固定方式，实际施工中，不论采用何种固定方式，定额均不作调整。定额以支撑架重量“100kg”为计量单位。现场制作的桥架支撑架执行铁支架制作安装定额。

（5）玻璃钢梯式桥架和铝合金梯式桥架定额均按不带盖考虑，如果这两种桥架带盖，则分别执行玻璃钢槽式桥架定额和铝合金槽式桥架定额。

（6）钢制桥架主结构设计厚度大于 3mm 时，定额人工、机械乘以系数 1.2。

（7）不锈钢桥架按本章钢制桥架定额乘以系数 1.1。

5．其他电缆施工定额

（1）塑料电缆槽安装定额分为小型塑料槽（宽 50mm 以下）和加强型塑料槽（宽 100mm 以下），小型塑料槽又按安装位置分为盘后和墙上两个定额子目。定额计量单位为“10m”。宽 100mm 以下的金属线槽安装，可套用加强型塑料槽定额子目。

塑料电缆槽安装定额线槽、接线盒要另计主材费。金属线槽安装固定支架和吊杆要另计制作、安装费用。

（2）混凝土电缆槽安装按电缆槽宽度（mm 以内）划分定额子目，定额计量单位为“10m”。

（3）电缆防火堵洞定额，堵洞分为防火门、盘柜下、电缆隧道、电缆保护管，以“处”为计量单位，不包含堵洞材料费，每处堵洞面积在 $0.25m^2$ 以内。

（4）防火隔板安装定额，以平方米为计量单位，防火涂料以“10kg”为计量单位，阻燃线槽安装以“10m”为计量单位。

（5）电缆防护是油浸纸绝缘电缆敷设时会遇到的，有防腐、缠石棉绳、刷漆、剥皮等

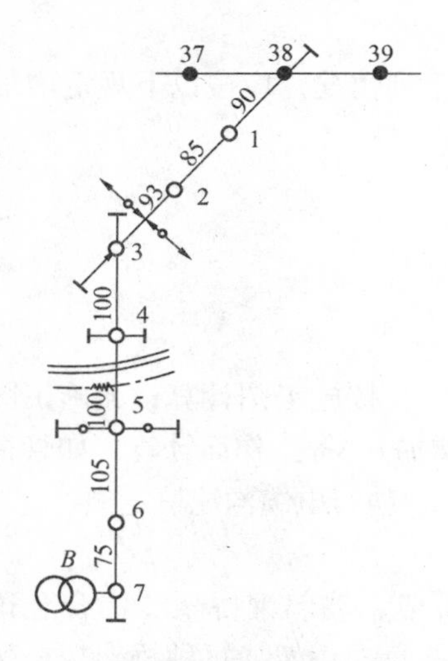

图 5-9　架空配电线路平面图

定额子目，以“10m”为计量单位。

三、外线工程定额应用举例

（一）架空配电线路定额使用举例

下面以一条架空配电线路的平面图为例，说明定额的使用方法。架空配电线路平面图，如图 5-9 所示。

1. 工程量统计

工程量统计见表 5-12。

工程量统计过程如下：

（1）从图上可以看出，线路从 38 号杆引出，新线路共 7 根电杆，5 号杆两边装水平拉线有两根拉线杆，此外要装一台变压器，变压器台架需要 2 根电杆，这样一共 7 + 2 + 2 = 11 根电杆，11 个杆坑。

（2）共需组立 11 根电杆。为了便于计算，电杆全部使用 10m 混凝土杆。杆下不使用底盘和卡盘。

架空配电线路工程量统计表　　　　**表 5-12**

序号	工程项目	单位	计算公式	数量
1	挖杆坑	个	7 + 2 + 2	11
2	立电杆	根		11
3	装拉线普通型	组	3 + 2	5
4	装拉线水平型	组		2
5	装撑杆	根		1
6	挖拉线盘坑	个	5 + 2	7
7	挖撑杆坑	个		1
8	组横担单根	组		7
9	组横担双根	组		2
10	导线架设 35mm²	m	（90 + 85 + 93 + 100 + 100 + 105 + 75）× 3	1944
11	变压器台架组装	座		1
12	变压器安装 315kVA	台		1
13	跌落式熔断器安装	组		1
14	避雷器安装	组		1

（3）图中 38 号杆、3 号杆、7 号杆上装普通拉线，4 号杆装两组普通拉线，5 号杆装两组水平拉线，3 号杆还要装一根撑杆。

（4）每根拉线有一个拉盘，要挖一个拉线盘坑。撑杆也要挖一个杆坑。

（5）组装横担，38 号杆上要装一组单根横担，担上装悬、蝶式绝缘子。1、2、6 号杆为中间杆，杆上装一组单根横担，使用针式绝缘子。3 号杆为转角杆，装两组单根横担，担上装悬、蝶式绝缘子。7 号杆为终端杆，装一组单根横担，担上装悬、蝶式绝缘子。4、5 号杆在公路两边为跨越杆，杆两边受力不均，要使用一组双根横担，担上装悬、蝶式绝缘子。

（6）导线架设，使用 35mm² 裸铝导线，线路总长度为 90 + 85 + 93 + 100 + 100 + 105 + 75 = 648。

（7）安装变压器要组装台架，安装配电设备，一般架空线只需安装跌落式熔断器和避雷器。

2. 计算定额直接费

定额直接费计算见表5-13。

定额直接费计算表 **表5-13**

序号	定额编号	定额工程项目	单位	计算公式	数量
1	2-757	土石方工程普通土	$10m^3$	[（0.8×0.8×1.7）×（11+2）+（1.2+0.1×2）×（0.3+0.1×2）×（1.2+0.6）×7]/10	2.296
2	2-765	拉盘安装	块	5+2	7
3	主材费	混凝土拉盘	块	7×（1+0.5%）	7.035
4	主材费	拉棒16×2000	根		7
5	2-771	电杆组立单杆混凝土电杆11m以内	根		11
6	主材费	混凝土电杆10m	根	（11+1）×（1+0.5%）	12.060
7	2-785	混凝土撑杆11m以内	根		1
8	主材费	连接铁件及螺栓	套		1
9	2-788	横担安装10kV以下铁、木横担单根	组		7
10	2-789	横担安装10kV以下铁、木横担双根	组		2
11	主材费	镀锌角钢横担	根	（7+2×2）×（1+5%）	11.55
12	主材费	单根横担连接铁件及螺栓	套		4
13	主材费	双根横担连接铁件及螺栓	套		2
14	主材费	单根直线杆横担连接铁件及螺栓	套		3
15	主材费	高压针式绝缘子P-10	套	3×3×（1+2%）	9.18
16	主材费	高压悬式绝缘子X-4.5C	套	3×8×（1+2%）	24.48
17	主材费	高压蝶式绝缘子	套	3×8×（1+2%）	24.48
18	2-804	拉线制作、安装普通拉线截面$35mm^2$以内	根		5
19	2-807	拉线制作、安装水平拉线截面$35mm^2$以内	根		2
20	主材费	钢绞线$35mm^2$	m	（13.74×5+26.47×2）×（1+1.5%）	123.46
21	主材费	普通拉线金具抱箍	套		5
22	主材费	水平拉线金具抱箍	套		2

续表

序　号	定额编号	定额工程项目	单　位	计算公式	数　量
23	2-810	导线架设裸铝 绞线截面 $35mm^2$ 以内	1km	$(1944+2\times2\times3+2.5\times3)$ $/1000$	1.9635
24	主材费	裸铝绞线 $35mm^2$	m	$1963.5\times(1+1.3\%)$	1989.03
25	2-832	杆上变压器安装 容量 320kV·A 以下	台		1
26	主材费	油变压器 S_9-315	台		1
27	补	变压器台架组装	台		1
28	主材费	变压器台架材料	套		1
29	2-833	杆上跌落式熔断器安装	组		1
30	主材费	跌落式熔断器	个		3
31	2-834	杆上避雷器安装	组		1
32	主材费	高压避雷器	个		3
33	2-755	汽车运输装卸费	10t	$13.431/10$	1.3431
34	2-756	汽车运输费	10t·km	$13.431\times0.324/10$	0.4352

套用定额编制定额直接费计算表的过程如下：

（1）定额编号 2-757，土石方工程普通土，定额计量单位“$10m^3$”。本工程共挖杆坑 11 个，10m 电杆杆坑深度为 1.7m，土质为普通土。11 个杆坑的土方量为 $0.8\times0.8\times1.7\times11=11.968m^3$。撑杆坑是斜的，相当于两个杆坑的土方量为 $2.176m^3$。

除了杆坑外还要挖拉线盘坑，拉线盘埋深 1.2m，假设拉线盘长 1.2m、宽 0.6m、厚 0.3m，按规定，拉线盘坑每边留 0.1m 的裕度，坑的体积为 $(1.2+0.1\times2)\times(0.3+0.1\times2)\times(1.2+0.6)=1.26m^3$。7 个拉线坑土方量为 $1.26\times7=8.82m^3$。挖杆坑土石方工程量为 $(11.968+2.176+8.82)/10=2.296$ 个定额计量单位。

（2）定额编号 2-765，拉盘安装，定额计量单位“块”。拉线盘安装一共 7 块。

（3）主材费。定额主材为混凝土拉盘 7 块。混凝土制品损耗率为 0.5%。$7\times(1+0.5\%)=7.035$ 块。

（4）主材费。拉棒 $16\times2000mm$，7 根。

（5）定额编号 2-771，电杆组立单杆混凝土电杆 11m 以内，定额计量单位“根”。共 11 根混凝土电杆，杆长 10m，执行 11m 以内电杆定额。

（6）主材费。主要材料为混凝土电杆。有 11 根电杆，还有 1 根撑杆，均为杆长 10m，混凝土制品损耗率为 0.5%。$(11+1)\times(1+0.5\%)=12.060$ 根。

（7）定额编号 2-785，混凝土撑杆 11m 以内，定额计量单位“根”。执行 11m 以内撑杆定额。主材电杆合并入电杆组立主材费。

（8）主材费。主材中还有连接铁件及螺栓，1 套。

（9）定额编号 2-788，横担安装 10kV 以下铁、木横担单根，7 组。

（10）定额编号 2-789，横担安装 10kV 以下铁、木横担双根，2 组。

（11）主材费。定额主要材料有横担、绝缘子、连接铁件及螺栓，其中镀锌角钢横担

63×63×6×1800，（7+2×2）×（1+5%）=11.55根；型钢损耗率为5%。

（12）主材费。单根横担连接铁件及螺栓，4套。

（13）主材费。双根横担连接铁件及螺栓，2套。

（14）主材费。单根直线杆横担连接铁件及螺栓，3套。

（15）主材费。高压针式绝缘子P-10，3×3×（1+2%）=9.18个。绝缘子损耗率为2%。

（16）主材费。高压悬式绝缘子X-4.5C，3×8×（1+2%）=24.48个。

（17）主材费。高压蝶式绝缘子，3×8×（1+2%）=24.48个。

（18）定额编号2-804，拉线制作、安装普通拉线截面$35mm^2$以内，5根。

（19）定额编号2-807；拉线制作、安装水平拉线截面$35mm^2$以内，2根。

（20）主材费。拉线主材有：钢绞线拉线、金具、抱箍。

钢绞线的截面积为$35mm^2$。查表，10m杆普通拉线长13.74m，水平拉线长26.47m。钢绞线损耗率为1.5%。钢绞线总长为（13.74×5+26.47×2）×（1+1.5%）=（68.7+52.94）×1.015=123.46m。

（21）主材费。普通拉线金具、抱箍，5套。

（22）主材费。水平拉线金具、抱箍，2套。

（23）定额编号2-810，导线架设裸铝绞线截面$35mm^2$以内，定额计量单位“1km”。导线架设总长1944m，在以下各个部位要增加导线预留长度，终端增加2m，转角增加2.5m，终端为2个每根线增加2×2=4m，3根线长12m；转角1个三根线增加2.5×3=7.5m。执行定额数量为（1944+12+7.5）/1000=1.9635个定额计量单位。

（24）主材费。导线架设的主材是铝绞线。铝绞线的损耗率为1.3%，长度为1963.5×（1+1.3%）=1989.03m。

（25）定额编号2-832，杆上变压器安装容量320kV·A以下，1台。

（26）主材费。油变压器S_9-315，1台。

（27）补充定额。变压器台架组装。变压器台架组装要安装横担、拉板、螺栓等金属材料，还要安装各种绝缘子材料，需要套用相应的定额，这里合并为一个补充定额来说明问题。

（28）主材费。变压器台架材料很多，要用横担、拉板、螺栓等金属材料，还要安装各种绝缘子材料，这里不详细计算这些材料，只给出总费用，具体编制时要参考标准图集和设计要求，计算材料用量。

（29）定额编号2-833，杆上跌落式熔断器安装。定额计量单位为组，1组。

（30）主材费。主材是跌落式熔断器，每组3个。

（31）定额编号2-834，杆上避雷器安装。定额计量单位为组，1组。

（32）主材费。主材是高压避雷器，每组3个。

（33）定额编号2-755，汽车运输装卸费，计量单位“10t”。定额量为13.431/10=1.3431。

（34）定额编号2-756，汽车运输费，计量单位“10t·km”。定额量为13.431×0.324/10=0.4352。

为了便于计算，假定使用汽车运输，运距按线路平均值648/2=324m=0.324km。混凝土电杆按每根600kg计，共12根7200kg。拉线盘每块 $0.6\times1.2\times0.3=0.216m^3$，7块 $1.512m^3$，每 m^3，重2600kg，总重3931.2kg，计入损耗率。混凝土制品总重（720 + 3931.2）×（1+0.5%）= 11187kg。导线估重500kg，运输重量为 $500\times1.15=575$kg。钢绞线估重60kg，运输重量为 $60\times1.07=64.2$kg，金属件及绝缘子等估重1500kg，运输重量为 $1500\times1.07=1605$kg。运输总重量为 $11187+575+64.2+1605=13431.2kg=13.431t$。

（二）电缆定额使用举例

在第二节中有一幅变配电工程平面图（图5-1），现在以图5-10电缆进线为例，说明电缆工程定额的使用方法，为了能说明问题，设定了一些条件。

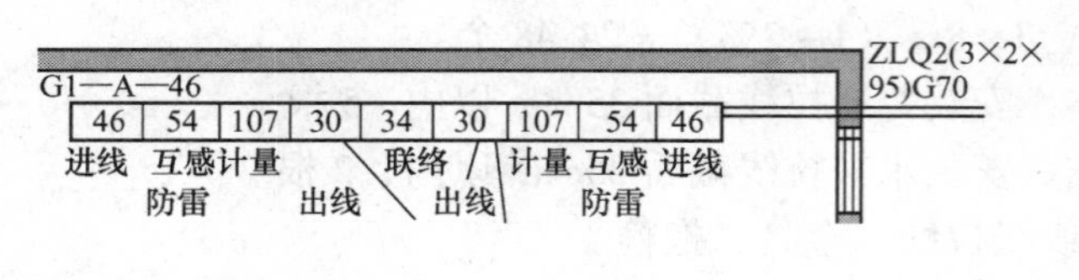

图5-10　电缆进线

图中高压柜下至外墙内侧均为电缆沟，墙外电缆为直接埋地敷设，进墙时要加保护管，墙外电缆敷设长度50m，从电杆上引下，墙外有一条小马路，路基宽度10m，采用顶管方式穿过。

1. 工程量统计

工程量统计见表5-14。

电缆工程量统计表　　**表5-14**

序　号	工程项目	单位	计算公式	数量
1	电缆保护管安装	m	（1+0.3）×2	2.60
2	电缆沟	m	50－（10+2+2）+2+1.5	39.50
3	顶管	m	（10+2+2）×2	28.00
4	电缆保护管安装	m	（2+0.5）×2	5.00
5	铺砂盖板	m	39.5－1	38.50
6	电缆沟内敷设	m	[0.6+1.6+1.2×9+1.6－0.6+（2.0+1.5+1.5+2.0）×2]×（1+2.5%）	28.7
7	电缆埋地敷设	m	（39.5－1+0.8－0.5）×2×（1+2.5%）	79.54
8	电缆穿管敷设	m	（1.3+14+2.5）×2+2×2	39.60
9	户内电缆终端头制作安装	个		2.00
10	户外电缆终端头制作安装	个		2.00

工程量统计过程如下：

（1）变配电室内是电缆沟，室外电缆采用直接埋地敷设方法，电缆进入外墙时，要穿钢管保护，并作密封处理，保护管长度为外墙外1m，墙厚0.3m，总长 $1+0.3=1.3$m。两根电缆两根保护管长2.6m。

（2）室外电缆线路长度50m，中间有一条道路采用顶管方式穿过，穿过道路的保护管按规定要超出路基2m，两侧共4m，钢管长度为10+2+2=14m，按工程量规则规定，电缆进入建筑物时要增加长度2m，室外电杆上的电缆头要预留1.5m，这些增加长度要埋入地下。这样埋入地下的电缆长度为50－（10+2+2）+2+1.5=39.5m，需要挖沟39.5m，这里要注意，电缆进墙保护管也同时埋在沟中。

（3）过小马路采用顶管方式，每根电缆穿一根管，每根长14m，共两根。总长28m。

（4）电缆引上电杆时要穿钢管保护，钢管长度出地面为2m，地面以下定为0.5m，总管长2.5m，两根总长5m。

（5）电缆埋地敷设，沟内要铺砂盖保护板，电缆进墙保护管外不需铺砂盖板，铺砂盖板长度为39.5－1=38.5m。

（6）电缆在电缆沟内敷设，室内电缆沟的长度，柜下为$1.2\times9=10.8$m，高压柜到墙沟长1.6m，电缆末端的位置取高压柜中间为半个柜长0.6m，第一根电缆到左边柜下，长度为1.6+10.8－0.6=11.8m，第二条电缆到右边柜下，长度为1.6+0.6=2.2m，按规定，电缆进入电缆沟要增加长度2.0m，电缆进变配电室增加1.5m，电缆终端头增加1.5m，电缆进入高压柜增加2.0m，电缆敷设弛度、波形弯度、交叉按电缆全长增加2.5%，这样电缆沟内电缆总长度为$[11.8+2.2+(2.0+1.5+1.5+2.0)\times2]\times(1+2.5\%)=28.7$m。

（7）电缆直接埋地敷设，直线长度38.5m与铺砂盖板长度相同，电缆埋地深度0.8m，但电杆处地面下有0.5m钢管，埋地敷设长度为$(38.5+0.8-0.5)\times2=77.6$m，还要加上敷设弛度增加长度，总长为$77.6\times(1+2.5\%)=79.54$m。

（8）电缆穿钢管敷设，各段钢管长度为$(1.3+14+2.5)\times2=35.6$m。电缆穿钢管敷设时是拉紧的，不增加敷设弛度增加长度。电缆头在电杆上距地4m，保护管口以上还有2m电缆，也计入穿钢管敷设长度，总长为$35.6+2\times2=39.6$m。

（9）两条电缆有两个户内电缆终端头、两个户外电缆头制作安装。

2. 计算定额直接费

定额直接费计算见表5-15。

定额直接费计算表 **表5-15**

序号	定额编号	定额工程项目	单位	计算公式	数量
1	2-521	电缆沟挖填一般土沟	m^3	0.45×39.5	17.780
2	2-531	电缆沟铺砂盖保护板1～2根	100m	38.5/100	0.385
3	2-541	顶管ϕ100mm长20m以下	根		2.000
4	主材费	ϕ100mm钢管	m	28×（1+3%）	28.840
5	2-611	铝芯电力电缆敷设截面$120mm^2$以下	100m	（26.65+79.54+39.6）/100	1.458
6	主材费	铝芯电力电缆ZLQ_2（3×95）	m	1.458×100×（1+1%）	147.258
7	2-637	户内浇注式电力电缆终端头制作、安装10kV以下截面$120mm^2$以下	个		2.000

续表

序号	定额编号	定额工程项目	单位	计算公式	数量
8	主材费	户内电缆终端头 $95mm^2$	个		2.000
9	2-653	户外浇注式电力电缆终端头制作、安装 10kV 以下截面 $120mm^2$ 以下	个		2.000
10	主材费	户外电缆终端头 $95mm^2$	个	1.02×2	2.040
11	2－1014	钢管敷设砖、混凝土结构暗配钢管公称直径 70mm 以内	100m	（2.6＋5）/100	0.076
12	主材费	ϕ70mm 钢管	m	103×0.076	7.828

套用定额编制定额直接费计算表的过程如下：

（1）定额编号 2-521，电缆沟挖填一般土沟，电缆沟长 39.5m，两根电缆的电缆沟标准土方量为 $0.45m^3$，总土方量为 $0.45\times39.5=17.78m^3$。

（2）定额编号 2-531，电缆沟铺砂盖板，敷设两根电缆，定额计量单位是 100m，铺砂盖板长度 38.5m，定额工程量为 $38.5/100=0.385$。

（3）定额编号 2-541，顶管 ϕ100mm 长 20m 以下，顶管长 14m，执行 20m 以下定额，计量单位是根，共 2 根顶管。

（4）主材费。本节定额不包含主材费，需计算顶管的主材费，顶管使用直径 100mm 的焊接钢管，每根 14m，两根 28m，本章主材要计算主材损耗率，钢管损耗率为 3%，钢管总长度为 $28\times(1+3\%)=28.84m$。

（5）定额编号 2-611，铝芯电力电缆敷设截面 $120mm^2$ 以下，定额计量单位是 100m，本工程使用 ZLQ_2 油浸纸绝缘铝芯铠装电缆，3 芯截面积为 $95mm^2$，定额计量单位 100m，由于本定额中电缆敷设不分敷设方法执行同一定额，把各种方法敷设的电缆加在一起为 $26.65+79.54+39.6=145.8m$，定额工程量为 $145.8/100=1.458$。

（6）主材费。电缆主材费计算长度为 $145.8\times$（1＋1%），1%为电缆损耗率。

（7）定额编号 2-637，户内浇注式电力电缆终端头制作、安装 10kV 以下截面 $120mm^2$ 以下，定额计量单位是个，油浸纸绝缘电缆一般使用浇注式电缆头，执行 10kV 以下截面积 $120mm^2$ 以下子目，两根电缆 2 个户内终端头。

（8）主材费。户内浇注式电力电缆终端头主材，数量为 2 个。

（9）定额编号 2-653，户外浇注式电力电缆终端头制作、安装 10kV 以下截面积 $120mm^2$ 以下，定额计量单位是个，执行 $120mm^2$ 以下定额子目，两个户外终端头。

（10）主材费。定额项目表中，户外电缆头主材含量为 1.020 个（括号内），电缆头主材量为 2.04 个。

（11）定额编号 2-1014，钢管敷设砖、混凝土结构暗配钢管公称直径 70mm 以内，计量单位是 100mm。电缆保护管执行第十二章配管配线定额，焊接钢管敷设一节中只有砖、混凝土结构暗配定额可以使用，70mm 钢管定额子目，保护管长度为 7.6m，定额工程量 0.076。

（12）主材费。定额项目表中，主材含量为 103.000，计算焊接钢管主材量为 $103 \times 0.076 = 7.828$m。

第四节　防雷及接地装置工程定额

一、防雷及接地装置工程的工程内容

（一）防雷工程

雷电是一种自然放电现象。平时所见的“闪电”就是放电产生的强大火花；听见的雷声就是空气受热短时急剧膨胀而产生的爆炸声响。雷电的特点是电流大，电压高，冲击性强。雷电流的最大值可达到 300kA。直接雷击的电压可达到几千千伏。雷电放电时间短，主放电所用时间不超过 50～100μs，一次雷击全部放电时间不超过 500ms。

雷电的危害常见有三种形式：直接雷击又称直击雷，可能使物体燃烧而引起火灾；雷电感应又称感应雷，分为静电感应和电磁感应两种，电荷形成很高对地电位；雷电波侵入又称高电位引入，由于架空线路或金属管道遭受直接雷击，其冲击电压引入建筑物内。

防直击雷的主要措施是设法引导雷击时的雷电流按预先安排好的通道泄入大地，从而避免雷云向被保护的建筑物放电。所谓避雷，实际上是“引雷”。

防止直击雷的防雷装置由接闪器、引下线和接地装置三部分组成。其中，接闪器是直接用来接受雷击部分，包括避雷针、避雷带、避雷网以及用作接闪器的金属屋面和金属构件等。

（1）避雷针是附设在建筑物顶部或独立装设在地面上的针状金属杆。避雷针在地面上的保护半径约为避雷针高度的 1.5 倍。避雷针适用于保护细高的建筑物或构筑物，如烟囱和水塔等，或用来保护建筑物顶面上的附加突出物，如天线、冷却塔。避雷针可以用圆钢或钢管制作，把顶端砸尖，以利于尖端放电。保护较低矮的建筑或地下建筑及设备时，要使用独立避雷针，独立避雷针按要求用圆钢焊制铁塔架，顶端装避雷针体。

（2）建筑物的屋顶面积较大，不宜采用避雷针，这时要使用避雷网或避雷带，避雷网是用圆钢沿建筑物顶面边沿敷设，大面积屋顶按防雷等级焊接成 10m × 10m 或 20m × 20m 的网格。如果屋顶形状复杂，则按屋顶外形安装。避雷网使用直径 8mm 以上镀锌圆钢。如果楼顶上有女儿墙，避雷网安在女儿墙上。安装时先在混凝土结构上打孔，安装铁支架，支架间距 1m。如无女儿墙，则安在楼顶排水沟外沿，用水泥墩做支座。

如果楼面较大，要在楼面上做网格，网格上的圆钢与周围的圆钢焊成一体，并把楼面凸出的金属物体都和避雷网焊成一体，这些物体有下水干管上排气口、共用天线铁架、太阳能热水器铁架等。安放网格时最好把屋面上的所有凸出的构筑物都覆盖上，如卫生间排气孔。把周围的圆钢与做引下线的主钢筋预留端焊接成一体。

（3）有些建筑物不准安装露在表面的避雷网，这时要使用圆钢或扁钢，安装在建筑物结构表面内，外面用装饰面遮蔽，这就是避雷带。

（4）引下线的作用是把接闪器上的雷电流连接到接地装置引入大地。引下线有明敷设和暗敷设两种。

明敷设引下线使用镀锌圆钢制作，沿建筑物表面用铁支架固定。多根明敷设引下线时，为了便于测量接地装置的接地电阻和检修引下线，在距地 1.8m 处设断接卡子，断接卡以下与接地母线连接，并用保护管（竹管或塑料管）对地下 0.3m 至地上 1.7m 处进行保护。

引下线暗敷设是把圆钢或扁钢暗敷设在结构内，防雷级别高的要使用铜导体。较多的是利用建筑物混凝土柱内钢筋做防雷引下线。做引下线用的柱内主筋直径不小于 10mm，每根柱子内要焊接不少于 2 根主筋。主筋直径 10mm 以上焊接 4 根，主筋直径 16mm 以上焊接 2 根。

引下线暗敷设时如果是接人工接地体，这时要在距室外地坪 0.5m 处的外墙上做暗装断接卡子，上端用 ϕ12mm 镀锌圆钢与做引下线的钢筋焊接，下端接 40mm × 4mm 镀锌扁钢接地线。如果利用建筑物基础钢筋做接地体，则要在距室外地坪 0.5m 处设测试点，并在地下 0.8m 处预留一处接地连接板，准备接地电阻达不到要求时连接人工接地使用。

（5）高层建筑物防侧向雷击。当建筑物高度过高时，层顶的避雷网就不能有效地防护建筑物的侧面，此时会遭侧向雷击。为了有效防止侧向雷击，高层建筑物从首层起，每三层把结构圈梁水平钢筋焊接成环，并与做引下线的柱内主筋焊接，焊接数量不少于 2 根，称为均压环。从 30m 起，每向上三层在结构圈梁内敷设一条 25mm × 4mm 的镀锌扁钢与引下线焊接，形成环形水平避雷带。

高度超过 45m 的建筑，将 45m 以上外墙上的栏杆、门窗等较大金属物与防雷装置连接。

（二）接地装置工程

接地装置包括接地体和接地线。

1. 接地体

接地体是与土壤紧密接触的金属导体，可以把电流导入大地。接地体分为自然接地体和人工接地体两种。

（1）自然接地体是兼作接地体用的埋于地下的金属物体。自然接地体包括直接与大地可靠接触的各种金属构件、金属井管、金属管道和设备（通过或储存易燃易爆介质的除外）、混凝土建筑物的基础。在建筑施工中，常选择用混凝土建筑物的基础钢筋作为自然接地体。自然接地体的接地电阻符合要求时，一般不再设人工接地体，当不能满足要求时，可以再增加人工接地体。在使用自然、人工两种接地体时，应设测试点和断接卡，使两种接地体可以分开测量。

（2）人工接地体是特意埋入地下专门做接地用的金属导体，埋设方式分为垂直埋设和水平埋设两种。

垂直埋设的接地体，接地体采用圆钢、钢管、角钢等；水平埋设的接地体，采用扁钢、圆钢等。

垂直接地体的长度一般为 2.5m。垂直接地体间的距离一般为 5m，当受地方限制时可适当减小。接地体的埋设深度为 0.6 ~ 1.0m，距建筑物间距大于 3m。

2. 接地线

接地线是接地设备与接地体可靠地连接的导体，有时一个接地体上要接多台设备，这时把接地线分为两段，与接地体连接的一段称为接地母线，与设备连接的一段称为接地线。

人工敷设的接地母线一般为镀锌扁钢或镀锌圆钢。与设备连接的接地线可以是钢材料，也可以是铜或铝导线。

接地母线可以暗敷设在结构内、埋设在地下或明敷设在结构上。接地导线可以穿管暗敷设或明敷设。

3. 接地电阻测量

接地装置的接地电阻大小，是决定该装置是否合乎要求的主要条件。接地电阻必须定期检测。检测时使用接地电阻测试仪测量，测量前将被测接地体从断开点断开。

减小接地电阻的方法有：增加接地体的根数或长度、化学处理法和换土法等。

4. 总等电位联结

在电源进入建筑物处要对电源 N 线做重复接地，并从进线处起改为 TN-S 系统供电。每个电源进线处要埋设接地装置，此时，除了电源 N 线要与接地装置连接外，建筑物内的各种金属管道、金属构件都要与接地装置连接，这种连接称为总等电位联结。

由于需要与接地装置连接的物体较多，一般在建筑物接地母线进线处设一只总等电位联结箱，箱内装接地端子板，把从接地体引来的接地母线和与各处连接的接地线都接在接地端子板上。

局部等电位联结。在局部场所范围内，将各种可导电物体与接地线或 PE 线连接，称为局部等电位联结。在建筑物内住宅卫生间、游泳池都要做局部等电位联结。卫生间、游泳池内所有的金属件，如管道、水嘴、扶手等，都要用导体连接到局部等电位联结箱的端子板上。端子板要求与系统 PE 线连接，同时与建筑物钢筋网进行连接。连接导线使用 $4mm^2$ 导线穿塑料管暗敷设。

在建筑物防雷系统中，建筑物的某些楼层也要做局部等电位联结，把楼层内的所有金属管道和金属构件与防雷引下线连接。

5. 建筑物人行通道均压带安装方法

当避雷装置遭受雷击，雷电流从接地装置流入大地时，在接地体周围会产生跨步电压。为了防止造成跨步电压触电，建筑物周围都要采取均压措施。在人行通道处接地体上方要覆盖一层 50～80mm 厚的沥青层，宽度要超出接地装置 2m。如果人行通道是沥青路面，可以不敷设这层沥青层。

6. 防雷接地工程图中的符号

防雷接地工程图中常用的符号，见表 5-16。

防雷接地工程图常用符号 **表 5-16**

序号	名称		符号	说明
1	避雷针		•	
2	避雷带（线）		—×—×—	
3	实验室用接地端子板	明装	⏚*	1. 除图上注明外，面板底距地面 1.2m 2. * 为端子数，用 1，2，3…表示
		暗装	⏚*	

续表

序号	名称		符号	说明
4	接地装置	有接地极		
		无接地极	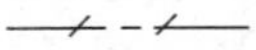	
5	接地一般符号			如表示接地状况或作用不够明显，可补充说明
6	无噪声（抗干扰）接地			
7	保护接地			本符号可用于代替序号5符号，以表示具有保护作用，例如在故障情况下防止触电的接地
8	接机壳或底板			
9	等电位			
10	端子			
11	端子板		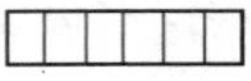	可加端子标志
12	等电位联结		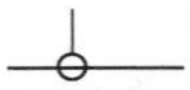	
13	易爆房间的等级符号	含有气体或蒸气爆炸性混合物	0区 1区 2区	
		含有粉尘或纤维爆炸性混合物	10区 11区	
14	易燃房间的等级符号		21区 22区 23区	

二、定额内容及工程量计算规则

全国定额中防雷及接地装置是第九章，共有7节64个子目。

本章定额适用于建筑物、构筑物的防雷接地，变配电系统接地，设备接地以及避雷针的接地装置。

（一）接地装置

（1）接地母线敷设定额分为：户内接地母线敷设、户外接地母线敷设、铜接地绞线敷设。户外接地母线敷设、铜接地绞线敷设按截面划分定额子目。以“10m”为计量单位。

（2）户内接地母线敷设不考虑敷设方法和位置。户外接地母线敷设按自然地坪和一般土质综合考虑的，包括地沟的挖填土和夯实工作，执行本定额时不应再计算土方量。如遇有石方、矿渣、积水、障碍物等情况时可另行计算。

（3）接地极制作安装定额分为：钢管、角钢、圆钢接地极，按土质普通土和坚土划分定额子目。此外还有接地极板按铜板和钢板划分定额子目。以“根”为计量单位。接地极长度按设计长度计算，设计无规定时，每根长度按2.5m计算。当设计有管帽时，管帽另按加工件计算。

（4）本章定额不适于采用焊破法施工敷设接地线、安装接地极，也不包括高土壤电阻率地区采用换土化学处理的接地装置及接地电阻的测定工作。

（5）接地跨接线安装定额分为：接地跨接线以“10处”为计量单位，按规程规定凡需作接地跨接线的工程内容，每跨接一次按一处计算；构架接地以“处”为计量单位，户外配电装置构架均需接地，每副构架按一处计算；钢、铝窗接地以“10处”为计量单位，按设计规定接地的金属窗数进行计算。

（二）防雷装置

（1）避雷针制作、安装定额。避雷针制作按材料和长度划分定额子目，避雷针安装按安装位置和长度划分定额子目，以“根”为计量单位。

独立避雷针安装按长度划分定额子目，以“基”为计量单位。独立避雷针的加工制作应执行“一般铁件”制作定额或按成品计算。

（2）半导体少长针消雷装置安装按设计安装高度划分定额子目，以“套”为计量单位，装置本身由设备制造厂成套供货。

（3）避雷引下线敷设分为利用金属构件引下、沿建筑物构筑物引下、利用建筑物主筋引下。以“10m”为计量单位；断接卡子制作安装以“10套”为计量单位。按设计规定装设的断接卡子数量计算，接地检查井内的断接卡子安装按每井一套计算。

（4）避雷网安装定额分为沿混凝土块敷设、沿折板支架敷设、均压环利用圈梁钢筋敷设，以“10m”为计量单位；混凝土块制作以“10块”为计量单位；柱主筋与圈梁钢筋焊接以“10处”为计量单位。

（5）利用建筑物柱子主筋作避雷引下线、利用圈梁钢筋作均压环、柱子主筋与圈梁钢筋连接都需要焊接，焊接按两根钢筋考虑，超过两根时，可按比例调整。均压环长度按设计需要作均压接地的圈梁中心线长度，以延长米计算。柱子主筋长度按设计檐高计算。

（6）电缆支架的接地线安装、采用单独扁钢作均压环时，可执行“户内接地母线敷设”定额。

（7）本章定额中，避雷针的安装、半导体少长针消雷装置安装均已考虑了高空作业的因素。

（8）利用铜绞线作接地引下线时，配管、穿铜绞线执行本册第十二章配管配线中同规格的相应项目。

（9）接地母线、避雷线敷设，均按延长米计算，其长度按施工图设计水平和垂直规定长度另加3.9%的附加长度（包括转弯、上下波动、避绕障碍物、搭接接头所占长度）计算。

(10) 计算主材费时应另增加规定的损耗率。

三、防雷及接地装置工程定额应用举例

由于电气系统接地的施工内容和方法与防雷接地略有不同，这里分别用两个例子说明定额的使用方法。

(一) 电气系统接地

电源外线进入建筑物后，按规定电源零线要做重复接地，同时内线系统的配电箱、金属管线也要与接地装置可靠连接，为了防止建筑物内的其他金属管线出现带电伤人的现象，建筑物内的水管、暖气管、燃气管道等也要与接地装置可靠连接，称为总等电位联结。

建筑物电气系统接地系统图，如图 5-11 所示。

建筑物电气系统接地平面图，如图 5-12 所示。

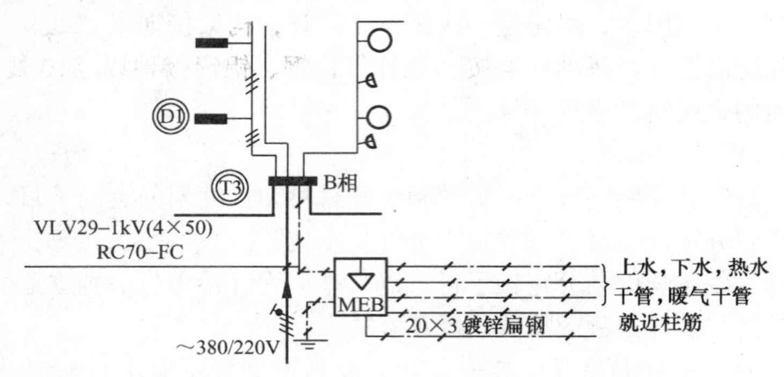

图 5-11 接地系统图

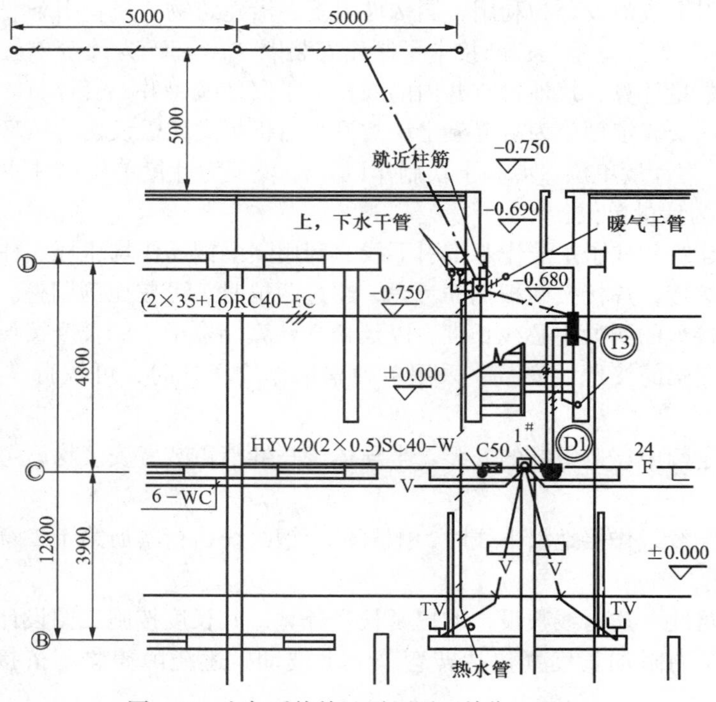

图 5-12 电气系统接地平面图（单位：mm）

从接地系统图5-11中可以看到，接地母线接到总等电位联结箱MEB箱，MEB箱内有接地铜排，接地母线接在铜排上，接地线从铜排接至各处需要接地的金属体。首先从MEB箱接到总配电箱T3，这一段接地线埋在地下使用一40mm×4mm镀锌扁钢。MEB箱箱体用一20mm×3mm的镀锌扁钢与最近的柱子钢筋进行焊接。从接地铜排上接出的另外4条接地线分别与上水、下水、热水干管及暖气干管连接，使用BV-25mm塑料绝缘铜芯导线穿SC20焊接钢管埋地敷设，与管道连接使用管箍压接。各个连接位置如平面图5-12。

平面图中MEB箱装在单元门右侧墙上，安装高度0.5m。主配电箱T_3安装在对面墙上，安装高度1.4m。上、下水干管和暖气干管距MEB箱很近，热水干管位置在卫生间内。接地装置为3根接地极，使用ϕ19mm镀锌圆钢。接地极距建筑物外墙距离5m，接地极间距5m。接地母线从接地极接到MEB箱。

1. 工程量统计

工程量统计见表5-17。

电气接地工程量统计表 **表5-17**

序号	工程项目	单位	计算公式	数量
1	ϕ19mm圆钢接地极制作安装	根		3.00
2	户外接地母线敷设40×4镀锌扁钢	m	5×2+5.65	15.65
3	户内接地母线敷设40×4镀锌扁钢	m	2.4+0.8+0.5+（0.75−0.68）+2.4+0.5+1.4	8.07
4	MEB箱安装	台		1.00
5	户内接地母线敷设20×3镀锌扁钢	m	0.56+0.5	1.06
6	钢管埋地敷设SC20	m	0.71+0.56+0.99+8.05	10.31
7	焊接钢管在砖、混凝土结构内敷设SC20	m	0.5×4	2.00
8	管内穿铜芯线	m	10.31+2	12.31

工程量统计过程如下：

统计顺序从室外接地极开始，沿接地线进行统计。

（1）接地极安装，3根。

图中有3根接地极，使用ϕ19mm圆钢。

（2）外户接地母线敷设40×4，15.65m。

3根接地极间距为5m，两段母线长为5×2=10m，接地极到外墙母线长度用尺量，长为5.65m，全长10+5.65=15.65m。

（3）户内接地母线敷设40×4，9.07m。

母线从外墙引入室内接到MEB箱，水平长度量出为2.4m，量到MEB箱中心。母线竖直长度，接地埋深0.8m，室外地坪为−0.75m，MEB箱处地坪为0.68m，MEB箱安装高度0.5m，竖直长度为0.8+(0.75−0.68)+0.5=1.37m。全长2.4+1.37=3.77m。

此外从MEB箱连接到主配电箱T3箱使用的母线规格与接地母线相同，两箱内水平长度量出为2.4m，MEB箱下部为0.5m，F3箱安装高度为1.4m，竖直长度为0.5+1.4=1.9m，母线长度为2.4+1.9=4.3m，

两段母线总长为4.3m+3.77m=8.07m。使用40mm×4mm镀锌扁钢。

（4）MEB箱安装，1台。

(5) 户内接地母线敷设 20×3，1.06m。

从系统图上看出，MEB箱就近与柱筋连接使用20mm×3mm镀锌扁钢，水平长度量出为0.56m。竖直长度为MEB箱下0.5m，总长0.56+0.5=1.06m。

(6) 焊接钢管埋地敷设 SC20，10.31m。

系统图中，有4条接地线要从MEB箱接出，分别接到上、下水干管，热水干管和暖气干管，使用BV铜导线穿焊接钢管埋地敷设，从MEB箱向下，然后水平敷设至各根干管位置。四根干管有三根在MEB箱附近，两根在厨房，一根在楼门下的暖气沟内。热水干管在卫生间内。四根水平长度量出为0.71+0.56+0.99+8.05=10.31m。

(7) 焊接钢管在砖、混凝土结构内敷设 SC20，2m。

每根钢管都从MEB箱向下，竖直长度为0.5×4=2m，钢管敷设在墙内。

(8) 管内穿铜芯线，12.31m。

管内穿线长度与钢管长度相等，为10.31+2=12.31m。使用BV-25塑料铜线。

2. 套定额计算定额直接费

定额直接费计算见表5-18。

定额直接费统计表 **表5-18**

序号	定额编号	定额工程项目	单位	计算公式	数量
1	2-692	接地极制作、安装圆钢接地极普通土	根		3.000
2	主材费	ϕ19mm圆钢接地极	根	(1+5%)×3	3.150
3	2-696	户内接地母线敷设	10m	(9.07+1.06)×(1+3.9%)/10	0.1053
4	主材费	镀锌扁钢25mm×3mm	m	(1+2.3%)×(1+3.9%)×1.06	1.130
5	主材费	镀锌扁钢40mm×4mm	m	(1+2.3%)×(1+3.9%)×(9.07+15.65)	26.275
6	2-697	户外接地母线敷设截面200mm^{2}以内	10m	15.65×(1+3.9%)/10	1.626
7	2-325	端子箱安装户内	台		1.000
8	主材费	接地端子箱	台		1.000
9	2-326	端子板安装	组		1.000
10	主材费	接地端子板	组		1.000
11	2-1009	钢管敷设砖、混凝土结构暗配钢管公称直径20mm以内	100m	(10.31+2)/100	0.1231
12	主材费	焊接钢管直径20mm	m	103×0.1231	12.68
13	2-1203	管内穿线动力线路铜芯导线截面25mm^{2}以内	100m	(12.31+2.6)/100	0.149
14	主材费	塑料绝缘铜芯线BV-25	m	105.000×0.151	15.855

续表

序号	定额编号	定额工程项目	单位	计算公式	数量
15	2-338	压铜接线端子导线截面 $35mm^2$ 以内	10个	4/10	0.400
16	2-701	接地跨接线	10处	4/10	0.400
17	主材费	金属抱箍	套		4.000

套用定额编制定额直接费计算表的过程如下：

（1）定额编号 2-692，接地极制作、安装圆钢接地极普通土，定额计量单位为“根”，3 根。接地装置制作、安装不分规格，按材料分土质套用定额。

（2）主材费。使用 ϕ19mm 圆钢，（1 + 5%）×3 = 3.15 根，5%是型钢的损耗率。

（3）定额编号 2-696，户内接地母线敷设，定额计量单位为“10m”，0.1053 个定额计量单位。(9.07 + 1.06)×(1 + 3.9%)/10 = 0.1053。要增加 3.9%的附加长度。

（4）主材费。镀锌扁钢 25mm×3mm，（1 + 2.3%）×（1 + 3.9%）×1.06 = 1.13m。

（5）主材费。镀锌扁钢 40mm×4mm，（1 + 2.3%）×（1 + 3.9%）×（9.07 + 15.65）= 26.275m。15.65m 是接地母线户外敷设的长度。

（6）定额编号 2-697，户外接地母线敷设截面 $200mm^2$ 以内，定额计量单位为“10m”，0.1626 个定额计量单位。15.65×（1 + 3.9%）/10 = 1.626。

（7）定额编号 2-325，端子箱安装户内，定额计量单位为“台”，1 台。

端子箱安装及端子板安装是第四章定额内容。

（8）主材费。接地端子箱，1 台。

（9）定额编号 2-326，端子板安装，定额计量单位为“组”，1 组。

（10）主材费。接地端子板，1 组。

（11）定额编号 2-1009，钢管敷设砖、混凝土结构暗配钢管公称直径 20mm 以内，定额计量单位为“100m”，0.1231 个定额计量单位。

执行第十二章配管配线定额，钢管敷设砖、混凝土结构暗配钢管公称直径 20mm 以内。竖直敷设的钢管、水平敷设的钢管均执行本定额，数量为(10.31 + 2)/100 = 0.1231 个定额计量单位。

（12）主材费。焊接钢管直径 20mm，长度103×0.1231 = 12.68m。103 是定额含量。用定额含量乘以定额量计算主材数量。

（13）定额编号 2-1203，管内穿线动力线路铜芯导线截面 $25mm^2$ 以内，定额计量单位为“100m”，0.151 个定额计量单位。

执行第十二章配管配线定额。计算定额量时要计算导线在箱内的预留长度，增加长度为箱体的宽加高，MEB 箱的尺寸为 400mm×250mm×140mm，增加长度为(0.4 + 0.25)×4 = 2.6m，定额数量为(12.31 + 2.6)/100 = 0.149 个定额计量单位。

（14）主材费。塑料绝缘铜芯导线 BV－25，15.87m。

定额主材含量为 105.000，主材量为 105.000×0.151 = 15.855m。

（15）定额编号 2-338，压铜接线端子导线截面 $35mm^2$ 以内，定额计量单位为“10 个”，0.4 个定额计量单位。

压铜接线端子是第四章定额内容。大于 $10mm^2$ 的导线均为绞合线，与设备连接时要使用接线端子，4 条导线要接在母线端子板上，做 4 个接线端子。定额含铜接线端子主材费。

（16）定额编号 2-701，接地跨接线，定额计量单位为“10 处”，0.4 个定额计量单位。接地线与上、下水，热水，暖气干管连接使用抱箍卡接。

（17）主材费。金属抱箍，4 套。

（二）防雷接地

防雷接地图，如图 5-13 所示。

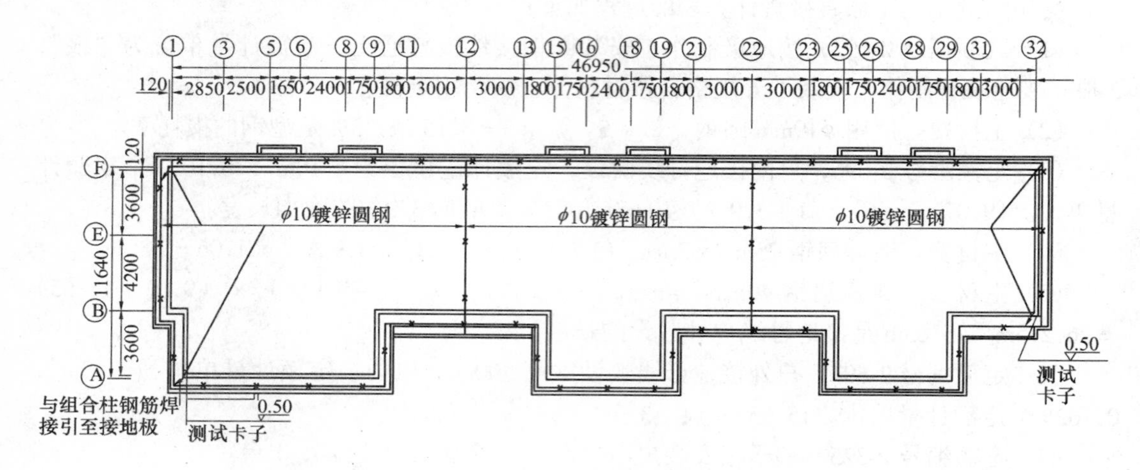

图 5-13　住宅楼防雷平面图

本图为六层砖混住宅楼，檐高 20m，楼顶安装避雷网，四周安装在女儿墙上，中间分隔部分安装在混凝土块上。利用楼四角的四根构造柱钢筋作防雷引下线，每根柱内焊 4 根钢筋。每根柱下埋设一组接地装置，每组为 2 根 ϕ19mm 的圆钢接地极，间距 5m，接地极距楼 5m。接地母线在距室外地坪 0.5m 处与构造柱上引出的引下线连接，作暗装断接测试卡子。

1. 工程量统计

工程量统计见表 5-19。

工程量统计表　　　　表 5-19

序号	工程项目	单位	计算公式	数量
1	避雷网安装四周	m	46.95×2+11.64×2+3.6×4	131.58
2	避雷网安装混凝土	m	（11.64－3.6）×2	16.08
3	混凝土块制作	块		16.00
4	避雷引下线钢筋焊接	m	20×4	80.00
5	断接卡子箱安装	个		4.00
6	断接卡子制作安装	个		4.00
7	圆钢接地极制作安装 ϕ19mm	根	2×4	8.00
8	户外接地母线敷设 40×4	m	（5+5）×4	40.00
9	户内接地母线敷设 40×4	m	（0.8+0.5）×4	5.20

工程量统计过程如下：

（1）避雷网安装，使用 ϕ10mm 镀锌圆钢，四周安装在女儿墙上，长度为屋顶周长，以外墙轴线长度为准，长为 46.95m，宽为 11.64m，有两外凹陷，各多出 4 条短边，每边长 3.6m，周长为（46.95 + 11.64）×2 + 3.6×4 = 131.58m。

（2）避雷网在混凝土块上安装，长度为楼宽减去短边长，11.64 − 3.6 = 8.04m，共 2 根，总长为 16.08m。

（3）混凝土块制作按每米一块计，为 16 块。

（4）避雷引下线钢筋焊接，从地面算起，按檐高 20m 计，4 根柱子为 80m。

（5）在距室外地面 0.5m 处装断接测试卡子，由于是暗装，要在墙上装接线箱，共 4 个。

（6）制作安装圆钢接地极，每组 2 根共 4 组，8 根接地极使用 ϕ19mm 镀锌圆钢，购买成品。

（7）户外接地母线敷设，接地极间距 5m，距楼 5m，每组母线长 10m，4 组总长 40m。

（8）户内接地母线敷设，沿墙竖直向上段没有挖土，算户内敷设，接地埋深 0.8m，断接点距地 0.5m，每根长 0.8 + 0.5 = 1.3m，4 根长 5.2m。

2. 套定额计算直接费

定额直接费计算见表 5-20。

定额直接费计算表 　　　　**表 5-20**

序号	定额编号	定额工程项目	单位	计算公式	数量
1	2-692	圆钢接地极制作安装普通土	根		8.000
2	主材费	ϕ19mm 镀锌圆钢接地极	根	8×（1 + 5%）	8.400
3	2-696	户内接地母线敷设	10m	5.2×（1 + 3.9%）/10	0.540
4	2-697	户外接地母线敷设截面 200mm² 以内	10m	40×（1 + 3.9%）/10	4.156
5	主材费	镀锌扁钢一 40mm×4mm	m	（5.2 + 40）×（1 + 3.9%）×（1 + 2.3%）	48.040
6	2-746	避雷引下线敷设利用建筑物主筋引下	10m	20×4×2/10	16.000
7	2-748	避雷网安装沿混凝土块敷设	10m	16.08/10	1.608
8	2-749	避雷网安装沿折板支架敷设	10m	131.58/10	13.158
9	主材费	ϕ10mm 镀锌圆钢	m	（131.58 + 16.08）×（1 + 3.9%）×（1 + 2.3%）	156.950
10	2-750	混凝土块制作	10 块	16/10	1.600

套用定额编制定额直接费计算表的过程如下：

（1）定额编号 2-692，圆钢接地极制作安装普通土，定额计量单位为“根”，共 8 根。套用普通土定额子目。

（2）主材费。圆钢接地极，使用 ϕ19mm 圆钢，型钢损耗率 5%，共 8.4 根。

（3）定额编号 2-696，户内接地母线敷设，定额计量单位为“10m”，0.54 个定额计量单位。5.2×（1 + 3.9%）/10 = 0.54。增加波形预留长度 3.9%。

(4) 定额编号 2-697，户外接地母线敷设截面 $200mm^2$ 以内，定额计量单位为“10m”，40×（1+3.9%）/10=4.156，4.156 个定额计量单位。

(5) 主材费。接地母线主材为一 40mm×4mm 镀锌扁钢，增加波形预留长度 3.9% 和损耗率 2.3%，全长为 48.04m。

(6) 定额编号 2-746，避雷引下线敷设利用建筑物主筋引下，定额计量单位为“10m”，16 个定额计量单位。利用建筑物主筋作避雷引下线，因焊接 4 根钢筋，定额量按比例增加乘以 2。

(7) 定额编号2-748,避雷网安装沿混凝土块敷设,定额计量单位为“10m”，16.08/10=1.608，1.608 个定额计量单位。

(8) 定额编号2-749,避雷网安装沿折板支架敷设,定额计量单位为“10m”，131.58/10=13.158，13.158 个定额计量单位。

(9) 主材费。避雷网主材使用 ϕ10mm 镀锌圆钢，增加波形预留长度 3.9% 和损耗率 2.3%，（131.58+16.08）×（1+3.9%）×（1+2.3%）=156.95，全长 156.95m。

(10) 定额编号 2-750，混凝土块制作，定额计量单位“10 块”，1.6 个定额计量单位。

第五节　配管配线及照明电器安装工程定额

一、配管配线及照明电器安装工程的工程内容

配管配线及照明电器安装工程，是指在建筑物内进行的线路敷设和电气设备安装工程。

（一）配管配线工程

配管配线是在建筑物外墙以内进行线路敷设，也称为内线工程。

1. 线路敷设基本方法

建筑物内的线路敷设方法有许多种，线路的敷设位置也不同，按在建筑结构内外敷设分为：明敷设和暗敷设；按在建筑结构上的位置分为：沿墙、沿柱、沿梁、沿顶棚和沿地面敷设。

线路明敷设：明敷设在建筑物全部完工以后进行，一般用于简易建筑或新增加的线路。

线路暗敷设：暗敷设与建筑施工同步进行，在施工过程中把各种预埋件置于建筑结构中，建筑完工后再进一步完成线路敷设工作。暗敷设是建筑物内线路敷设的主要方式。

各种线路敷设的方法也叫配线方法，其差异主要是导线在建筑物上的固定方式不同，所使用的材料、器件及导线种类也随之不同。常用的室内线路敷设方法有以下几种：

夹板配线、瓷瓶配线、线槽配线、线管配线、卡钉配线、钢索配线、封闭式母线槽配线。

标注线路安装方式和敷设部位的文字符号，见表 5-21。

标注线路安装方式和敷设部位的文字符号 **表 5-21**

序 号	导线敷设方式和部位	文字符号	序 号	导线敷设方式和部位	文字符号
1	用瓷瓶或瓷柱敷设	K	14	沿钢索敷设	SR
2	用塑料线槽敷设	PR	15	沿屋架或跨屋架敷设	BE
3	用钢线槽敷设	SR	16	沿柱或跨柱敷设	CLE
4	穿水煤气管敷设	RC	17	沿墙面敷设	WE
5	穿焊接钢管敷设	SC	18	沿顶棚面或顶板面敷设	CE
6	穿电线管敷设	TC	19	在能进人的吊顶内敷设	ACE
7	穿聚氯乙烯硬质管敷设	PC	20	暗敷设在梁内	BC
8	穿聚氯乙烯半硬质管敷设	FPC	21	暗敷设在柱内	CLC
9	穿聚氯乙烯波纹管敷设	KPC	22	暗敷设在墙内	WC
10	用电缆桥架敷设	CT	23	暗敷设在地面内	FC
11	用瓷夹敷设	PL	24	暗敷设在顶板内	CC
12	用塑料夹敷设	PCL	25	暗敷设在不能进人的吊顶内	ACC
13	穿金属软管敷设	CP			

图纸上线路标注的一般格式如式（5-2）：

$$a - d(e \times f) - g - h \tag{5-2}$$

式中 a——线路编号或功能符号；

d——导线型号；

e——导线根数；

f——导线截面积（mm^2）；

g——导线敷设方法的符号；

h——导线敷设部位的符号。

如：BV-3×6+1×2.5-SC20-WC

含义是：塑料绝缘铜芯导线（BV）；共有 4 根线，其中 3 根为 $6mm^2$，1 根为 $2.5mm^2$，总截面积为（3×6+1×2.5）；配线方式为穿直径 20mm 焊接钢管（SC20）；敷设部位为沿墙暗敷设（WC）。

标注线路的图形符号，见表 5-22。

标注线路的图形符号 **表 5-22**

序号	名 称		图形符号	备 注
1	走线槽	地面明槽		
		地面暗槽		
2	线槽内配线		※	※注明回路号及导线极数和截面
3	电缆桥架		※	※注明回路号及电缆芯数和截面

续表

序号	名 称		图形符号	备 注
4	向上配线			
5	向下配线			
6	垂直通过配线			
7	盒（箱）一般符号			
8	连接盒或接线盒			
9	伸缩缝，沉降缝穿线盒			
10	导线、导线组、电线、电缆、电路、传输（如微波技术）线路、母线（总线）	一般符号		1. 当用单线表示一组导线时，若需示出导线数，电力线和照明干线可加标注线标注所选导线数，照明支线可加小短斜线或画一条短斜线加数字表示，当未画短斜线时，则表示为两根导线 2. 照明支线除图上注明外，均选用BV-2.5聚氯乙烯绝缘铜线
		示出三根导线		
		示出三根导线	3	
11	引入、引出线	引入线		1. 电力电缆由地下引入、引出时，埋地深度除图上注明外，一般为电缆上皮距室外地面800mm 2. 220/380V架空线路引入、引出时，管线与首层屋面平，但从支持绝缘子起距室外地面不小于2.7m
		引出线		
12	挂在钢索上的线路			
13	应急照明线路			除图上注明外，应急照明及低压线路选用BV-2.5聚氯乙烯绝缘铜线，控制及信号线路选用BV-1.0聚氯乙烯绝缘铜线
14	50V及以下电力和照明线路			
15	照度		Ⓐ	A照度值（lx）

2. 线路暗敷设

暗敷设是建筑物内线路敷设的主要方式，采用导管配线。先把导管预埋在结构内，再把导线穿在管子里，因此也叫穿管暗埋敷设。穿管常用的导管有两大类：钢导管和塑料导管。

钢导管按管壁的厚度，分为薄壁钢管和厚壁钢管。薄壁钢管也叫电线管，是专门用来穿电线用的，其内外均已做过防腐处理。厚壁钢管又分为焊接钢管和水煤气钢管，焊接钢管是专门用来穿电线用的，水煤气钢管主要用于通水与煤气。厚壁钢管分为镀锌钢管和不镀锌黑管，黑管在使用前先做防腐处理。在现场浇筑的混凝土结构中主要使用厚壁钢管。而水煤气钢管则用于敷设在自然地面内和素混凝土地面中。

塑料导管有聚乙烯硬管、半硬管、波纹管，改性聚氯乙烯硬管。为了保证建筑电气线路安装符合防火规范要求，各种塑料管均采用阻燃性材料，称为阻燃管。

普利卡金属套管是一种新型复合管材，也称为可挠金属套管，导管外层为镀锌钢带，内层为电工纸，表面被覆一层具有良好柔韧性的软质聚氯乙烯（PVC）材料。

3. 预埋接线盒

为了安装开关、插座、灯具及导线联接，在预埋管路的同时，在开关、插座、灯具的位置要预埋接线盒。导线穿管后在盒内进行联接，或接在电器接线端上，穿管敷设的导线在管内不准有接头，同时各种灯具要利用接线盒进行安装固定。

接线盒分为铁盒和塑料盒，使用时，钢管配铁盒，塑料管配塑料盒，不准混用。由于电器面板的尺寸不同，接线盒的尺寸也不同，但基本分为方形盒、长方形盒，用来装开关、插座；八角形盒用来装灯具，叫灯头盒。

4. 管子防腐

钢管暗敷设采用黑管时应进行防腐处理。埋入砖墙内的钢管要刷防锈漆。埋入焦渣层中的钢管，应用厚度大于50mm的水泥浆保护。埋入土层内的钢管，应刷两道沥青油或用混凝土保护层防腐。

5. 装跨接地线

钢管与钢管套丝连接及钢管与接线盒套丝连接后，为了保证两段管之间的良好电气连接，钢管与钢管、钢管与接线盒（箱）都要装跨接地线。如果是黑管，则用直径6mm以上圆钢进行焊接；如果是镀锌钢管，不能使用电焊进行熔焊，可以用4～6mm^2铜导线进行锡焊或用管卡子进行压接。

6. 管内穿线

管内穿线时先穿入一根钢丝，然后用钢丝把绝缘导线拉入管内。

7. 线路的功能

我们使用的供电线路基本都是三相四线制，但用电器分为三相用电器和单相用电器。三相用电器要同时使用三相交流电，要同时接三条相线，但不需要接中性线。单相用电器只使用三相交流电中的一相，只要接一条相线和中性线。

三相用电器大多是电动机，为机械设备提供动力，因此为三相用电器供电的线路称为动力线路，三相用电器称为动力设备。单相用电器大多是照明灯具，而为单相用电器供电的线路称为照明线路，单相用电器称为照明设备。

（二）照明电器安装工程

照明电器安装包括配电箱安装、灯具安装、开关安装、插座安装、其他电器安装。

1. 配电箱安装

在配电线路中要使用许多配电箱，配电箱里安装开关电器，一条大电流的线路进入配电箱，经过开关分成若干条小电流的线路。配电箱要分成多级，有总配电箱，有分配电箱，最后一级配电箱接用电器。配电箱与配电箱之间的线路常称为干线，配电箱与用电器之间的线路常称为支线。

配电箱安装分为：挂在墙面上称为明装，暗埋在墙体内称为嵌入式安装也叫做暗装。与配电箱连接的导管，均沿墙纵向敷设。

配电箱的图形符号，见表5-23。

配电箱的图形符号 **表5-23**

序号	名　称	图形符号	备　注
1	屏、台、箱、柜一般符号		除图上注明外，配电箱画在墙外时为明装，箱底距地面1.2m；配电箱画在墙内时为暗装，箱底距地面1.4m。但明暗装配电箱箱顶距地面不高于2.0m
2	动力配电箱（动力照明配电箱）		
3	信号板，信号箱（屏）		
4	照明配电箱（屏）		
5	事故照明配电箱（屏）		
6	多种电源配电箱（屏）		
7	直流配电盘（屏）		
8	交流配电盘（屏）		
9	电源自动切换箱（屏）		
10	断路器或断路器箱		
11	刀开关箱		
12	带熔断器的刀开关箱		
13	熔断器箱		
14	组合开关箱		

续表

序号	名　　称	图形符号	备　　注
15	配电箱（台、屏、柜）编号和出线示例		配电箱（台、屏、柜）的编号 ·-·-·- 编号 楼层或分区号 电气设备常用文字符号见表5-29
		AL-2-3	二层3号照明配电箱
		WL1	照明分支线标注文字符号见表5-29
16	电能表箱		
17	插座箱（板）		除图上注明外，箱底距地1.2m
18	地面插座箱（盒）		
19	就地插座箱（按钮箱）		
20	π接箱（分线箱）	π	
21	不间断电源	UPS	
22	电容器柜（屏）		

2. 灯具、开关安装

照明灯具的种类很多，安装方式各异，灯具的安装方式，如图5-14所示。

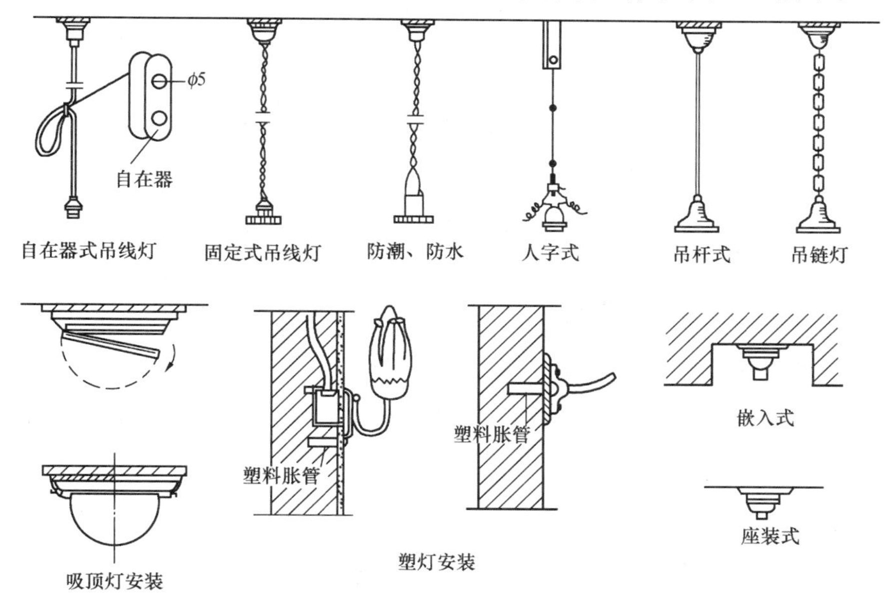

图5-14　灯具安装方式示意图

常用照明灯具在平面图上的图形符号，见表5-24。

常用照明灯具在平面图上的图形符号　　表 5-24

序号	名　称	图形符号	备　注
1	灯具一般符号	⊗	
2	深照型灯		
3	广照型灯（配照型灯）		
4	防水防尘灯	⊗	
5	安全灯	⊖	
6	隔爆灯	◉	
7	顶棚灯		
8	球形灯	●	
9	花灯	⊗	
10	弯灯		
11	壁灯	◒	
12	投光灯一般符号		
13	聚光灯		
14	泛光灯		
15	荧光灯具一般符号	├─┤	
16	三管荧光灯		
17	五管荧光灯		
18	防爆荧光灯		
19	在专用电路上的应急照明灯	×	
20	自带电源的应急照明装置（应急灯）	⊠	
21	气体放电灯的辅助设备		用于辅助设备与光源不在一起时
22	疏散灯		箭头表示疏散方向
23	安全出口标志灯		
24	导轨灯导轨		

照明开关在平面图上的图形符号，见表 5-25。

照明开关在平面图上的图形符号 表 5-25

序号	名称		图形符号	备注
1	开关，一般符号			
2	带指示灯的开关			
3	单极开关	明装		除图上注明外，选用 250V 10A，面板底距地面 1.3m
		暗装		
		密闭（防水）		
		防爆		
4	双极开关	明装		
		暗装		
		密闭（防水）		
		防爆		
5	三极开关	明装		
		暗装		
		密闭（防水）		
		防爆		
6	单极拉线开关			1. 暗装时，圆内涂黑 2. 除图上注明外，选用 250V 10A；室内净高低于 3m 时，面板底距顶 0.3m，高于 3m 时，距地面 3m
7	双极拉线开关（单极三线）			
8	单极限时开关			
9	双控开关（单极三线）			1. 暗装时，圆内涂黑 2. 除图上注明外，选用 250V 10A，面板底距地面 1.3m
10	多拉开关（如用于不同照度）			
11	中间开关			中间开关等效电路图
12	调光器			1. 暗装时，圆下半部分涂黑 2. 除图上注明外，面板底距地面 1.3m
13	钥匙开关			
14	“请勿打扰”门铃开关			

续表

序号	名称	图形符号	备注
15	风扇调速开关		1. 暗装时，圆下半部分涂黑 2. 除图上注明外，面板底距地面1.3m
16	风机盘管控制开关		
17	按钮		
18	带有指示灯的按钮		
19	防止无意操作的按钮 （例如防止打碎玻璃罩等）		
20	限时设备定时器		
21	定时开关		

为了能在图上说明这些情况，在灯具符号旁还要用文字加以标注。灯具安装方式的文字符号，见表5-26。

灯具安装方式的文字符号 **表5-26**

序号	安装方式	文字符号	序号	安装方式	文字符号
1	吊线式	CP	9	吸顶或直附式	S
2	自在器吊线式	CP	10	嵌入式	R
3	固定吊线式	CP1	11	顶棚上安装	CR
4	防水吊线式	CP2	12	墙壁上安装	WR
5	吊线器式	CP3	13	台上安装	T
6	吊链式	Ch	14	支架上安装	SP
7	吊杆式	P	15	柱上安装	CL
8	壁装式	W	16	座装式	HM

灯具标注的一般格式如下（式5-3）：

$$a\frac{c\times d}{e}f \tag{5-3}$$

式中 a——某场所同类灯具的个数；

c——灯具内安装的灯泡或灯管的数量；

d——每个灯泡或灯管的功率（W）；

e——灯具安装高度，即灯具底部至地面的高度（m）；

f——安装方式代号，见表5-26。

例如：

$$6\frac{2\times 40}{2.5}\mathrm{Ch}$$

表示该场所有6盏同类型的灯，每个灯具内有2个灯泡，功率40W，采用链吊式安装

(Ch)；安装高度 2.5m。

灯具一般安装在屋顶，开关安装在墙上，从配电箱引出的导管，要从配电箱向上沿墙敷设到屋顶，再沿屋顶到灯具位置。同样灯具到开关的导管，要从灯具位置沿屋顶到墙，再沿墙敷设到开关位置。

给灯具供电的线路，一般两条线，一条相线一条中性线。灯具接开关也是两条线，一条相线，一条接灯具叫做回火线。一个面板上可能不只一个开关，称为双联、三联、四联开关，每个开关都有一条回火线，这时灯具接开关就不是两条线，而是比开关数多一条线，双联开关三条线，三联开关四条线。

如果灯具安装高度低于 2.4m，给灯具供电的线路，就要有三条线，增加一条保护线，准备接灯具的铁外壳。

3. 插座安装

插座安装一般靠近地面，从配电箱引出的导管，要从配电箱向下沿墙敷设到地面，再沿地面到插座位置墙，沿墙向上敷设到插座位置。

普通照明插座的安装高度为 0.3m ~ 1.8m，按设计要求安装。空调插座的安装高度为 2m。

给插座供电的线路为三条线，一条相线、一条中性线、一条保护线。

一个插座面板上可能不只一个插座，称为双联、三联、四联插座。插座又分为两孔插座和三孔插座，可以在面板上任意组合。插座面板也常用面板上的总孔数划分，有两孔、三孔、四孔、五孔插座。五孔插座就是两孔插座和三孔插座的组合。

插座在平面图上的图形符号，见表 5-27。

插座在平面图上的图形符号 **表 5-27**

序号	称 称		图形符号	备 注
1	单相插座	明装		1. 除图上注明外，选用 250V 10A 2. 明装时，面板底距地面 1.8m；暗装时，面板底距地面 0.3m 3. 除具有保护板的插座外，儿童活动场所的明暗装插座距地面均为 1.8m 4. 插座在平面图上的画法 隔墙
		暗装		
		密闭（防水）		
		防爆		
2	带接地插孔的单相插座	明装		
		暗装		
		密闭（防水）		
		防爆		
3	带接地插孔的三相插座	明装		1. 除图上注明外，选用 380V 15A 2. 明装时，面板底距地面 1.8m；暗装时，面板底距地面 0.3m
		暗装		
		密闭（防水）		
		防爆		
4	带中性线和接地插孔的三相插座	明装		
		暗装		
		密闭（防水）		
		防爆		

4. 其他电器安装

其他电器是指除灯具、插座以外的单相电器，有电风扇、空调、电铃、电钟、电阻加热装置、电热水器等。

其他电器在平面图上的图形符号，见表5-28。

其他电器在平面图上的图形符号 **表5-28**

序　号	名　称	图形符号	说　明
1	电风扇		若不引起混淆，方框可不画
2	空调器		未示出引线
3	电铃		
4	电钟		
5	电阻加热装置		
6	电热水器		

常用电气设备在平面图上的文字符号，见表5-29。

常用电气设备在平面图上的文字符号 **表5-29**

名　称	文字符号	名　称	文字符号
高压开关柜	AH	低压负荷开关箱	AF
低压配电屏	AA	漏电断路器箱	ARC
动力配电箱	AP	电能表箱操作箱	AW
直流配电屏	AD	插座箱	AX
电源自动切换箱	AT	发热器件（电加热）	EH
多种电源配电箱	AM	照明灯（发光器件）	EL
照明配电箱	AL	空气调节器	EV
应急照明配电箱	ALE	电加热器、加热元件	EE
应急电力配电箱	APE	避雷器	F
控制屏（箱）	AC	熔断器	FU
信号屏（箱）	AS	限压保护器件	FV
并联电容器屏（柜）	ACP	跌开式熔断器	FF
快速熔断器	FTF	事故音响小母线	WFS
电线　电缆　母线	W	预告音响小母线	WPS
直流母线	WB	电压小母线	WV
插接式（馈线）母线	WIB	连接片	XB
电力分支线	WP	插头	XP
照明分支线	WL	插座	XS
应急照明分支线	WE	端子板	XT
电力干线	WPM	电动阀	YM
照明干线	WLM	电磁阀	YV
应急照明干线	WEM	防火阀	YF
滑触线	WT	电磁锁	YL
合闸小母线	WCL	排烟阀	YS
控制小母线	WC	跳闸线圈	YT
信号小母线	WS	合闸线圈	YC
闪光小母线	WF	气动执行器	YA
		电动执行器	YE

（三）动力设备安装工程

动力设备安装主要是电动机安装，控制电器安装和配合机械安装工进行成套设备安装。电动机、成套设备和单台控制电器安装前，都要进行地脚螺栓预埋，把设备按安装孔位安装在地脚螺栓上，并用螺母固定。

设备如果靠近墙壁，管线末端可以使用金属软管与设备连接。如果设备离墙壁较远，需要把钢管沿地暗埋到设备安装点，从地面引出后在管口安装防水弯头，从防水弯头到设备的接线要穿金属软管。

生产用的电动机一般为三相电动机，三相电动机的接线为三条相线，导管内穿三条导线。如果是星角降压启动的电动机，导管内穿六条导线。

每台动力设备都要有单独的控制箱，箱内装有电力开关和各种控制电器。安装方式与配电箱相同。

二、定额内容及工程量计算规则

（一）配管配线

配管配线对应的是内线工程内容，定额中配管配线是第十二章，共22节406个定额子目。

1. 配管

配管定额分为电线管、钢管、防爆钢管、塑料管、金属软管敷设定额，按建筑物结构形式和导管直径划分定额子目，使用这些定额时要特别注意，因为每种管的子目划分都相同，套用定额时很容易翻错页，用错定额。定额计量单位为“100m”。配管定额均不含主材，要按定额项目表中的主材含量计算主材用量。计量配管长度时，以“延长米”为计量单位，不扣除接线箱（盒）、灯头盒、开关盒所占的长度。

2. 管内穿线

管内穿线定额分为照明线路，动力线路，多芯软导线敷设定额，按线芯材质，导线截面积和软导线芯数划分定额子目，计量单位为“100m单线”。穿线定额均不含主材，按定额项目表中的主材含量计算主材用量。照明线路穿线定额最大截面为4mm^2，超过4mm^{2}则执行动力线路穿线定额子目。

3. 其他配线定额

其他配线方法的定额，按敷设方式、敷设位置、导线种类、导线截面划分定额子目。计量单位为“100m”。按定额项目表中的主材含量计算主材用量。

4. 其他注意事项

（1）灯具、开关、插座、按钮等接线的预留线，已分别综合在相应定额内，但导线进入开关箱、柜、板要增加预留量，以盘面尺寸的宽加高计算，从地面管子出口引至动力接线箱要从管口起预留1m。在工程量规则中有预留量表，执行定额时要注意增加预留量，不要忘记。

（2）接线箱是指箱内不安装开关设备，只用来分支接线的空箱体，按半周长执行定额。

（3）接线盒安装。配管的出口处要安装接线盒，用来安装照明电器及接线，区别安装形式及接线盒类型执行定额。

（二）照明器具

照明电器对应的是照明电器设备安装工程。定额中照明器具是第十三章，共10节328个定额子目。

1. 普通灯具

普通灯具是指那些最简单、最基本的灯具，吸顶灯具按形状和尺寸划分定额子目，其他普通灯具按悬挂安装方式划分定额子目。

2. 装饰灯具安装

装饰灯具各类很多，按悬挂方式分为吊式、吸顶式，按装饰物不同分为蜡烛灯、挂片灯、串珠灯、串棒灯、玻璃罩灯，分别按灯体直径和垂吊长度划分定额子目。

其他各种类型的装饰灯具按各自的类型划分定额子目。

3. 荧光灯具安装

荧光灯具安装分为组装型和成套型，按安装方式和灯管数量划分定额子目。

4. 工厂灯具安装

工厂灯具的类型有工厂罩灯、防水防尘灯、碘钨灯、投光灯、混光灯、密闭防爆灯，按灯具类型划分定额子目。装在烟囱、水塔上的标志灯以安装高度划分子目。

5. 医院灯具安装

医院灯具安装按灯具类型划分定额子目。路灯安装中大马路弯灯以臂长划分定额，庭院路灯以灯头数量划分定额子目。

6. 开关、插座、按钮安装

（1）开关安装分为拉线开关、扳把开关明装、扳把开关暗装单控、双控、一般按钮和密闭开关，暗装开关按“联”划分定额子目。

（2）插座安装分为单相明插座15A、30A、单相暗插座15A、30A，以孔数划分定额子目。三相插座和防爆插座以电流“A”划分定额子目。

7. 安全变压器、电铃、风扇安装

（1）安全变压器以容量“V·A”划分定额子目。

（2）电铃以直径划分定额子目，电铃号牌箱以号数划分定额子目，门铃分明装和暗装。

（3）风扇按类型分为吊风扇、壁扇和轴流排气扇。

8. 其他注意事项

（1）其他电器安装定额有盘管风机开关安装、请勿打扰灯开关、须刨插座、钥匙取电器安装。

（2）灯具、开关、插座、按钮安装以“10套”为计量单位，定额不含主材，需按主材含量计算主材费。

（3）路灯、投光灯、碘钨灯、氙气灯、烟囱和水塔指示灯、装饰灯具，均已考虑了高空作业因素，其他灯具安装高度如超过5m，应按册说明中规定的超高系数另行计算。

（4）装饰灯具安装包括脚手架搭拆费用。

（5）定额内已包括利用摇表测量绝缘及一般灯具的试亮工作，但不包括调试工作。

（三）控制设备及低压电器

定额中控制设备及低压电器是第四章，共24节141个定额子目。

1. 成套配电屏、柜、箱安装

(1) 成套设备中有控制屏、信号屏、模拟屏、配电屏（低压配电柜）、低压电容器柜、各种直流屏，以“台”为计量单位。

(2) 硅整流柜以电流“A”划分定额子目。

(3) 集装箱式配电室以重量“t”为计量单位。

(4) 屏边以“台”为计量单位，一排配电屏靠通道的一台要装屏边，计量单位是“台”，一“台”配电屏有一边安屏边，因此一台为一个边。

(5) 控制台、箱以台面长度“m”划分定额子目。

(6) 成套配电箱分落地式和悬挂嵌入式。悬挂嵌入式以箱半周长（高+宽）划分定额子目。

2. 低压电器安装

(1) 低压电器有各种控制开关、熔断器、控制器、接触器、起动器、电磁铁、电阻器、按钮、电铃安装及外部接线，这些定额都是在电器单独安装时使用，比如自己组装一台配电柜（箱），如果安装的是成套柜（箱），这些电器安装定额不得重复使用。

(2) 限位开关和水位信号装置安装定额中包含了铁支架的制作安装。

3. 焊压接线端子

导线截面在 $10mm^2$ 及以上时，为了便于连接，要安装接线端子。焊铜接线端子，压铜、铝接线端子，按导线截面划分定额子目，定额中包含接线端子主材。

电缆头制作安装定额中已包含了接线端子的安装，不要再执行本定额。

4. 其他注意事项

(1) 穿通板制作安装按材质划分定额子目，以“块”为计量单位，定额均含主材。

(2) 基础槽钢、角钢安装，以“10m”为计量单位。

(3) 铁构件制作、安装定额分为制作和安装子目，有一般铁构件和轻型铁构件，轻型铁构件指结构厚度在3mm以内的构件，本定额适用于本册定额范围内各种支架构件的制作、安装。定额以重量“100kg”为计量单位。需另计钢材主材费。

(4) 网门、保护网制作、安装、二次喷漆，以“m^2”为计量单位。网门制作、安装定额中包含金属网但不包含角钢，需另计主材费。

(5) 木配电箱制作以半周长（m）划分定额子目，配电板制作、安装以材质划分定额子目，安装以半周长（m）划分定额子目。墙洞配电箱用于现浇混凝土结构配电箱预留洞。

三、配管配线及照明电器安装工程定额应用举例

下面以一栋综合楼为例，说明这三章定额的使用方法。

本建筑为两层砖混结构，层高 3.5m，局部吊顶，室内外高差 0.6m，电缆埋深 0.8m，照明支路使用 SC15 焊接钢管，穿 BV-2.5 塑铜线。

综合楼的照明系统图，如图 5-15 所示。

(一) 首层照明灯具线路

先以首层为例，说明电源进线的做法，一层主配电箱的安装及照明灯具、开关线路的安装敷设工程量统计的方法及定额使用方法。首层电气平面图，如图 5-16 所示。

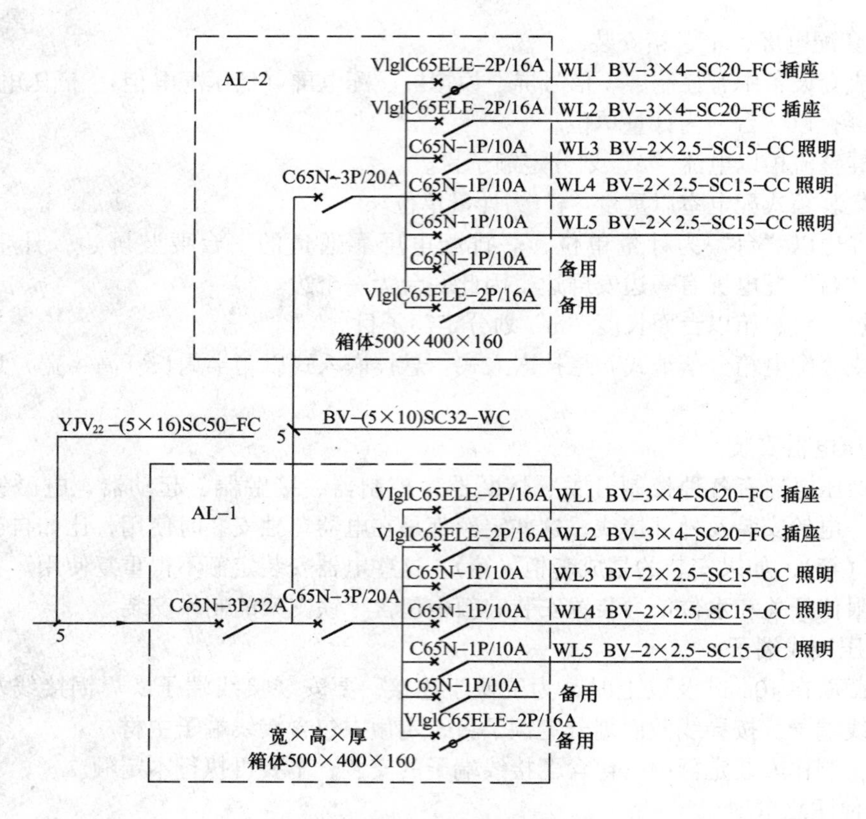

图 5-15　照明系统图

电源从图右侧沿 C 轴引入室内，电缆埋深 0.8m，引至主配电箱 AL-1，AL-1 箱安装高度 1.4m。从 AL-1 箱引出照明支路 AL5，支路上教室内有 6 套双管荧光灯，用一只三联开关控制，两间办公室内各有 2 套双管荧光灯，由两只单联开关控制。

1. 工程量统计

工程量统计见表 5-30。

工程量统计表　　**表 5-30**

序号	工程项目	单位	计算公式	数量
1	焊接钢管埋地敷设 50mm	m	4.3+1+0.8+0.6	6.70
2	焊接钢管暗敷设混凝土 50mm	m	1.4+0.4/2	1.60
3	照明配电箱安装 AL-1	台		1.00
4	焊接钢管暗敷设混凝土 15mm 水平	m	3.0+5.75+(2.5×3)+0.5+1+0.5+8.3+(3.0×2)+3.9+0.5+1.7+0.5+1.7	40.85
5	焊接钢管暗敷设砖 15mm 竖直	m	(3.5−1.4−0.4/2)+(3.5−1.3)×3	8.50
6	管内穿线 BV−2.5	m	(40.85+8.50+0.5+0.4)×2+2.875+[2.875+0.5+1+(3.5−1.3)]×2	116.53
7	灯头盒安装	个		10.00
8	开关盒安装	个		3.00
9	嵌入式双管荧光灯安装	套		10.00
10	单联单控跷板开关安装	套		2.00
11	三联单控跷板开关安装	套		1.00

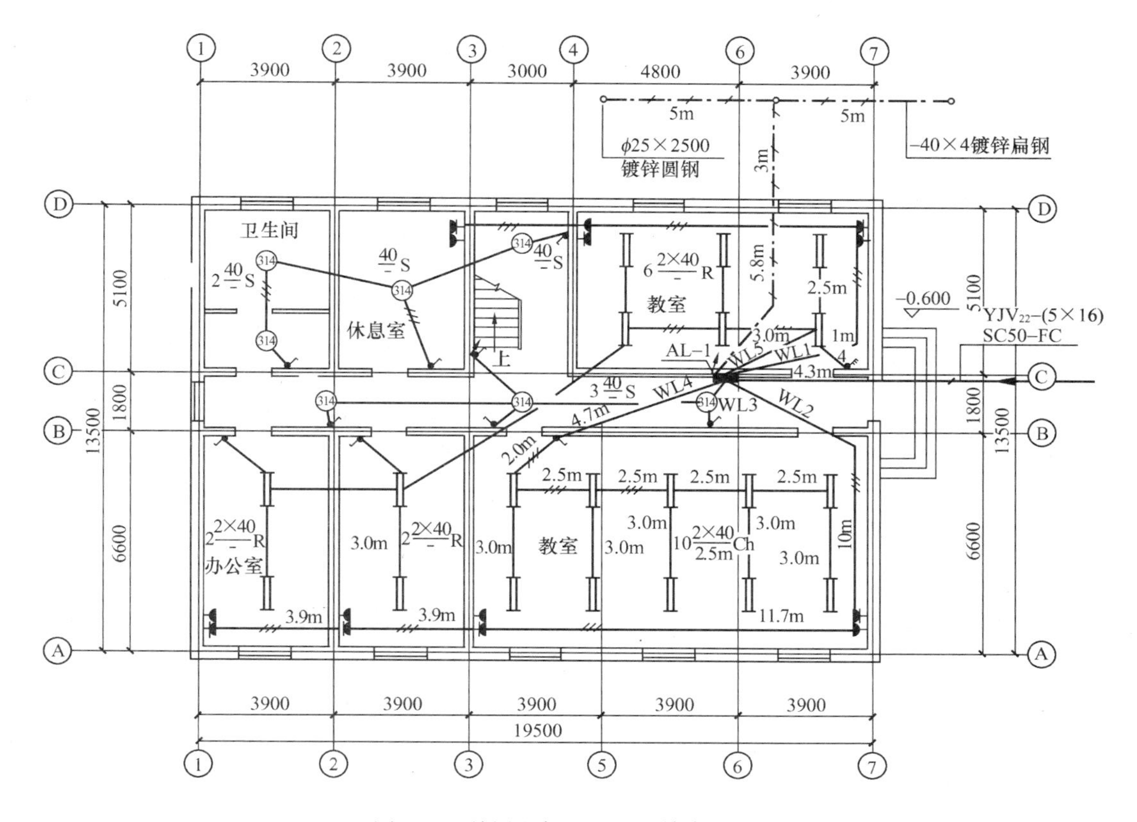

图 5-16 首层电气平面图（单位：mm）

工程量统计过程如下：

（1）焊接钢管埋地敷设 50mm。按施工内容，统计过程为先敷设导管，然后在管内穿线，导管末端为接线盒或配电箱，接线盒上要安装电器或盖板。简单的说就是管、线、盒（箱）、电器这样一个顺序，每段线路都如此，反复重复。

图中电源进线采用电缆埋地引入，穿直径 50mm 焊接钢管，外墙轴线以内到配电箱中心的长度为 4.3m，电缆进建筑物保护管长度要外延 1m，按规定，室内地坪以下部分竖直钢管也为钢管埋设，这段长度是室外电缆埋深 0.8m，室内外高差 0.6m，这样钢管埋地敷设的长度为 4.3 + 1 + 0.8 + 0.6 = 6.7m。

室外一段电缆保护管要埋入地下，按电缆直接埋地的方法挖一段电缆沟，长 1m，与室内埋地部分随地基在基坑内同时施工，不另计挖填土。

（2）焊接钢管暗敷设混凝土 50mm。从室内地坪到配电箱下皮的一段直径 50mm 焊接钢管为暗敷设在砖结构中，长度 1.4m。配电箱位于一层到二层的管线之间，定额规定不扣除箱所占尺寸，配电箱上下的钢管直径不同，钢管长度分别算到箱高中心，配电箱 AL-1 箱高 0.4m，钢管长度为 1.4 + 0.4/2 = 1.6m。

（3）照明配电箱安装。安装照明配电箱 AL-1 箱，1 台。

（4）焊接钢管暗敷设混凝土 15mm 水平。选择一条照明回路 WL5 作为例子，穿直径 15mm 焊接钢管，在平面图中我们只能看到管线的平面情况，只能测量出水平敷设长度。

而竖直方向的长度可以从层高和电器设备安装高度计算得出。

先计算钢管水平敷设的长度，在图上配电箱符号和灯具符号比较大，量图时，从符号中心量起。

从配电箱中心到教室日光灯中心3.0m，从右侧荧光灯到左侧荧光灯长度为5.75m，上下两灯间距2.5m，三组灯间距相同为$2.5\times3=7.5$m，右端半段荧光灯的长度0.5m，从右端荧光灯下端到三联开关处墙面1m，左端荧光灯半段长0.5m。

从教室左端荧光灯下端到办公室荧光灯长度8.3m，从办公室上部荧光灯中心到下部荧光灯中心3.0m，两组灯长度相等为6.0m，左右两组灯距为轴线长度3.9m，上半段荧光灯0.5m，到单联开关处墙面1.7m，两组灯情况相同为4.4m。水平段总长度为$3.0+5.75+7.5+0.5+1+0.5+8.3+6.0+3.9+4.4=40.85$m。

(5) 焊接钢管暗敷设砖15mm竖直。灯具安装在顶板上，线路均为从配电箱向上到顶板，灯到开关的线路从顶板向下到开关。配电箱到顶板的高度为$3.5-1.4-0.4/2=1.9$m，定额规定不扣除箱所占尺寸，从箱高中心算起。从顶板到开关的高度为$3.5-1.3=2.2$m，开关安装高度为1.3m，共3个开关总长6.6m，加上配电箱到顶板长度1.9m，竖直方向钢管敷设长度为8.5m。

(6) 管内穿线。照明线路导线为2.5mm^{2}塑料绝缘铜芯导线，管内为2根线，长度为管长加配电箱内导线预留长度。两段管长为$40.85+8.5=49.35$m，配电箱内预留长度为配电箱半周长$0.5+0.4=0.9$m，2根导线长$(49.35+0.9)\times2=100.5$m。在图中有几段线段上画3根斜杠，表示3根导线，还有些处为4根导线。3根导线是教室左、中部荧光灯，间距为2.875m，已统计过2根线需再加1根线。4根线是教室中、右部荧光灯，间距到三联开关，水平加竖直段全长$2.875+0.5+1+(3.5-1.3)=6.575$m，此段已计算2根导线，需计算另2根长度$6.575\text{m}\times2=13.15$m。导线总长为$100.5+2.875+13.15=116.53$m。

(7) 灯头盒安装。导管的末端为接线盒，顶板上装的是灯头盒，共10个。

(8) 开关盒安装。墙上装开关的是开关盒，共3个。

(9) 嵌入式双管荧光灯安装。室内有吊顶，安装嵌入式双管荧光灯共10套。

(10) 单联单控跷板开关安装。办公室为两套单联单控跷板开关。

(11) 三联单控跷板开关安装。教室内为一套三联单控跷板开关。

2. 套定额计算定额直接费

定额直接费计算见表5-31。

定额直接费计算表 表5-31

序号	定额编号	定额工程项目	单位	计算公式	数 量
1	2-264	成套配电箱安装悬挂嵌入式半周长1.0m	台		1.000
2	主材费	照明配电箱 AL-1	台		1.000
3	2-1008	钢管敷设砖、混凝土结构暗配钢管公称直径15mm以内	100m	$(40.85+8.5)/100$	0.4935
4	主材费	焊接钢管直径15mm	m	103×0.4935	50.830
5	2-1013	钢管敷设砖、混凝土结构暗配钢管公称直径50mm以内	100m	$(6.7+1.6)/100$	0.083

续表

序号	定额编号	定额工程项目	单位	计算公式	数　量
6	主材费	焊接钢直径 50mm	m	103×0.083	8.549
7	2-1172	管内穿线照明线路铜芯导线截面 $2.5mm^2$ 以内	100m 单线	116.53/100	1.1653
8	主材费	塑铜线 BV-2.5	m	116×1.1653	135.17
9	2-1377	接线盒暗装	10 个	10/10	1.000
10	主材费	接线盒	个	10.2×1	10.200
11	2-1378	开关盒暗装	10 个	3/10	0.300
12	主材费	开关盒	个	10.2×0.3	3.060
13	2-1595	荧光灯具安装成套型吸顶式双管	10 套	10/10	1.000
14	主材费	荧光灯	套	10.1×1	10.100
15	2-1637	开关安装板式暗开关单控单联	10 套	2/10	0.200
16	主材费	单控单联板式开关	套	10.2×0.2	2.040
17	2-1639	开关安装板式暗开关单控三联	10 套	1/10	0.100
18	主材费	单控单联板式开关	套	10.2×0.1	1.020

套用定额编制定额直接费计算表的过程如下：

（1）定额编号 2-264，成套配电箱安装悬挂嵌入式半周长 1.0m，定额计量单位为“台”，数量 1 台。成套配电箱安装按配电箱半周长执行定额子目，AL-1 箱尺寸为 500mm×400mm×160mm，半周长 0.5+0.4=0.9m，套用 1.0m 定额。

（2）主材费。照明配电箱 1 台。

（3）定额编号 2-1008，钢管敷设砖、混凝土结构暗配钢管公称直径 15mm 以内，定额计量单位“100m”，0.4935 个定额计量单位。直径 15mm 钢管砖、混凝土结构暗配，数量为（40.85+8.5）/100=0.4935。

（4）主材费。直径 15mm 焊接钢管，定额含量为 103，总量为 103×0.4935=50.83m。

（5）定额编号 2-1013，钢管敷设砖、混凝土结构暗配钢管公称直径 50mm 以内，定额计量单位“100m”，0.085 个定额计量单位。定额中只有钢管砖、混凝土结构暗配，没有埋地敷设，工程量中埋地和暗配均执行同一定额。直径 50mm 钢管砖、混凝土结构暗配，数量为（6.7+1.6）/100=0.083。

（6）主材费。直径 50mm 焊接钢管，数量为 103×0.083=8.549m。

（7）定额编号 2-1172，管内穿线照明线路铜芯导线截面 $2.5mm^2$ 以内，定额计量单位为“100m 单线”，1.1653 个定额计量单位，即 116.53/100=1.1653。

（8）主材费。主材为 $2.5mm^2$ 塑铜线，长度为 116×1.1653=135.17m。照明线路的定额含量为 116，而动力线路定额含量为 105。

（9）定额编号 2-1377，接线盒暗装，定额计量单位为“10 个”，1 个定额计量单位，即 10/10=1。

（10）主材费。主材为灯头盒，定额含量 10.2，灯头盒数量为 10.2×1=10.2 个。

（11）定额编号为2-1378，开关盒暗装，定额计量单位为“10个”，0.3个定额计量单位。3/10 = 0.3。安装开关使用开关盒。

（12）主材费。主材为开关盒，数量为10.2×0.3 = 3.06个。

（13）定额编号2-1595，荧光灯具安装成套型吸顶式双管，定额计量单位为“10套”，1个定额计量单位。10/10 = 1。荧光灯安装定额中没有嵌入式安装，只能执行吸顶安装子目。

（14）主材费。双管嵌入式荧光灯，主材定额含量10.1。主材数量为10.1×1 = 10.1个。

（15）定额编号2-1637，开关安装板式暗开关单控单联，定额计量单位为“10套”，0.2个定额计量单位。2/10 = 0.2。

（16）主材费。单控单联板式开关面板，开关定额含量10.2，主材数量为10.2×0.2 = 2.04套。

（17）定额编号2-1639，开关安装板式暗开关单控三联，定额计量单位“10套”，0.1个定额计量单位。1/10 = 0.1。

（18）主材费。单控三联板式开关面板，开关定额含量10.2，主材数量为10.2×0.1 = 1.02套。

（二）二层照明插座回路

下面以二层为例，说明二层以上楼层干线，插座回路的工程量统计方法及定额的使用方法。二层电气平面图，如图5-17所示。

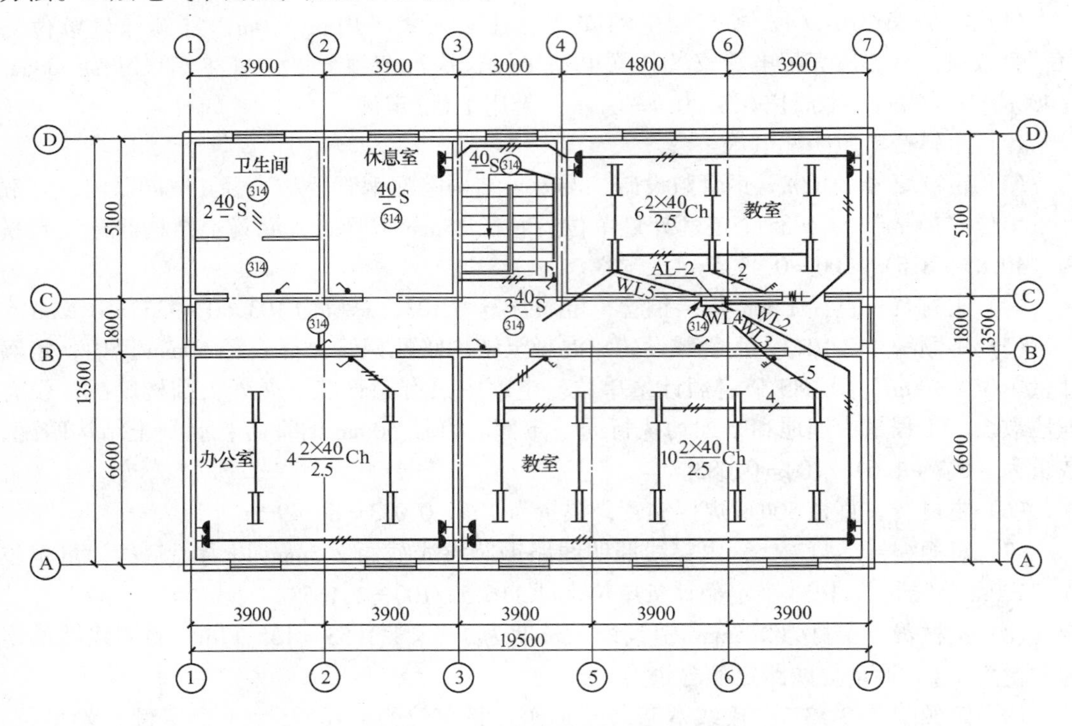

图5-17　二层电气平面图（单位：mm）

每个楼层的工程量统计都是从电源进线开始，沿着供电的方向，一条支路一条支路进行统计。首层电源来自室外，二层以上电源来自下一层，从下一层配电箱开始到本层配电箱，然后再从本层配电箱到各条支路。以 WL1 插座支路为例，说明插座回路的工程量统计方法。

1. 工程量统计

工程量统计见表 5-32。

工程量统计表 **表 5-32**

序号	工程项目	单位	计算公式	数量
1	焊接钢管暗敷设混凝土 32mm	m	（3.5－1.4－0.4/2）＋1.4	3.300
2	管内穿线 BV-10	m	[3.3＋（0.5＋0.4）×2]×5	25.50
3	照明配电箱安装 AL-2	台		1.000
4	焊接钢管暗敷设混凝土 15mm 水平	m	8.6＋8.7＋3	20.300
5	焊接钢管暗敷设混凝土 15mm 竖直	m	1.4＋0.3×2＋0.3×2＋0.3	2.900
6	管内穿线 BV-2.5	m	[20.3＋2.9＋（0.5＋0.4）]×3	72.300
7	接线盒安装	套		3.000
8	单相双联插座安装	套		3.000

工程量统计过程如下：

（1）焊接钢管暗敷设混凝土 32mm。本图为二层平面图，二层以上线路进行工程量统计时，从下层引上的线管开始，二层进线从一层配电箱到二层配电箱，箱的位置上下在一条线上，穿直径 32mm 焊接钢管，竖直管长为：层高－下层箱安装高度－下层箱高度的一半＋本层箱安装高度＝（3.5－1.4－0.4/2）＋1.4＝3.3m，不扣除箱所占长度，计算到箱高中心。

（2）管内穿线。从系统图上看，导线为 10mm^2 塑铜线，长度为管长加上两个箱的预留长度，即 [3.3＋（0.5＋0.4）×2]×5＝25.5m。

（3）照明配电箱安装。AL-2 配电箱安装，1 台。

（4）焊接钢管暗敷设混凝土 15mm 水平。只计算一条插座回路 WL1。按规定，插座线路走地面，从配电箱向下，沿地面到插座位置再沿墙向上。用 ϕ15mm 焊接钢管，先统计水平长度。图上量出尺寸，8.6＋8.7＋3＝20.3m。

（5）焊接钢管暗敷设混凝土 15mm 竖直。竖直长度，配电箱向下 1.4m，插座安装高度 0.3m，到第一个插座处，要有一根管引入，还要有一根管引出到下一个插座，这样中间位置的插座处应有 2 段竖直管，当然，如要向后连接 2 组插座，这个位置就要有 3 根竖直管。有两处插座是中间位置，竖直管长为 0.3×2＋0.3×2＝1.2m，最后的插座处只需有一根引入管，长 0.3m。竖直管总长为 1.4＋1.2＋0.3＝2.9m。

（6）管内穿线。插座线路为 3 根线带保护零线，长度为管长加上箱的预留长度，总长为 [20.3＋2.9＋（0.5＋0.4）]×3＝72.3m。

（7）接线盒安装。每个插座处要安装一个接线盒，共 3 个。

（8）单相双联插座安装。3 套都是单相双联插座。

2. 套定额计算定额直接费

定额直接费计算见表 5-33。

定额直接费计算表 表 5-33

序号	定额编号	定额工程项目	单位	计算公式	数量
1	2-264	成套配电箱安装悬挂嵌入式半周长 1.0m	台		1.000
2	主材费	照明配电箱 AL-2	台		1.000
3	2-337	压铜接线端子导线截面 $16mm^2$ 以内	10个	$2\times5/10$	1.000
4	2-1008	钢管敷设砖、混凝土结构暗配钢管公称直径 15mm 以内	100m	(20.3+2.9)/100	0.232
5	主材费	焊接钢管直径 15mm	m	103×0.232	23.900
6	2-1011	钢管敷设砖、混凝土结构暗配钢管公称直径 32mm 以内	100m	3.3/100	0.033
7	主材费	焊接钢管直径 32mm	m	103×0.033	3.400
8	2-1172	管内穿线照明线路铜芯导线截面 $2.5mm^2$ 以内	100m 单线	72.3/100	0.723
9	主材费	塑铜线 BV-2.5	m	116×0.723	83.870
10	2-1177	管内穿线动力线路铜芯导线截面 $10mm^2$ 以内	100m 单线	25.5/100	0.255
11	主材费	塑铜线 BV-10	m	105×0.255	26.780
12	2-1377	接线盒暗装	10个	3/10	0.300
13	主材费	接线盒	个	10.2×0.3	3.060
14	2-1670	插座安装单相暗插座 15A 5孔	10套	3/10	0.300
15	主材费	单相 5 孔插座 10A	套	10.2×0.3	3.060

套用定额编制定额直接费计算表的过程如下：

(1) 定额编号 2-264，成套配电箱安装悬挂嵌入式半周长 1.0m，定额计量单位为"台"，数量 1 台。成套配电箱安装按配电箱半周长执行定额子目，AL-2 箱尺寸为 500mm × 400mm × 160mm，半周长 $0.5+0.4=0.9$m，套用 1.0m 定额。

(2) 主材费。照明配电箱 AL-2 箱，1 台。

(3) 定额编号 2-337，压铜接线端子导线截面 $16mm^2$ 以内，定额计量单位为"10 个"，1 个定额计量单位。$10/10=1$。$10mm^2$ 以上铜导线需压铜接线端子，执行 $16mm^2$ 以内定额，每根导线两端两个端子，$2\times5=10$ 个端子。含端子主材费。

(4) 定额编号 2-1008，钢管敷设砖、混凝土结构暗配钢管公称直径 15mm 以内，定额计量单位为"100m"，0.232 个定额计量单位。直径 15mm 钢管砖、混凝土结构暗配，数量为 $(20.3+2.9)/100=0.232$。

(5) 主材费。直径 15mm 焊接钢管，定额含量为 103，总量为 $103\times0.232=23.90$m。

(6) 定额编号 2-1011，钢管敷设砖、混凝土结构暗配钢管公称直径 32mm 以内，定额计量单位"100m"，0.033 个定额计量单位，即 $3.3/100=0.033$。

(7) 主材费。直径 32mm 焊接钢管，定额含量为 103，总量为 $103\times0.033=3.40$m。

(8) 定额编号 2-1172，管内穿线照明线路铜芯导线截面 $2.5mm^2$ 以内，定额计量单位为“100m 单线”，0.723 个定额计量单位。72.3/100 = 0.723。管内穿线使用照明线路定额子目，铜芯 2.5mm^2，数量为 0.723。

（9）主材费。主材为 2.5mm^2 塑铜线，长度为 116 × 0.723 = 83.87m。

（10）定额编号为 2-1177，管内穿线动力线路铜芯导线截面 10mm^2 以内，定额计量单位为“100m 单线”，0.255 个定额计量单位。25.5/100 = 0.255。10mm^2 铜芯线，4mm^2 以上使用动力线路定额子目。

（11）主材费。主材为 10mm^2 塑铜线，长度为 105 × 0.255 = 26.78m。

（12）定额编号 2-1377，接线盒暗装，定额计量单位为“10 个”，0.3 个定额计量单位。3/10 = 0.3。插座盒内要接线，执行接线盒安装子目。

（13）主材费。主材为接线盒，定额含量 10.2，开关盒数量为 10.2 × 0.3 = 3.06 个。

（14）定额编号 2-1670，插座安装单相暗插座 15A 5 孔，定额计量单位为“10 套”，0.3 个定额计量单位。3/10 = 0.3。图中单相双联插座为一个 2 孔加一个 3 孔，定额为 5 孔插座 15A。

（15）主材费。主材为单相 5 孔插座面板，10A，定额含量 10.2，数量为 10.2 × 0.3 = 3.06 个。

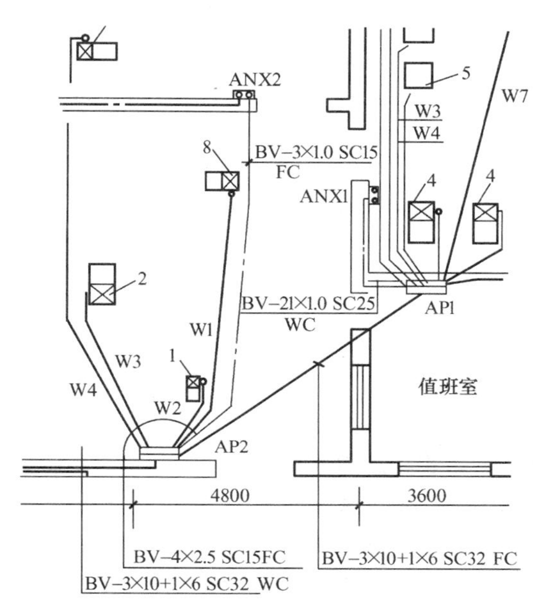

图 5-18　动力线路电气平面图

（三）动力线路

下面以锅炉房为例，说明动力线路的工程量统计方法，及定额的使用方法。动力线路电气平面图，如图 5-18 所示。

1. 工程量统计

工程量统计见表 5-34。

工 程 量 统 计 表　　　　**表 5-34**

序号	工程项目	单位	计算公式	数量
1	焊接钢管埋地敷设 32mm	m		7.20
2	焊接钢管暗敷设混凝土 32mm	m	1.40 + 1.40	2.80
3	管内穿线 BV-10	m	［(7.2 + 2.8）+（0.8 + 0.8）+（0.8 + 0.4）］× 3	38.40
4	管内穿线 BV-6	m	(7.2 + 2.8）+（0.8 + 0.8）+（0.8 + 0.4)	12.80
5	动力配电箱安装 AP2	台		1.00
6	焊接钢管埋地敷设 15mm	m		6.80
7	焊接钢管暗敷设混凝土 15mm	m	1.4 + 0.3	1.70
8	管内穿线 BV-2.5	m	[6.8 + 1.7 + (0.8 + 0.4) + 1] × 4	42.80

续表

序号	工程项目	单位	计算公式	数量
9	防水弯头安装 15mm	个		1.00
10	焊接钢管埋地敷设 15mm	m		9.00
11	焊接钢管暗敷设混凝土 15mm	m	1.40 + 1.40	2.80
12	管内穿线 BV-1.0	m	[(9+2.8) + (0.8+0.4) + (0.2+0.25)] ×3	40.35
13	按钮箱安装 ANX2	台		1.00
14	按钮安装	个		2.00

工程量统计过程如下：

(1) 焊接钢管埋地敷设 32mm。从主配电箱 AP1 到分配电箱 AP2，使用直径 32mm 的焊接钢管，水平部分为埋地敷设，长度从 AP1 箱中心量到 AP2 箱中心，长 7.2m。

(2) 焊接钢管暗敷设混凝土 32mm。竖直部分为砖、混凝土结构内暗敷设长度为两只配电箱安装高度，即 1.4 + 1.4 = 2.8m。

(3) 管内穿线 BV-10。AP1 箱到 AP2 箱导线为 BV-3×10 + 1×6。$10mm^2$ 导线长度为管长加两边箱内预留乘以 3，[(7.2 + 2.8) + (0.8 + 0.8) + (0.8 + 0.4)] × 3 = 38.4m。AP1 箱尺寸为 800mm×800mm×200mm，AP2 箱尺寸为 800mm×400mm×200mm。

(4) 管内穿线 BV-6。$6mm^2$ 导线长度为管长加两箱内预留，为 12.8m。

(5) 动力配电箱安装。配电箱 AP2 安装。

(6) 焊接钢管埋地敷设 15mm。从配电箱 AP2 到 8 号除渣机，使用直径 15mm 的焊接钢管，水平部分埋地敷设，长度为 6.8m。

(7) 焊接钢管暗敷设混凝土 15mm。竖直方向砖、混凝土结构内暗敷设长度为箱下 1.4m，动力线路的末端一段在房间中地面上出口，出地面高度一般为 0.3m。

(8) 管内穿线。AP2 箱到 8 号除渣机，导线为 BV-4×2.5。导线长度为管长加 AP2 箱内预留，再加出线口预留，[(6.8+1.7) + (0.8+0.4) +1] ×4 = 42.8m。

(9) 防水弯头安装。钢管在地面上出口，管口要安装防水弯头。

(10) 焊接钢管埋地敷设 15mm。从配电箱 AP2 到按钮箱 ANX2，使用直径 15mm 的焊接钢管，水平部分埋地敷设，长度为 9m。

(11) 焊接钢管暗敷设混凝土 15mm。竖直方向 AP2 箱安装高度 1.4m，按钮箱 ANX2 安装高度 1.4m。长度为 1.4 + 1.4 = 2.8m。

(12) 管内穿线 BV-1.0。AP2 箱到 ANX2 箱，导线为 BV-3×1.0，导线长度为管长加两箱内预留，[(9+2.8) + (0.8+0.4) + (0.2+0.25)] ×3 = 40.35m。按钮箱 ANX2 箱尺寸为 200mm×250mm×160mm。

(13) 按钮箱安装。按钮箱 ANX2 为空箱。

(14) 按钮安装。在按钮箱内安装 2 只按钮。

2. 套定额计算定额直接费

定额直接费计算见表 5-35。

定额直接费计算表 表 5-35

序号	定额编号	定额工程项目	单位	计算公式	数量
1	2-265	成套配电箱安装悬挂嵌入式半周长 1.5m	台		1.000
2	主材费	配电箱 AP2	台		1.000
3	2-299	普通型按钮安装	个		2.000
4	主材费	按钮 LA10-2K	个		2.000
5	2-337	压铜接线端子导线截面 $16mm^2$ 以内	10 个	2×3/10	0.600
6	2-1008	钢管敷设砖、混凝土结构暗配钢管公称直径 15mm 以内	100m	(6.8+1.7+9+2.8)/100	0.203
7	主材费	焊接钢管直径 15mm	m	103×0.203	20.910
8	2-1011	钢管敷设砖、混凝土结构暗配钢管公称直径 32mm 以内	100m	(7.2+2.8)/100	0.100
9	主材费	焊接钢管直径 32mm	m	103×0.1	10.300
10	2-1196	管内穿线动力线路铜芯导线截面 $1.0mm^2$ 以内	100m 单线	40.35/100	0.4035
11	主材费	塑铜线 BV-1.0	m	105×0.4035	42.370
12	2-1198	管内穿线动力线路铜芯导线截面 $2.5mm^2$ 以内	100m 单线	42.8/100	0.428
13	主材费	塑铜线 BV-2.5	m	105×0.428	44.940
14	2-1200	管内穿线动力线路铜芯导线截面 $6mm^2$ 以内	100m	12.8/100	0.128
15	主材费	塑铜线 BV-6	m	105×0.128	13.440
16	2-1201	管内穿线动力线路铜芯导线截面 $10mm^2$ 以内	100m	38.4/100	0.384
17	主材费	塑铜线 BV-10	m	105×0.384	40.320
18	2-1375	接线箱暗装接线箱半周长 700mm 以内	10 个	1/10	0.100
19	主材费	按钮箱	个		1.000

套用定额编制定额直接费计算表的过程如下：

（1）定额编号 2-265，成套配电箱安装悬挂嵌入式半周长 1.5m，定额计量单位为“台”，数量 1 台。配电箱 AP2 箱尺寸为 800mm×4000mm×160mm，半周长 0.8+0.4=1.2m，套用 1.5m 定额。

（2）主材费。配电箱 AP2 箱，1 台。

（3）定额编号 2-299，普通型按钮安装，定额计量单位为“个”，数量 2 个。

（4）主材费。按钮 LA10-2K，2 个。

（5）定额编号 2-337，压铜接线端子导线截面 $16mm^2$ 以内，定额计量单位为“10 个”，0.6 个定额计量单位。6/10=0.6。$10mm^2$ 铜导线需压铜接线端子，每根导线两个端子，2×3=6 个端子。含端子主材。

（6）定额编号 2-1008，钢管敷设砖、混凝土结构暗配钢管公称直径 15mm 以内，定额计量单位为“100m”，0.203 个定额计量单位。把两条线路的直径 15mm 钢管加起来计算，数量 6.8+1.7+9+2.8=20.3m。20.3/100=0.203。

全国定额中没有防水弯头子目，可参考其他定额编制。

（7）主材费。焊接钢管直径 15mm。钢管主材定额含量 103，数量 103×0.203=20.91m。

（8）定额编号 2-1011，钢管敷设砖、混凝土结构暗配钢管公称直径 32mm 以内，定额计量单位为“100m”，0.1个定额计量单位。（7.2+2.8）/100=0.10。

（9）主材费。焊接钢管直径32mm。钢管主材数量103×0.1=10.3m。

（10）定额编号2-1196，管内穿线动力线路铜芯导线截面1.0mm^{2}以内，定额计量单位为“100m单线”，0.4035个定额计量单位。40.35/100=0.4035。

（11）主材费。塑铜线BV-1.0，定额含量105，数量105×0.4035=42.37m。

（12）定额编号2-1198，管内穿线动力线路铜芯导线截面2.5mm^{2}以内，定额计量单位为“100m单线”，0.428个定额计量单位。42.8/100=0.428。

（13）主材费。塑铜线BV-2.5，定额含量105，数量105×0.428=44.94m。

（14）定额编号2-1200，管内穿线动力线路铜芯导线截面6mm^{2}以内，定额计量单位为“100m单线”，0.128个定额计量单位。12.8/100=0.128。

（15）主材费。塑铜线BV-6，定额含量105，数量105×0.128=13.44m。

（16）定额编号2-1201，管内穿线动力线路铜芯导线截面10mm^{2}以内，定额计量单位为“100m单线”，0.384个定额计量单位。38.4/100=0.384。

（17）主材费。塑铜线BV-10，定额含量105，数量105×0.384=40.32m。

（18）定额编号2-1375，接线箱暗装接线箱半周长700mm以内，定额计量单位为“10个”，0.1个定额计量单位。1/10=0.1。按钮箱为空箱安装，执行接线箱安装定额，半周长0.2+0.25=0.45m，为700mm以内。

（19）主材费。按钮箱1个。

第六节　其他工程定额

一、蓄电池

定额中蓄电池是第五章，共5节47个定额子目。

在大型变电站中，高压系统中需要用直流电做工作电源，要使用蓄电池组在交流送电前供电，交流送电后由交流电经整流给蓄电池组充电。

本章的内容主要有：

（1）蓄电池防震支架的安装，按支架层数和排数划分定额子目。

（2）蓄电池安装。碱性蓄电池安装和固定密闭式铅酸蓄电池安装，按每个电池的容量（A·h）划分定额子目。免维护铅酸蓄电池安装按蓄电池电压/容量［V/（A·h）］划分定额子目。

（3）蓄电池充放电。按每组容量（A·h）划分定额子目。

二、电机

定额中电机是第六章，共11节54个定额子目。

（1）本章的内容是各种电动机的检查接线和干燥定额，检查接线是指电机安装前对电机的各部分进行必要的检查，检查电机完好进行安装，安装后电机与电源连接进行空载试运转，其中电机安装要执行全国定额第一册中的电机安装定额。

（2）电机重量在3t以下的为小型电机，按功率划分定额子目。3t以上的为大中型电机，以电机的重量“t”划分定额子目。

（3）电机的接线需要穿金属软管保护，每台电机按1.25m金属软管考虑，要另外计算金属软管和接头的主材费。

（4）定额中含的电机接地材料是—25×4的扁钢，如果采用铜接地线，要调整材料费用，但安装的人工费和机械费不变。

（5）电机干燥定额只有在电机需要干燥时才使用，在气候干燥、电机绝缘性能良好、符合技术标准而不需要干燥时，则不计算干燥费用。干燥定额是按干燥一次考虑的，如果特别潮湿需要多次干燥时，按实际干燥次数计算。

在配管配线一讲的例子中，锅炉房动力线路的末端是8号除渣机，动力是一台1.5kW的电动机，现在需要增加一项电动机的检查接线定额，定额编号是2-438，小型交流异步电动机检查接线3kW，主材是ϕ25mm金属软管活接头2.04套、ϕ25mm金属软管1.25m。

三、滑触线装置

全国定额中滑触线装置是第七章，共7节38个定额子目。

滑触线是起重设备的供电线路，滑触线种类很多，有轻型滑触线、安全节能型滑触线、型钢滑触线。

（1）滑触线安装定额。按滑触线的类型、规格尺寸或电流划分定额子目，工字钢则按单位长度重量划分定额子目，计量单位是“100m/单相”。安全节能型滑触线可能是三相组合的，按单相滑触线定额乘以系数2.0。

（2）滑触线支架安装定额。按滑触线支架结构类型划分定额子目，以“10套”为计量单位。

（3）滑触线拉紧装置安装定额。滑触线拉紧装置按滑触线类型划分定额子目，以“套”为计量单位。

（4）移动式软电缆安装定额。沿钢索架设的移动式软电缆，分长度按“套”执行定额，沿轨道架设移动式软电缆，按电缆截面划分定额子目，以“100m”为定额计量单位。

（5）本章定额是按安装高度10m以下考虑的，超过10m要计算超高系数。

（6）定额中，滑触线安装都要增加预留长度，按定额提供的预留长度表计算。

四、电气调整试验

全国定额中电气调整试验是第十一章，共18节136个定额子目。

1. 本章内容包括电气设备的本体试验和主要设备的分系统调试。成套设备的整套起动调试按专业定额另行计算。主要设备的分系统内所含的电气设备元件的本体试验已包括在该分系统调试定额之内。

2. 变压器系统：

（1）变压器系统调试，以每个电压侧有一台断路器为准。多于一个断路器的按相应电压等级送配电设备系统调试的相应定额另行计算。

（2）干式变压器、油浸电抗器调试，执行相应容量变压器调试定额，乘以系数0.8。

（3）电力变压器如有“带负荷调压装置”，调试定额乘以系数1.12。三卷变压器、整流变压器、电炉变压器调试按同容量的电力变压器调试定额乘以系数1.2计算。

3. 送配电设备系统：

(1) 送配电设备系统调试，按一侧有一台断路器考虑的，若两侧均有断路器时，则应按两个系统计算。

(2) 送配电设备系统调试，适用于各种供电回路（包括照明供电回路）的系统调试。凡供电回路中带有仪表、继电器、电磁开关等调试元件的（不包括闸刀开关、保险器），均按调试系统计算。移动式电器和以插座连接的家电设备已经厂家调试合格、不需要用户自调的设备均不应计算调试费用。

(3) 送配电设备调试中的1kV以下定额适用于所有低压供电回路，如从低压配电装置至分配电箱的供电回路；但从配电箱接至电动机的供电回路已包括在电动机的系统调试定额内。

(4) 送配电设备系统调试包括系统内的电缆试验、瓷瓶耐压等全套调试工作。

(5) 供电桥回路中的断路器、母线分段断路器皆作为独立的供电系统计算。定额皆按一个系统一侧配一台断路器考虑的。若两侧皆有断路器时，则按两个系统计算。

(6) 如果分配电箱内只有刀开关、熔断器等不含调试元件的供电回路，则不再作为调试计算。

4. 接地网：

(1) 接地网接地电阻的测定。一般的发电厂或变电站连为一体的母网，按一个系统计算；自成母网不与厂区母网相连的独立接地网，另按一个系统计算。大型建筑群各有自己的接地网（对接地电阻值设计有要求），虽然在最后也将各接地网连在一起，但应按各自的接地网计算，不能作为一个网，具体应按接地网的试验情况而定。

(2) 避雷针接地电阻的测定。每一避雷针均有单独接地网（包括独立的避雷针、烟囱避雷针等）时均按一组计算。

(3) 独立的接地装置按组计算。如一台柱上变压器有一个独立的接地装置，即按一组计算。

5. 避雷器、电容器的调试，按每三相为一组计算；单个装设的亦按一组计算，上述设备如设置在发电机，变压器，输、配电线路的系统或回路内，仍应按相应定额另外计算调试费用。

6. 一般的住宅、学校、办公楼、旅馆、商店等民用电气工程的供电调试应按下列规定：

①配电室内带有调试元件的盘、箱、柜和带有调试元件的照明主配电箱，应按供电方式执行相应的“配电设备系统调试”定额。

②每个用户房间的配电箱（板）上虽装有电磁开关等调试元件，但如果生产厂家已按固定的常规参数调整好，不需要安装单位进行调试就可直接投入使用的，不得计取调试费用。

③民用电度表的调整校验属于供电部门的专业管理，一般皆由用户向供电局订购调试完毕的电度表，不得另外计算调试费用。

④高标准的高层建筑、高级宾馆、大会堂、体育馆等具有较高控制技术的电气工程（包括照明工程），应按控制方式执行相应的电气调试定额。

7. 电气调试所需的电力消耗已包括在定额内，一般不另计算。但10kW以上电机及发电机的启动调试用的蒸汽、电力和其他动力能源消耗及变压器空载试运转的电力消耗，另行计算。

8. 定额不包括设备的烘干处理和设备本身缺陷造成的元件更换修理和修改，亦未考虑因设备元件质量低劣对调试工作造成的影响。定额系按新的合格设备考虑的，如遇以上情况，应另行计算。经修配改或搬迁的旧设备调试，定额乘以系数 1.1。

9. 调试定额不包括试验设备、仪器仪表的场外转移费用。

10. 变配电装置定额应用例子中（见本章第二节）：

①例中有两台变压器，要执行变压器系统调试定额，定额编号是 2-844，10kV 以下变压器 2000kV·A 以下，2 个系统。

系统中有四台油断路器，变压器系统调试定额中含一台断路器，两个系统含两台断路器。

②剩下的两台断路器要执行送配电装置系统调试定额，定额编号是 2-851，10kV 以下交流供电断路器，两台断路器柜算 2 个系统。

③在低压室中有八台低压屏，其中七台低压配电屏中有断路器，两台主断路器低压配电屏，要归入变压器系统调试定额。剩下五台要执行送配电装置系统调试定额，定额编号是 2-849，1kV 以下交流供电（综合），五台断路器算 5 个系统。

④两台互感防雷柜中装有电压互感器和避雷器，要执行避雷器调试定额，定额编号是 2-882，避雷器 10kV 以下，两台柜中装有两套避雷器，算 2 组。

⑤一台电容器屏，要执行电容器调试定额，定额编号是 2-883，电容器 1kV 以下，1 组。

⑥母线要执行母线调试定额，定额编号是 2-880，母线系统 1kV 以下，从低压屏到变压器为一段，两组母线共 2 段。

⑦高压母线从高压柜出线断路器到变压器为一段，两组高压柜母线中间装有联络开关，高压柜上母线为两段，定额编号是 2-881，母线系统 10kV 以下，共 4 段。

⑧绝缘套管试验，定额编号是 2-971，共 12 只。

⑨绝缘油试验，定额编号是 2-972，共 2 个试样。

⑩支持绝缘子和电缆试验，已包含在变压器系统调试和送配电装置系统调试定额中，不另行计算。

11. 架空配电线路例子中（见本章第三节），安装变压器有一组接地装置，要执行接地装置调试定额，定额编号是 2-885，独立接地装置 6 根接地极以内，共 1 个系统。

12. 住宅楼防雷接地装置例子中（见本章第四节），有四组接地装置，要执行接地装置调试定额，定额编号是 2-885，独立接地装置 6 根接地极以内，共 4 个系统。

五、电梯电气装置

全国定额中电梯电气装置是第十四章，共 7 节 150 个定额子目。

(1) 本章适用于国内生产的各种客、货、病床和杂物电梯的电气装置安装，但不包括自动扶梯和观光电梯。

(2) 电梯安装材料、电线管及线槽、金属软管、管子配件、紧固件、电缆、电线、接线箱（盒）、荧光灯及其他附件、备件等，均按设备带有考虑。

(3) 电梯是按每层一门为准，增或减时，另按增（减）厅门相应定额计算。

(4) 电梯安装的楼层高度，是按平均层高4m以内考虑的，如平均层高超过4m，其超过部分可另按提升高度定额计算。

(5) 两部或两部以上并行或群控电梯，按相应的定额分别乘以系数1.2。

(6) 本定额是以室内地平±0.000以下为地坑（下缓冲）考虑的，如遇有“区间电梯”(基站不在首层)，下缓冲地坑设在中间层时，则基站以下部分楼层的垂直搬运应另行计算。

(7) 本定额不包括下列各项工作：

①电源线路及控制开关的安装；

②电动发电机组的安装；

③基础型钢和钢支架制作；

④接地极与接地干线敷设；

⑤电气调试；

⑥电梯的喷漆；

⑦轿厢内的空调、冷热风机、闭路电视、步话机、音响设备；

⑧群控集中监视系统以及模拟装置。

(8) 本定额已考虑了高空作业工时。

六、弱电工程定额

在全国定额第二册《电气设备安装工程》中，没有弱电工程相关的定额内容，在第七册《消防及安全防范设备安装工程》中，有消防报警系统和安全防范系统的设备安装定额，在第十二册《通信设备及线路工程》中，有电话设备的安装定额，全国定额中没有电视系统工程的定额内容。

弱电工程的内容主要有线路施工和设备安装，线路施工的方法与内线施工的方法相同，因此可以使用前面配管配线相应的定额，只不过管内穿线的定额与照明线路，动力线路不同，要有穿电话线、电话缆、双绞线电缆、同轴电缆、光缆的相关定额。弱电工程定额中更主要的是各种设备的安装定额，由于各种工程使用的设备种类很多，对应的定额子目也很多，只要按设备名称执行对应的定额即可。另外弱电工程的调试定额都在各章的定额内容中。